Übersicht

Gliederung

Übersicht der Tabellen

Zusätzliche Tabellen (Anhang F)

Übersicht der Abbildungen

Vorbemerkung

Diese Arbeit entstand aus einem Projekt zur Identitätsentwicklung im Erwachsenenalter am Max-Planck-Institut für Bildungsforschung in Berlin, das von Dr. Michael Siegert (jetzt wissenschaftlicher Mitarbeiter des Deutschen Entwicklungsdienstes in Dhaka, Bangladesh) und Dr. Michael Chapman (jetzt an der University of British Columbia in Vancouver, Kanada) initiiert wurde. Meine Aufgabe bestand in einer theoretischen Rekonstruktion dieses Projekts, der Inhaltsanalyse vorliegender Interviewprotokolle und der statistischen Analyse der resultierenden Daten. Michael Chapman hat die Arbeit in allen Phasen mit großem Engagement betreut. Prof. Paul Baltes hat die Durchführung des Dissertationsvorhabens ermöglicht und meine Arbeit tatkräftig unterstützt. Beiden möchte ich ganz herzlich danken.

Ohne die Hilfe von vielen Personen wäre diese Arbeit nicht zustande gekommen. Für theoretische Diskussionen in verschiedenen Phasen der Arbeit möchte ich Prof. Jochen Brandtstädter, Dr. Freya Dittmann-Kohli, Prof. Heide-Sigrun Filipp, Dr. Jutta Heckhausen, Prof. Ernst Hoff und Dipl.-Psych. Silvia Sörensen danken. Insbesondere möchte ich Dr. Gertrud Nunner-Winkler und Prof. Robert Wicklund für ihre Hinweise danken, die sie als Berater auf einem Konsultations-Seminar gaben. Hilfreiche Ratschläge zu inhaltsanalytischen und statistischen Problemen machten Prof. Anders Ericsson und Dipl.-Psych. Ulrich Mayr. Bei der ersten, explorativen Analyse der Daten waren Dipl.-Psych. Renate Buffaloe und Anita Günther kompetente Gesprächspartnerinnen. Karin Pfingsten und Ljerka Cuvaj nahmen die zweite standardisierte Inhaltsanalyse vor. Besonders danken möchte ich Katrin Goetz und Doris Gampig für die zuverlässige und intelligente Textverarbeitung und Erstellung von Anhängen.

Der Autor wurde durch ein Stipendium der Max-Planck-Gesellschaft und im Rahmen des Promotionsprogramms "Entwicklungspsychologie" der Stiftung Volkswagenwerk finanziell unterstützt. Das Promotionsprogramm wird geleitet von Prof. Paul Baltes, Prof. Jochen Brandtstädter, Prof. Hellgard Rauh und Prof. Silbereisen. Im Rahmen dieses Promotionsprogramms wurde ein Konsultations-Seminar mit externen Experten, eine Sommerakademie und pro Semester ein Doktoranden-Seminar durchgeführt; zusätzlich wurde der Besuch von Konferenzen ermöglicht. Der Aufenthalt am Max-Planck-Institut für Bildungsforschung und die Teilnahme am Promotionsprogramm "Entwicklungspsychologie" gehören zu den angenehmsten und stimulierendsten akademischen Erfahrungen, die ich gemacht habe. Das lag nicht zuletzt an den Teilnehmern des Programms. Ulman Lindenberger und Ursula Staudinger sind zu guten Kollegen und Freunden geworden. Die Seminare mit Maria von Salisch, Anja Drösler und Uli Schmid-Furstoss waren anregend und fruchtbar. Wäre die Entfernung zwischen Berlin und Trier nicht so groß, würde ich mit Werner Greve gerne viel öfter über Sprache und Identität diskutieren.

Besonders danken möchte ich Dir, Monika. Dein Rat und Deine Hilfe haben diese Arbeit möglich gemacht.

Berlin, im Juli 1989 Clemens Tesch-Römer

1. Einleitung

Diese Arbeit ist eine Studie über die Identität von Personen im mittleren Erwachsenenalter. Eine Reihe von Fragen lassen sich zu diesem Thema formulieren: Was ist mit dem Konzept der Identität gemeint? Welche Altersgrenzen definieren das "mittlere Erwachsenenalter"? Was wissen wir über diesen Altersabschnitt? Welche Entwicklungsaufgaben müssen Personen dieses Alters bewältigen? Welche Lebensziele verfolgen Personen im mittleren Erwachsenenalter? Erleben sich Personen in diesem Altersabschnitt als stabil oder nehmen sie Veränderungen an sich wahr? Haben sich die Entwicklungsziele von Personen im mittleren Erwachsenenalter im Lauf der historischen Zeit gewandelt? Nicht alle Fragen, die sich in diesem Zusammenhang aufwerfen lassen, können in dieser Arbeit behandelt werden. Um eine genauere Darstellung der Fragestellung zu geben, die dieser Arbeit zugrunde liegt, soll in dieser Einleitung (1) eine kurze Definition des Konzepts der Identität gegeben, (2) die Altersgrenzen und Entwicklungsaufgaben des mittleren Erwachsenenalters beschrieben und (3) der Untersuchungsplan dieser Arbeit skizziert werden.

Der Begriff **Identität** bezeichnet die sprachliche Struktur, mit der eine Person sich selbst, ihre Wünsche und Ziele, ihre Eigenarten und Merkmale sowie ihre sozialen Beziehungen zu anderen Menschen beschreibt und die in sich konsistent und über die Zeit hinweg kontinuierlich ist. Identität ist das Bild einer Person von sich selbst in der Welt, das sie sich selbst und der Welt präsentiert. Die vorliegende Arbeit konzentriert sich auf <u>eine</u> Facette des Identitätskonzepts: die zentralen Lebensziele oder Identitätsprojekte einer Person. Es wird danach gefragt, durch welche Ziele sich die Identität einer Person im mittleren Erwachsenenalter charakterisieren läßt und ob diese Ziele in der Wahrnehmung der Person stabil oder veränderlich sind. (Im folgenden werden die beiden Begriffspaare "Zentrale Lebensziele" und "Identitätsprojekte" sowie "Veränderung zentraler Lebensziele" und "Identitätstransformation" synonym verwendet.)

Durch welche Altersgrenzen läßt sich nun das **mittlere Erwachsenenalter** bestimmen? Fragt man innerhalb der Entwicklungspsychologie der Lebensspanne danach, ob sich der Lebenslauf in verschiedene, klar abgrenzbare Abschnitte einteilen läßt, so erhält man für Kindheit und Jugend auf der einen Seite und das hohe Alter auf der anderen Seite recht eindeutige Angaben. Neugeborenenalter (bis 3 Monate), Säuglingsalter (bis 1 Jahr), Kleinkindalter (1-3 Jahre), Vorschulalter (3-6 Jahre), mittlere Kindheit (6-12 Jahre) und Adoleszenz (12-18 Jahre) sind die Abschnitte der Kindheit und Jugend (vgl. Mussen, Conger & Kagan, 1974). Die Kriterien, die eine solche Einteilung plausibel machen, sind beispielsweise Stufen der kognitiven oder der Selbstkonzept-Entwicklung. Auch der Beginn des hohen Alters läßt sich gut festlegen: Zumeist wird das gesetzliche Rentenalter dazu herangezogen (65 Jahre).

Einige Autoren differenzieren das hohe Alter dann weiterhin in "young old" (65 bis etwa 80 Jahre), "old old" (ab etwa 75 bis 90 Jahre) und "very old" (über 90 Jahre) (Schaie & Willis, 1986). Auch hier werden bestimmte Kriterien für eine Festlegung von Altersabschnitten herangezogen (meist Indikatoren körperlichen Abbaus).

Wie läßt sich nun die Zeit des Erwachsenenalters weiter differenzieren, dessen Beginn und Ende man pragmatisch mit der gesetzlichen Volljährigkeit (18 Jahre) sowie dem Rentenalter (65 Jahre) festlegen könnte? Zieht man verschiedene Lehrbücher der Entwicklungspsychologie oder grundlegende entwicklungspsychologische Forschungsarbeiten heran, so erkennt man zwar, das alle Autoren das Erwachsenenalter in Abschnitte unterteilen, sich diese Einteilungen aber recht stark voneinander unterscheiden. In Abbildung 1.1 sind verschiedene Versuche graphisch dargestellt, das Erwachsenenalter in Phasen oder Abschnitte einzuteilen.

Hier soll der Einteilung von Whitbourne & Weinstock (1979) gefolgt und das Erwachsenenalter in drei große Abschnitte geteilt werden:

(1) Frühes Erwachsenenalter (18 bis 30 Jahre)
(2) Mittleres Erwachsenenalter (30 bis 45 Jahre)
(3) Reifes Erwachsenenalter (45 bis 65 Jahre)

Mit welchen Argumenten läßt sich diese Einteilung begründen? In diesem Zusammenhang ist das Konzept der **Entwicklungsaufgaben** hilfreich, wie es Havighurst (1948) vorgestellt hat. Entwicklungsaufgaben sind nach Havighurst durch gesellschaftliche Normen regulierte Anforderungen an das Individuum, die je nach Alter der Person unterschiedlich sind. In der Zeit des frühen Erwachsenenalters (18-30 Jahre) lassen sich die Entwicklungsaufgaben in der allgemeinen Aufforderung "Etabliere Dich in der Gesellschaft!" zusammenfassen. Es wird von der Person in ihren zwanziger Jahren erwartet, eine Berufsausbildung zu Ende zu führen, eine berufliche Karriere zu beginnen sowie eine intime Beziehung zu einer anderen Person aufzubauen und mit dieser Person Kinder zu planen (Zepelin, Sills, & Heath, 1986/87). Allerdings ist es in diesem Abschnitt noch möglich, das von Erikson (1959) beschriebene "Moratorium" der Adoleszenz zu verlängern: Der Person wird es gestattet, mit verschiedenen Berufsausbildungen zu experimentieren oder persönliche Beziehungen einzugehen und wieder zu lösen. Jedoch lautet die allgemeine gesellschaftliche Vorstellung, daß eine Person mit 30 Jahren in den Bereichen Beruf und Familie bestimmte Festlegungen getroffen haben sollte (Neugarten & Datan, 1973). Während des mittleren Erwachsenenalters (Altersgrenzen 30 und 45 Jahre) werden von der Person feste Bindungen und verantwortungsvolles Planen in den Bereichen Beruf und Familie verlangt. Von Personen dieses Alters wird erwartet, sich produktiv in einem Beruf zu betätigen, vielfältige soziale Bezie-

Abbildung 1.1: Angaben verschiedener Autoren zu Abschnitten des Erwachsenenalters

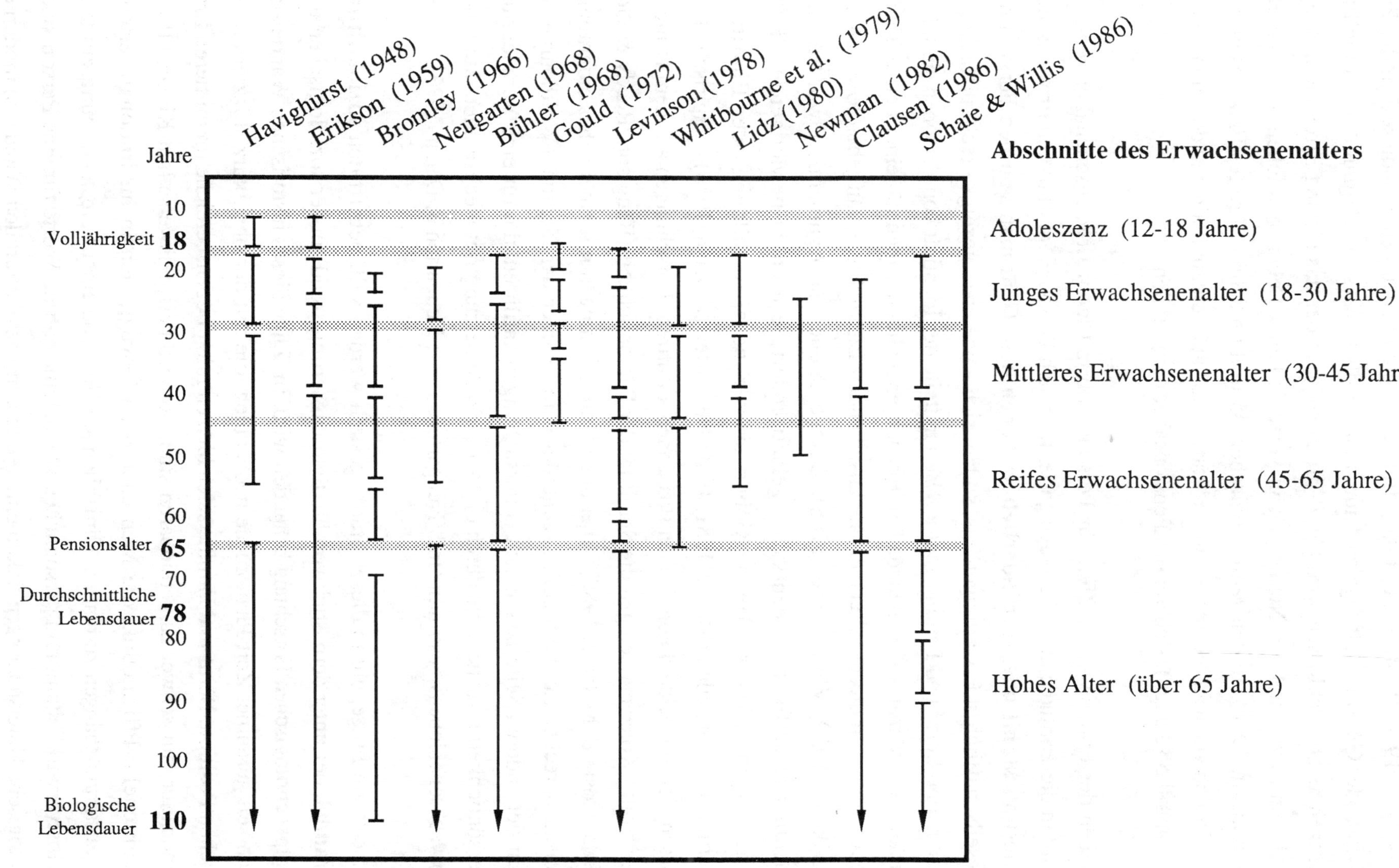

hungen aufzubauen und sich um die Sicherung einer Familie zu kümmern (Erikson, 1959; Levinson, 1978; Whitbourne, 1986). Einige Autoren behaupten, daß diese Zeit der Produktivität oder Generativität regelhaft durch eine größere Krise zu Beginn des fünften Lebensjahrzehnts abgeschlossen wird ("mid-life crisis"), in der das bislang Erreichte in Frage gestellt und eventuell ein Neubeginn in verschiedenen Lebensbereichen ausprobiert wird (Levinson, 1978). In den Jahren zwischen 45 und 65 Jahren ("reifes Erwachsenenalter") schließlich versucht die Person, ihren "status quo" aufrechtzuerhalten und beginnt (eventuell schon mit 55 Jahren), sich auf das Pensionsalter einzustellen.

Neben der Frage, welche Ziele für Personen im mittleren Erwachsenenalter zentral sind, wird in dieser Studie auch die Frage gestellt, ob sich Personen im mittleren Erwachsenenalter selbst als **stabil oder veränderlich wahrnehmen**. Geht man von den herkömmlichen gesellschaftlichen Erwartungen aus, so läßt sich - wie eben gezeigt - recht plausibel postulieren, daß Beruf und Familie zentrale Bestandteile der Identität von Personen sind. Darüber hinaus könnte man annehmen, daß im Erwachsenenalter die Identität einer Person stabil sein muß, um die in dieser Altersperiode anstehenden Entwicklungsaufgaben lösen zu können (Erikson, 1959; Whitbourne, 1986). Demgegenüber ist argumentiert worden, daß die Identität eines Erwachsenen sich regelhaft ändert, je nach zu bewältigender "Entwicklungsaufgabe", wie sie Heirat, Geburt eines Kindes, Ausbildung oder Eintritt in das Berufsleben darstellen (Meyer, 1981, 1986; Neugarten & Datan, 1973). Empirische Befunde lassen sich für beide theoretischen Positionen anführen: Forschungen auf dem Hintergrund des "trait"-Konzepts belegen die Stabilität der Persönlichkeit (Bengtson, Reedy & Gordon, 1985; Costa & McCrae, 1980). Aber auch Untersuchungen mit einem eher biographischen Ansatz sprechen für die Stabilität zentraler Dimensionen der Identität (Whitbourne, 1986). Auf der anderen Seite lassen sich Untersuchungen anführen, die für eine Veränderung der Persönlichkeit sprechen, die durch die Auseinandersetzung mit wechselnden Aufgaben des Erwachsenenlebens bestimmt sind (Neugarten, 1977; Neugarten & Datan, 1973).

Eine letzte Frage, die in dieser Studie gestellt werden soll, betrifft den **soziokulturellen Wandel**, der unter dem Stichwort "Individualisierungstrend" in der soziologischen und sozialpsychologischen Forschung behandelt wird. Im Zuge dieses historischen Wandels lassen sich seit geraumer Zeit Phänomene beobachten, die mit der oben kurz skizzierten theoretischen Position, Beruf und Familie seien die zentralen Lebensbereiche im mittleren Erwachsenenalter, nur schwer zu vereinbaren sind. So wird beispielsweise laut Klages (1984) die traditionelle Pflichtethik, die Menschen dazu bewegt, sich in institutionalisierten Rollenzusammenhängen zu binden, allmählich abgelöst von einer Selbstentfaltungsethik, in der Selbstverwirklichung und persönliches Wachstum zentrale Werte für eine Person sind. Soziologische Untersuchungen dokumentieren diesen soziokulturellen Wandel in modernen Industriegesellschaften (für die USA: Veroff, Pouvan & Kulka, 1981; Yankelovich, 1981; für die BRD: Gehrmann, 1986; Kmieciak, 1976; Klages, 1984; Klages & Herbert, 1983; Pawlowsky, 1986a).

Im Zusammenhang mit dem Phänomen des Wertwandels läßt sich die Frage stellen, ob die Identitätsentwicklungen und Biographien eines nicht unwesentlichen Teils der Personen im "mid life" tatsächlich noch adäquat erfaßt werden durch die Konzepte stabiler Identitätsprojekte oder einer Anpassung an einen "institutionalisierten" Lebenslauf, wie er durch Berufs- und Familienzusammenhänge vorgegeben ist. Ein Beispiel sei genannt: Der Trend nach "persönlichem Wachstum" und "Selbstverwirklichung" läßt sich deutlich am zahlenmäßigen Umfang neoreligiös-therapeutischer Gruppen ablesen (z.B. Rajneesh-Gruppe, Maharij-Ji-Gruppe, Ananda Marga). Mitglieder der Rajneesh-Gemeinschaft beispielsweise sind nicht selten gut qualifizierte und in familiären Zusammenhängen stehende Personen, die einen Bruch ihres institutionalisierten Lebenslaufs zu einem Zeitpunkt vollzogen, an dem gemäß traditioneller Erwartungen die Zeit jugendlichen Experimentierens vorüber und die Persönlichkeit gefestigt sein sollte (FitzGerald, 1986; Satyananda, 1979, 1981). Unter der Perspektive der Psychologie der Lebensspanne (Baltes, 1986; Baltes & Reese, 1984; Baltes, Reese & Lipsitt, 1980) können psychologische Theorien der individuellen Identitätsentwicklung mit soziologischen Perspektiven zum historischen Wandel soziokultureller Bedingungen verknüpft werden.

Die **vorliegende Untersuchung** konzentriert sich auf die Fragestellung, in welcher Form Individuen im mittleren Erwachsenenalter ihre Identität sichern und verändern mit Bezug auf die sich ändernden soziokulturellen Bedingungen der Gesellschaft, deren Mitglieder sie sind. Es soll zum einen untersucht werden, in welcher Form Personen im mittleren Erwachsenenalter "Identitätsprojekte" verwirklichen. Zum anderen geht es darum festzustellen, ob und in welcher Form Individuen "Identitätstransformationen" im Erwachsenenalter vollziehen. Zu fragen ist, welche Rolle Kontexteinflüsse in Form von Entwicklungsaufgaben oder kritischen Lebensereignissen spielen und unter welchen Bedingungen Individuen ihre Entwicklung selbst "in die Hand nehmen" und aktiv Änderungen ihrer Identität betreiben.

Um diese Fragen beantworten zu können, wurden 29 Personen, die zum Zeitpunkt des Interviews zwischen 31 und 46 Jahre alt waren, in biographischen Interviews zu sehr vielen, sehr unterschiedlichen identitätsrelevanten Themenkomplexen befragt. Die Überlegungen hinsichtlich des soziokulturellen Wandels wurden zum Anlaß genommen, verschiedene Gruppen von Personen, die alle im mittleren Erwachsenenalter stehen, miteinander zu vergleichen. Die Entscheidung, verschiedene Gruppen auszuwählen und miteinander zu vergleichen, wurde aufgrund der Überlegung getroffen, daß es schwierig ist, einen soziokulturellen Wandel über die Zeit hinweg zu erfassen. Gelingt es dagegen, verschiedene Gruppen zu finden, die zu einem gegebenen Zeitpunkt unterschiedlich stark von dem in Frage stehenden historischen Wandel affiziert sind, so ließe sich der historische Wandel gewissermaßen "während eines Zeitpunktes simulieren" (vgl. Luria, 1974/1986). Diese Überlegung führte zur Auswahl von drei Gruppen: Facharbeitern, Lehrern und Sannyasins. Dabei sollten Facharbeiter und Sannyasins Extremgruppen darstellen (die Sannyasins am stärksten, die Facharbeiter am wenigsten von dem soziokulturellen Trend betroffen), die Lehrer eine Mittelposition einnehmen. Allerdings unterscheiden sich die drei Gruppen auch hinsichtlich der Normativität ihrer Lebenssituation (etwa hinsichtlich der Stabilität des Berufsverlaufs). Gruppenunterschiede können also auch im Hinblick auf den Pluralismus von Lebenssituationen in einer modernen Gesellschaft interpretiert werden.

Zusammenfassend sollen hier noch einmal die Fragen formuliert werden, die die vorliegende Untersuchung leiten:

(1) Welche Lebensziele verfolgen Personen im mittleren Erwachsenenalter? Durch welche Merkmale lassen sich die zentralen Identitätsprojekte von Personen des mittleren Erwachsenenalters kennzeichnen?

(2) Erleben sich Personen im mittleren Erwachsenenalter als stabil oder nehmen sie Veränderungen an sich wahr? Gibt es Hinweise für die Änderung von Identität in dieser Zeitspanne (Identitätstransformationen)?

(3) Wird die Art von Identitätsprojekten und Identitätstransformationen durch soziokulturelle Veränderungen beeinflußt? Gibt es in pluralistischen Gesellschaften unterschiedliche Typen von Identitätsprojekten und Arten von Identitätstransformationen?

Die vorliegende Arbeit ist folgendermaßen gegliedert: Die Einleitung (**erstes Kapitel**) diente dazu, einen Überblick über die Fragestellung zu geben. Im **zweiten Kapitel** werden die theoretischen Überlegungen dargestellt, die dieser Arbeit zugrunde liegen (Konzept der Identität, Entwicklung im mittleren Erwachsenenalter, soziokultureller Wandel). Im **dritten Kapitel** wird die Methode der Studie erläutert (Auswahl der Untersuchungspersonen, Instrumente, Durchführung der Untersuchung, Auswertung der Interviews). Das **vierte Kapitel** schließlich dient der Darstellung der Ergebnisse dieser Studie. Dabei soll zwischen qualitativen und quantitativen Ergebnissen unterschieden werden. Fallbeispiele und Zitate sollen die Existenz von Phänomenen - Typen von Lebenszielen sowie Veränderung und Stabilität von Lebenszielen - illustrieren (qualitativ); Vergleiche zwischen Gruppen von Personen anhand standardisierter Skalen oder mittels standardisierter Meßverfahren gewonnener Daten sollen Aufschluß über Unterschiede zwischen diesen Gruppen geben (quantitativ). Im **fünften Kapitel** wird schließlich eine Interpretation der Ergebnisse und eine Integration der Befunde mit schon vorhandener Forschung vorgenommen.

2. Theorie

In diesem Kapitel sollen die konzeptuellen und theoretischen Überlegungen dargestellt werden, auf die der empirische Teil dieser Arbeit aufbaut. In drei Abschnitten sollen drei Themenbereiche ausführlich dargestellt werden: Aspekte der Identität, Persönlichkeitsentwicklung im Erwachsenenalter sowie soziokultureller Wandel und Identität. Da die Literatur zu diesen Themenbereichen äußerst reichhaltig und vielfältig ist, wird ein letzter Abschnitt der gestrafften Begründung der empirischen Untersuchung gewidmet. In diesem vierten Abschnitt sollen die zuvor angestellten Überlegungen in bezug auf die Fragestellung (Identitätsprojekte und Identitätstransformationen im mittleren Erwachsenenalter) zusammengefaßt und Untersuchungsfragen formuliert werden.

In einem ersten Abschnitt soll das Konzept der **Identität** behandelt werden. Als zentrale Aspekte des Identitätskonzepts sollen hier vorgestellt werden: Unterscheidung zwischen Ich als Subjekt und Ich als Objekt, inhaltliche Struktur der Identität, integrative Funktion der Identität, soziale Umwelt und Identität sowie Ausbildung der Identität in Kindheit und Jugend. Ziel dieses Abschnitts ist es, den Stellenwert von Identitätsprojekten (oder Lebenszielen) als Teil der inhaltlichen Struktur der Identität innerhalb des Identitätskonzepts herauszuarbeiten.

Ein zweites Themengebiet betrifft die Frage nach der **Persönlichkeitsentwicklung im Erwachsenenalter**. Hier wird zu fragen sein, ob entwicklungspsychologische Forschung die Konstanz (bzw. Stabilität) oder die Veränderlichkeit von Identität im Erwachsenenalter aufgewiesen hat. Ziel dieses Abschnitts ist es, die Möglichkeiten und Grenzen der Identitätsentwicklung im mittleren Erwachsenenalter aufzuzeigen.

Ein drittes Themengebiet betrifft schließlich die Frage des **soziokulturellen Wandels** und seine Bedeutung für die Frage der Identitätsbildung. Hier sollen theoretische Konzeptionen und empirische Befunde vorgestellt werden, die diesen historischen Wandel beschreiben. Ziel dieses Abschnitts ist es zu zeigen, ob (und wenn ja, wie) es möglich ist, den Einfluß des soziokulturellen Wandels auf die Identitätsbildung empirisch nachzuweisen.

Den Abschluß dieses Kapitels wird eine detaillierte Übersicht der **Untersuchungsfragen** dieser Arbeit bilden. Dazu werden die zuvor sehr breit dargestellten Überlegungen zusammengefaßt und eine Typologie von Identitätsprojekten sowie eine Definition des Begriffs "Identitätstransformation" (Veränderung von Identität) vorgestellt. Schließlich sollen Erwartungen darüber formuliert werden, welche Arten von Identitätsprojekten Personen im mittleren Erwachsenenalter ausbilden und ob (und wenn ja, in welcher Weise) Personen diesen Alters Identitätstransformationen erleben.

2.1 Aspekte des Identitätsbegriffs

Identität soll mit Döbert, Habermas & Nunner-Winkler (1977) definiert werden als die

> "symbolische Struktur, die es einem Persönlichkeitssystem erlaubt, im Wechsel biographischer Zustände und über die verschiedenen Positionen im sozialen Raum hinweg Kontinuität und Konsistenz zu sichern"

(vgl. auch Erikson, 1959, 1968, 1982; Nunner-Winkler, 1985). Diese Definition läßt sich anhand eines Beispiels erläutern: Arbeits- und Familiensituationen stellen oft gegensätzliche Anforderungen an ein und dieselbe Person. Während beispielsweise in der Arbeitssituation von einer Person gefordert sein könnte, mit Kunden taktisch freundlich, aber unnachgiebig zu verhandeln, könnte dieselbe Person in der Familiensituation um gefühlvolles und aufrichtiges Verhalten bemüht sein. Wie sollte diese Person sich selbst beschreiben? Ein Widerspruch zwischen selbstbezogenen Aussagen (und damit ein Verstoß gegen die Forderung nach Kontinuität und Konsistenz) würde dann entstehen, wenn die Person gleichzeitig von sich behaupten würde, sie wäre berechnend <u>und</u> authentisch. Das Problem der Identitätsbildung besteht für die Person darin, ein Netz von selbstbezogenen Aussagen zu bilden, das das eigene, auf den ersten Blick widersprüchliche Verhalten in verschiedenen Situationen zu einer einheitlichen "symbolischen Struktur" zusammenfaßt.

Die Verwendung des Identitätskonzepts in der soziologischen und psychologischen Literatur ist jedoch alles andere als einheitlich und folgt nicht immer der Definition von Döbert, Habermas & Nunner-Winkler (1977). Dennoch kann diese Definition als Ausgangspunkt dienen, um verschiedene Implikationen des Identitätskonzepts herauszuarbeiten, die in den nächsten Abschnitten behandelt werden sollen. Im vorliegenden Zusammenhang sollen die folgenden fünf Bestimmungsstücke des Identitätskonzepts behandelt werden:

(1) <u>Ich als Subjekt ("I") und Ich als Objekt ("Me")</u>: Es läßt sich unterscheiden zwischen einem handelnden und wahrnehmenden Ich (organisierendes Element der Identität) und einem Ich als Objekt (Gegenstand der Identitätsdefinition). Das handelnde Ich formt ein Bild von sich selbst (Selbstkonzept), das in einer symbolischen (sprachlichen) Struktur von selbstreferentiellen Propositionen organisiert ist.

(2) Inhaltliche Struktur der Identität: Innerhalb der symbolischen Struktur, die die Identität einer Person ausmacht, lassen sich zwei Arten von Propositionen (oder Aussagen) unterscheiden. Faktische selbstreferentielle Propositionen weisen die Struktur von beschreibenden Aussagen auf ("Ich bin x", Selbstbeschreibungen), während evaluative selbstreferentielle Propositionen die Wünsche und Pläne von Personen einbeziehen und prinzipiell in die Form der Aussage "Ich wünsche, daß ich x bin" überführbar sind. Zentrale evaluative selbstreferentielle Propositionen sollen Lebensziele genannt werden.

(3) Integrative Funktion der Identität: Die Ausbildung einer in sich widerspruchsfreien Struktur selbstbezogener Aussagen ist keine Selbstverständlichkeit, sondern eine integrative Leistung des Subjekts. Die Funktion einer erfolgreichen Identitätsbildung ist es, der Person Konsistenz und Kontinuität zu sichern.

(4) Identität und soziale Umwelt: Das Selbstbild steht in Beziehung zu dem Fremdbild anderer Personen. Die Übereinstimmung von Fremd- und Selbstbild läßt sich als Identität konzipieren. Faßt man die Adjustierung von Selbst- und Fremdbildung als zeitlichen Prozeß, so läßt sich sagen, daß die Person in der Bildung selbstbezogener Aussagen durch die Interaktion mit anderen Personen beeinflußt wird, sei es in der Form von Negation bestimmter Aspekte des Selbstbildes ("Es ist nicht wahr, daß Du x bist") oder in der Form konkreter Zuschreibungen ("Du bist y").

(5) Ausbildung der Identität in Kindheit und Jugend: Die integrative Leistung der erfolgreichen Identitätsbildung hat Vorläufer in Kindheit und Jugend. Die Adoleszenz ist dasjenige Lebensalter, in dem gesellschaftliche Anforderungen die Bildung einer Identität zur Entwicklungsaufgabe machen.

Bevor nun die einzelnen Aspekte der Identität näher behandelt werden, sollen noch terminologische Unterscheidungen zwischen den Begriffen Persönlichkeit, Selbstkonzept, Identität und Biographie gemacht werden. Mit Persönlichkeit ist die (dynamische) Organisation aller psychophysischen Systeme gemeint, die das Verhalten eines Individuums bestimmen (vgl. Allport, 1961). Eine weniger essentialistische Definition faßt Persönlichkeit als "ein bei jedem Menschen einzigartiges, relativ stabiles und den Zeitablauf überdauerndes Verhaltenskorrelat" (Herrmann, 1976). In beiden Definitionen umspannt der Begriff Persönlichkeit sowohl "objektiv" (von außen) zu erfassende Merkmale als auch die subjektive Sicht der Person von sich selbst (Selbstkonzept). Das Selbstkonzept ist die "Innensicht" der Persönlichkeit: Es ist das subjektive Bild der eigenen Person (und ist, da kommunizierbar, in einer "Außensicht der Innensicht" wissenschaftlich erforschbar; Hoff, 1986). Selbstkonzept ist also ein rein deskriptiver Begriff und bezeichnet "the totality of the individual's thought and feelings that have reference to himself as an object" (Rosenberg, 1979, p.9). Der Begriff der Identität wird zwar häufig als Synonym für den Begriff Selbstkonzept verwendet, soll hier aber von diesem Begriff unterschieden werden. Greift man auf die philosophischen Wurzeln des Begriffs zurück, so kann "Identität" mit Schischkoff (1978, Philosophisches Wörterbuch) definiert werden als "Dieselbigkeit, Einerleiheit, völlige Übereinstimmung. A ist identisch mit sich selbst, wenn es in den verschiedensten Sachlagen und Umständen immer dasselbe bleibt, so daß es als dasselbe identifiziert werden kann." In der psychologischen und soziologischen Literatur ist der Identitätsbegriff mit unterschiedlicher Betonung verwendet worden. Zum einen wird von Identität dann gesprochen, wenn das Selbstkonzept einer Person über die Zeit hinweg gleich bleibt oder es zumindest gestattet, daß die Person über wechselnde Situationen hinweg als dieselbe Person identifiziert werden kann (Goffman, 1963). Zum anderen wird die Relation zwischen Selbstbild und Fremdbild dann als Identität bezeichnet, wenn Selbstbild und Fremdbild übereinstimmen (Erikson, 1959; Waterman, 1988). In jedem Fall wird mit dem Begriff der Identität ein integrativer Anspruch an das Selbstkonzept verknüpft, der über die bloß additive Summe selbstbeschreibender Sätze hinausreicht. Der Begriff Biographie schließlich bezieht sich auf die Kommunikation des eigenen Lebenslaufs. Fuchs (1984) beschreibt das Gebiet der Biographieforschung so: "Unter biographischer Forschung werden alle Forschungsansätze und -wege der Sozialwissenschaften verstanden, die als Datengrundlage ... Lebensgeschichten haben, erzählte bzw. berichtete Darstellungen der Lebensführung und der Lebenserfahrung aus dem Blickwinkel desjenigen, der sein Leben lebt." (p.9) In der (selbstberichteten) Biographie hat man es mit dem aktuellen und vergangenen Selbstkonzept zu tun: Es handelt sich dabei um die Interpretation der eigenen Person und des eigenen Lebens aus der aktuellen Lebenssituation der Person.

2.1.1 Ich als Subjekt ("I") und Ich als Objekt ("Me")

Die Unterscheidung zwischen "active reflexive consciousness" und "resultant accrueing structure of self conceptions" (Gordon, 1968) geht auf eine Differenzierung des Selbst zurück, die ursprünglich von James (1890) eingeführt und von Baldwin (1899), Cooley (1902) und Mead (1934/1973) weiter elaboriert wurde. James (1910) beschreibt, daß sich Personen bei allem, was sie denken, fühlen und tun, selbst beobachten können und daß dabei eine eigentümliche Dualität des Selbst konstatierbar ist:

> "Whatever I may be thinking of, I am always at the same time more or less aware of myself, of my personal existence. At the same time it is I who am aware; so that the total self of me, being as it were duplex, partly known

> and partly knower, partly object and partly subject, must have two aspects discriminated in it, of which for shortness we may call one the Me and the other the I." (p.177)

Cooley (1902) versinnbildlicht diese Teilung zwischen dem "self-feeling" und den Attributen des Selbst durch den Verweis auf religiöse Asketen, die ihr "wahres Selbst" von den sie umgebenden Personen und Dingen zwar abzutrennen versuchen, jedoch nicht umhin können, sich durch bestimmte Attribute zu beschreiben:

> "In thus estranging themselves from their bodies, from property and comfort, from domestic affections - whether of wife or child, mother, brother or sister - and from other common objects of ambition, they certainly gave a singular direction to the self-feeling, but they did not destroy it: there can be no doubt that the instinct (i.e., the self-feeling, CTR), which seems imperishable so long as mental vigor endures, found other ideas to which to attach itself." (p.186)

Mit diesen Überlegungen läßt sich also eine Unterscheidung treffen zwischen einem ICH ("I") als dem mich selbst wahrnehmenden Subjekt und einem ICH ("Me") als dem wahrgenommenen, attributbehafteten Objekt meiner Wahrnehmungen. Das Selbst ist allerdings nicht nur als wahrnehmendes (und eher passives) Subjekt konzipiert worden, sondern von einigen Autoren mit besonderer Berücksichtigung des Handelns als konstitutivem Element des Selbst ("self as agent", Macmurray, 1957). Cooley (1902) betont das Element der aktiven Kontrolle über die Umwelt und bemerkt dazu:

> "[The self-feeling] appears to be associated chiefly with the ideas of power, of being a cause, ideas that emphasize the antithesis between the mind and the rest of the world." (p.177)

Das handelnde Ich (Subjekt, "I") organisiert die Wahrnehmungen, Gefühle, Gedanken und Erinnerungen, die die Person in bezug auf sich selbst hat, zu einem objektivierbaren, kommunizierbaren Selbstbild ("Me"). Dieses Wissen der Person ist in einer symbolischen Struktur organisiert und läßt sich in der Satzstruktur "Ich bin x" abbilden, in der das Satzsubjekt auf das phänomenale Ich, und das Prädikat, die Leerstelle dieses Satzgerüsts, auf das "Me" (wahrgenommenes Ich) verweist. Cooley (1902) definiert das Selbst ähnlich:

> "By the word 'self' in this discussion is meant simply that which is designated in common speech by the pronouns of the first person singular." (p.168)

Etwas schärfer in bezug auf die sprachliche Kompetenz äußert sich Mead (1934/1973), der sprachliche Kompetenz als notwendige Bedingung für Reflexivität und damit für die Entstehung von Identität ansieht:

> "Außer dem sprachlichen kenne ich kein Verhalten, in dem der Einzelne sich selbst Subjekt ist, und soweit ich sehen kann, ist der Einzelne solange keine Identität im reflektierten Sinn, als er sich nicht selbst Objekt ist." (p.184)

In ähnlicher Weise beschreibt Habermas (1981) Identität als Ergebnis der Rekonstruktion des eigenen Handelns, die dem eigentlichen Handeln folge. Identität läßt sich mit Habermas vorstellen als der Versuch, eine Biographie zu rekonstruieren, indem man

> "die Spuren der eigenen Interaktionen ... [betrachtet], als seien sie Sedimente der Handlungen eines zurechnungsfähigen Urhebers, eines Subjekts also, das auf dem Boden eines reflektierten Selbstverhältnisses gehandelt hat." (p.151)

Eine Schlußfolgerung aus dieser recht allgemeinen Charakterisierung des Identitätskonzepts betrifft das aktive Element in der Ausbildung einer Selbstbeschreibung. Die Person bildet ein Netz von Sätzen, mit denen sie sich selbst beschreibt. Ist die Person zur Selbstreflexion fähig, so kann sie Selbstbeschreibungen als unzutreffend ablehnen und korrigieren. Damit ist die Entwicklung des Selbstbildes nicht ein passiver, "urwüchsiger" Prozeß, sondern weist aktive Komponenten auf, die der aktiven Kontrolle der Person zugänglich sind.

Diese Überlegungen haben im vorliegenden Zusammenhang auch den Status einer methodischen Prämisse: Wenn man davon ausgeht, daß das Selbstkonzept einer Person sprachlich organisiert und damit kommunikativ zugänglich ist, lassen sich Erhebungsmethoden wie Interviewverfahren und Ratingskalen rechtfertigen, die kommunikative Kompetenz voraussetzen. Den sprachlichen Charakter der Identität machen sich im übrigen auch Selbstkonzept-Fragebögen und Persönlichkeitstests zunutze, so zum Beispiel der "Twenty Statements Test" (Kuhn & McHartland, 1954; vgl. auch Bugental & Zelen, 1950; Gordon, 1968).

Zusammenfassung: Es läßt sich zwischen dem wahrnehmenden und handelnden Subjekt ("I") und dem Ich als Objekt von Wahrnehmungen ("Me") unterscheiden. Identität besteht in einem Netz von selbstbeschreibenden Propositionen und ist damit der Kommunikation zugänglich.

2.1.2 *Inhaltliche Struktur der Identität*

Wie läßt sich nun die inhaltliche Struktur der Identität kennzeichnen? Hier sollen zwei Formen selbstbezogener Aussagen unterschieden werden. Beschreibende selbstbezogene Aussagen lassen sich in dem Satzgerüst "Ich bin x" abbilden. In beschreibenden selbstbezogenen Äußerungen macht die Person eine faktische Äußerung über sich selbst ("Ist-Sätze"). Konzipiert man das phänomenale Ich jedoch nicht allein als passiven Empfänger von Wahrnehmungen, sondern als aktiven Agenten, so reicht es nicht aus, als selbstreferentielle Propositionen Selbstbeschreibungen der Form "Ich bin x" zuzulassen. Faktische selbstreferentielle Aussagen werden ergänzt durch Aussagen über Wünsche, Pläne und Zukunftsvorstellungen einer Person ("Soll-Sätze"). "Ich plane x", "Ich möchte, daß y", "Ich will z" sind wertbesetzte Äußerungen, in denen es um zukünftige Handlungen der Person oder in der Zukunft erhoffte Zustände geht. Diese Form der selbstbezogenen Aussage soll hier "evaluative selbstreferentielle Proposition" (oder kurz: Lebensziele) genannt werden. Eine ähnliche Charakterisierung des Identitätskonzepts findet sich bei Waterman (1984), der Identität definiert als

> "having a clearly delineated self-definition comprised of those goals, values, and beliefs to which the person unequivocally is committed. These commitments evolve over time and are made because the chosen goals, values, and beliefs are judged worthy of giving a direction, purpose and meaning to life." (p.331)

In der vorliegenden Studie stehen die Pläne und Wünsche ("zentrale evaluative selbstreferentielle Propositionen") im Mittelpunkt des Interesses. Die zentralen Pläne und Wünsche einer Person sollen hier "Lebensziele" oder "Identitätsprojekte" genannt werden. Gefragt wird danach, welche Lebensziele Personen im mittleren Erwachsenenalter haben und ob diese Lebensziele im mittleren Erwachsenenalter stabil sind.

An dieser Stelle sollen zwei Konzepte eingeführt werden, um die Erörterung von Lebenszielen zu systematisieren: Wertorientierung und Zeitperspektive. Ein Lebensziel impliziert eine Wertorientierung (den erwünschten Zielzustand) und eine Zeitperspektive (etwa eine

Zukunftsorientierung, wenn der erwünschte Zustand noch nicht eingetreten ist, oder eine Gegenwartsorientierung, wenn der erwünschte Zustand schon existiert und aufrechterhalten werden soll). Im folgenden soll die Literatur zu den Themen Wertorientierung und Zeitperspektive dargestellt werden.

(a) Wertorientierung

Den Zielen und Werten einer Person wird in verschiedenen psychologischen Forschungsansätzen Aufmerksamkeit gewidmet. So gibt es Versuche, Taxonomien von Werten oder Bedürfnissen aufzustellen. Bekannt ist Maslows (1943) fünfstufige Bedürfnishierarchie mit den Klassen physiologische Bedürfnisse, Sicherheitsbedürfnisse, Liebesbedürfnisse, Anerkennungsbedürfnisse und Selbstverwirklichungsbedürfnisse. Höhere Bedürfnisse - wie etwa das Bedürfnis nach Selbstverwirklichung - können nach Maslow erst wirksam werden, wenn niedere Bedürfnisse - wie etwa Hunger und Durst - zumindest teilweise befriedigt worden sind. Während die grundlegenden physiologischen Bedürfnisse (Hunger, Durst etc.) ausschließlich Körperfunktionen betreffen, geht es in den drei Bedürfnisklassen Sicherheit, Liebe und Anerkennung um Beziehungen zu anderen Personen. Die nach Maslow "höchste" Bedürfnisklasse schließlich besteht in der Verwirklichung des eigenen Fähigkeitspotentials:

> "Even if all these [basic] needs are satisfied, we may still [if not always] expect that a new discontent and restlessness will soon develop, unless the individual is doing what he is fitted for. A musician must make music, an artist must paint, a poet must write, if he is to be ultimately happy. What a man can be, he must be." (p.382)

In der Befriedigung des Bedürfnisses nach Selbstverwirklichung ("need for self-actualization") bezieht sich die Person nicht auf physiologische Funktionen des eigenen Körpers oder auf Beziehungen zu anderen Personen, sondern konzentriert sich auf die Realisierung der eigenen Fähigkeiten, auf das Potential des Selbst. (In letzter Zeit hat u.a. Inglehart [1979] die Bedürfnishierarchie Maslows aufgegriffen. Inglehart postuliert zwei grundsätzliche Wertorientierungen, in denen sich der Wertwandel westlicher Industriegesellschaften manifestiert. Materialistische Orientierungen beziehen sich auf die grundlegenden Versorgungs- und Sicherheitsbedürfnisse, während postmaterialistische Orientierungen auf Zugehörigkeits-, Achtungs- und Selbstverwirklichungsbedürfnisse ausgerichtet sind.)

Murray (1953) diskutiert eine Reihe von Kriterien für die Klassifikation von Motiven und stellt schließlich eine Taxonomie von 12 Vektoren (Gerichtetheit des Handelns, z.B. "acquisition", "aggression" oder "avoidance") und 14 Wertebereichen vor, deren Kombination in einen Katalog von Motiven resultiert. (Diese Taxonomie von Werten baut auf einer Klassifikation von 27 Motiven auf ["needs", z.B. "need of achievement" oder "n Ach"; Murray, 1938].) Man kann die von Murray aufgestellte Liste von 14 Werten in vier Gruppen zusammenfassen. Grundbedürfnisse betreffen die Aufrechterhaltung der Gesundheit und den Besitz von Dingen ("health", "property"). Reproduktionswerte betreffen die Zeugung und Aufzucht von Nachkommen ("sex with reproduction", "child to be reared"). Eine dritte Gruppe bilden Werte, in denen es um soziale Beziehungen geht ("affiliation", "roleship", "group", "prestige", "authority", "leadership", "supporter"). Eine letzte Gruppe von Werten betrifft die Bereiche des Wissens, der Kunst und der Moral ("knowledge", "beauty", "ideology"). Auch hier läßt sich also - ähnlich wie bei Maslow - eine Aufteilung in grundlegende Werte, Werte zu sozialen Beziehungen und "höhere" (ästhetische und moralische) Werte vornehmen.

Rokeach (1973) differenziert in seinem Klassifikationssystem zwischen instrumentellen und "terminalen" Werten. Terminale Werte (oder Letztwerte) sind Werte, die einen Endpunkt einer Handlung darstellen (etwa "love", "peace on earth"). Instrumentelle Werte (wie etwa "reliability" oder "politeness") sind Werte, die im Dienste von "terminalen" Werten stehen. Die Liste der terminalen Werte umfaßt 18 Begriffe. Siebzehn[1] dieser Werte könnten in vier Gruppen zusammengefaßt werden: Werte, die soziale Beziehungen betreffen ("Anerkennung", "Freundschaft", "Liebe", "Sicherheit der Familie"), hedonistische Werte ("Angenehmes Leben", "Aufregendes Leben", "Vergnügen"), allgemeine Ideale ("Gleichheit", "Freiheit", "Friede auf Erden", "Glück", "Überdauernder Beitrag"), sowie Selbstverwirklichungs- und transzendente Werte ("Weisheit", "Selbstrespekt", "Harmonie", "Freude an schönen Dingen", "Erlösung"). Die Liste von Werten, die Rokeach zusammengestellt hat, ist schwieriger hierarchisch zu gliedern (da grundlegende Werte fehlen), aber auch in diesem Verzeichnis finden sich Werte, die soziale Beziehungen regeln, sowie Selbstverwirklichungswerte.

Man kann eine Reihe von Einwänden gegen Taxonomien dieser Art erheben. So ist es fraglich, ob die hier vorgestellten Kataloge allgemeinen Taxonomiekriterien genügen. Im Falle der Taxonomie Murrays beispielsweise scheinen nicht alle Wertebereiche konzeptuell unabhängig voneinander zu sein (so könnte man argumentieren, daß der Wertebereich "leader" den Wertebereich "authority" voraussetzt). Und es ist zu fragen, ob die hier vorgestellten Taxonomien universell, das heißt zu allen Zeiten und in allen Kulturen, gültig sind. Doch selbst wenn die verschiedenen Konzeptionen hinsichtlich einiger Taxonomiekriterien

[1] Der Wert "Nationale Verteidigung: Schutz unseres Staates" wurde hier nicht berücksichtigt.

kritisiert werden könnten, so läßt sich doch ersehen, daß in den hier vorgestellten Werttaxonomien zwischen Grundbedürfnissen, Werten, die soziale Beziehungen betreffen, und Selbstverwirklichungswerten unterschieden wird.

Entsprechende Ergebnisse zeigen sich in der Literatur zu zentralen Aspekten des Selbstkonzepts. Gefragt wird hier, welche Lebensbereiche für eine Person zentral und damit für ihre Identität relevant sind. Als wichtige Bereiche von Zielen und Anliegen werden von jungen Erwachsenen persönliche Beziehungen, Ausbildung und Arbeit sowie Freizeit (insbesondere Reisen) genannt (Dittmann-Kohli, 1987). Whitbourne (1986) identifiziert als zentrale Dimension für die Identität von Personen die traditionellen Bereiche der beruflichen Karriere und des Familienlebens sowie deren Integration in einem Wertsystem ("I am a good, loving and competent person"). Waterman (1988) nennt als identitätsrelevante Lebensbereiche Berufswahl, religiöse und politische Überzeugungen, Einstellungen zur Geschlechtsrolle sowie Einstellungen zu Partnerbeziehungen und Elternschaft. Ogilvie (1987a, 1987b) fragt Personen nach den persönlichen Beziehungen, sozialen Rollen und hauptsächlichen Tätigkeiten, die im Leben der Personen eine wichtige Rolle spielen. Wadsworth & Ford (1983) nehmen an, daß die sechs Lebensbereiche Arbeit und Ausbildung, Familie, soziale Beziehungen, Freizeit, Umwelt und schließlich auch persönliches Wachstum einen Rahmen für "personal goal hierarchies" bilden. Ryff (1985) betont schließlich, daß die Bestrebung nach persönlicher Weiterentwicklung, hin auf eine ideale Persönlichkeit ("personal growth"), eine wichtige Dimension der Identitätsbildung ist (vgl. auch Maslow, 1968).

Exkurs: In einigen Forschungsrichtungen geht es nicht um die Katalogisierung von Lebenszielen oder Werten, sondern um verschiedene Aspekte der Verwirklichung von Lebenszielen. So beschäftigen sich einige Autoren nicht explizit mit den Inhalten von "personal projects" (Palys & Little, 1983, Ruehlman & Wolchik, 1988) oder "personal strivings" (Emmons, 1986), sondern untersuchen den Zusammenhang zwischen Lebenszufriedenheit und der Möglichkeit, wichtige Ziele verfolgen zu können. Dabei werden beispielsweise die Dimension der Bedeutsamkeit von Lebenszielen, ihrer Ambivalenz oder der Bindung an sie in ihrer Beziehung zur allgemeinen Lebenszufriedenheit oder zum "subjective well-being" erfragt. Andere Autoren postulieren, daß Personen versuchen, eine positive Bewertung der eigenen Person innerhalb eines gegebenen Wertsystems vorzunehmen ("Selbstbewertung als Motivationsprinzip"; vgl. Gurin & Brim, 1984; Heckhausen, 1980; Stahlberg, Osnabrügge & Frey, 1985; Wicklund & Gollwitzer, 1985).

Um die wichtigsten der eben skizzierten Wertorientierungen zusammenzufassen, sollen in dieser Arbeit zwei Begriffe verwendet werden: "Sozialbezug" und "Selbstbezug". Mit diesen Begriffen läßt sich die Handlungsorientierung einer Person in der Verfolgung zentraler Lebensziele kennzeichnen. Mit dem Begriff "Sozialbezug" ist die Orientierung auf andere Personen oder soziale Institutionen gemeint. Das Konzept "Selbstbezug" charakterisiert die Orientierung auf das Wohlergehen und die mögliche Weiterentwicklung der eigenen Person. Die Unterscheidung zwischen Werten, die soziale Beziehungen betreffen ("Sozialorientierung"), und Selbstverwirklichungswerten ("Selbstorientierung") soll als konstituierende Dimension einer Klassifikation von Lebenszielen herangezogen werden, die im letzten Abschnitt dieses Kapitels vorgestellt wird (Abschnitt 2.4).

(b) Zeitperspektive

Mit dem Konzept der Lebensziele rückt schließlich auch der zeitliche Aspekt von Identität in den Mittelpunkt des Interesses. Die Lebenszeitperspektive ist Teil der Identität (Gordon, 1968; Markus & Nurius, 1986). Persönliche Ziele implizieren die Strukturierung der eigenen Zukunft. Wallace & Rabin (1960) charakterisieren das Konzept der Zeitperspektive folgendermaßen:

> "Time perspective is concerned with long periods of time, the limit of which is one's expected life span itself. The units of time, in addition to direction (e.g., past, future, etc.) are usually days, weeks, months, years, and decades ... [The time perspective] involves the total personality, memory for past events, and hopes, aspirations, and anticipations of future events." (p.232)

Nuttin (1964) argumentiert für die Verwendung des Konzepts der Zeitperspektive in der Erforschung menschlicher Motivation und stellt fest:

> "The psychological future is ... essentially related to motivation. On the behavioral level the object needed is something to come, to reach, or to achieve, and this constitutes the behavioral future. Thus, the future is the time quality of the goal object; the future is our primary 'motivational space'" (p.63).

Die Bedeutung des Konstrukts Zeitperspektive ("time perspective", "time orientation", "temporal orientation") läßt sich an der vielfältigen empirischen Literatur ablesen, die das Konzept generiert hat. So zeigen De Volder & Lens (1982) in einer Studie über den Zusammenhang zwischen akademischer Leistung und Zeitperspektive, daß gute Schüler persönliche Ziele in großer zeitlicher Entfernung höher bewerten und persönlicher Anstrengung höhere Instrumentalität geben als weniger gute Schüler. Bortner & Hultsch (1972) berichten über Altersunterschiede in der Einschätzung von Vergangenheit und Zukunft im Vergleich mit der Gegenwart: Während jüngere Personen ihre Vergangenheit (im Vergleich mit der Gegenwart) als schlechter und ihre Zukunft (im Vergleich mit der Gegenwart) als besser wahrnehmen, schätzen alte Personen Vergangenheit und Zukunft ähnlich gut ein wie die Gegenwart. Cameron, Desai, Bahador & Dremel (1977/78) berichten über Altersunterschiede in der Zeitorientierung: Während die Häufigkeit von Gedanken mit zukunftorientiertem Inhalt mit dem Alter abnimmt, steigt mit dem Alter die Häufigkeit von Gedanken mit gegenwartsbezogenem Inhalt. In einer Übersicht beschreibt De Volder (1979) Unterschiede in der Zeitorientierung (Vergangenheit, Gegenwart, Zukunft) zwischen verschiedenen Lebensabschnitten (Kohorten), Geschlechtern und Kulturen.

Einige der hier berichteten Befunde belegen, daß eine Person nicht ausschließlich auf ihre persönliche Zukunft ausgerichtet sein muß. So beschreibt Rakowski (1984/85) neben den Merkmalen individueller Zeitperspektive wie Ausdehnung (projizierte Zeitspanne), Dichte (Zahl der erwarteten Ereignisse) und Bewertung (hinsichtlich Bedeutung, Stabilität und Kontrollmöglichkeit) auch die Dimension der Zeitorientierung. Mit Zeitorientierung ist die Ausrichtung der Person auf Zukunft, Gegenwart oder Vergangenheit gemeint.

Diese Unterscheidung der Zeitperspektive soll in dieser Arbeit herangezogen werden, um die Lebensziele von Individuen zu klassifizieren. Die Lebensziele einer Person können sich auf die Zukunft beziehen ("Wer werde ich sein?"). Daneben kann sich die Person in der Formulierung von Lebenszielen aber auch auf ihre Gegenwart beziehen ("Wer bin ich?"), auf ihre Vergangenheit ("Wer war ich?") und eventuell sogar auf eine abstrakte, allgemeine Zukunft ("was wird nach mir sein?").

(c) Zusammenfassung

Die Identität einer Person besteht aus "faktischen selbstreferentiellen Propositionen" (Selbstbeschreibungen) und "evaluativen selbstreferentiellen Propositionen" (Lebenszielen). Um die Vielfalt virtueller Lebensziele oder "Identitätsprojekte" (Harré, 1979) zu gliedern, werden in dieser Arbeit die Dimensionen Handlungsorientierung und Lebenszeitperspektive herangezogen. Lebensziele können auf andere Menschen oder soziale Institutionen ("Sozialbezug") oder auf die eigene Person ("Selbstbezug") gerichtet sein. Die Lebenszeitperspektive einer Person kann sich auf die eigene Vergangenheit, Gegenwart oder Zukunft und eventuell auf eine allgemeine, nicht-personale Zukunft (etwa die Zukunft der Menschheit im allgemeinen) beziehen. (Diese Typologie von Identitätsprojekten oder Lebenszielen wird in Abschnitt 2.4 entwickelt.)

Mit dem Begriff "Identitätsprojekt" soll auf die Zielgerichtetheit oder Werthaftigkeit sowie auf die Zeitperspektive von Lebensentwürfen hingewiesen werden. Harré (1979, p.293) bemerkt dazu: "Personal identity has often to be worked for, even undertaken as a project." Allerdings soll in diesem Zusammenhang nicht die enge Definition von Harré übernommen werden, der mit dem Begriff des Identitätsprojekts die Anstrengung einer marginalen Person bezeichnet, einen anerkannten Status zu erringen ("social identity") beziehungsweise den Versuch einer sozial allzu gut integrierten Person, Individualität und Unterscheidbarkeit von anderen zu erlangen ("personal identity"). Im vorliegenden Zusammenhang wird der Begriff verwendet, um darauf hinzuweisen, daß die Identität einer Person einen Lebensentwurf darstellt, der einen Zeitaspekt impliziert.

2.1.3 Integrative Funktion der Identität

Die Identität ist eine integrative Leistung der Person. Die Funktion dieser Integrationsleistung ist es, verschiedene (mehr oder weniger widersprüchliche) Identitätsdefinitionen in verschiedenen (mehr oder weniger diskrepanten) Lebensbereichen sowie die (anerkennende oder ablehnende) Bewertung dieser Definitionen durch andere Personen zu einem einheitlichen, wiedererkennbaren Selbstbild zusammenzufügen. Dies entspricht in etwa den drei Komponenten der Ich-Identität nach Erikson (zit. nach Harter, 1983, p.309):

> "[The] task of this period (i.e., adolescence, CTR) is the establishment of a sense of ego identity, which involves three components: a sense of unity among one's self-conceptions, a sense of continuity of these self-attributes over time, and a sense of mutuality between the individual's conceptions of the self and those that significant others hold of the self."

Ähnlich sehen Waterman & Archer (1989) die Funktionen von Identität. Die Funktion, raum-zeitliche Kontinuität zwischen der Vergangenheit, Gegenwart und Zukunft eines Individuums zu leisten, ist dabei nur eine von insgesamt elf Funktionen (darunter etwa: "coherence, purpose or meaning-to-life, direction, basis for social comparisons, basis for communality, basis for differentiation, inter-personal self-presentation" usw.). Es wird aus dieser Liste allerdings nicht deutlich, inwiefern sich die Funktionen voneinander unterscheiden (so sind "social comparisons" den Gedanken der "communality" und "differentiation" logisch vorgeordnet; "meaning-to-life" impliziert "direction").

Haußer (1983) beschreibt die Integrationsleistung der Person hinsichtlich der vier Aspekte: biographische Kontinuität (Einheitlichkeit über die Zeit), ökologische Konsistenz (Einheitlichkeit in verschiedenen Situationen), behaviorale Konsequenz (Einheitlichkeit oder Übereinstimmung von Einstellung und Verhalten) und Wahrhaftigkeit des Gefühls (Einheitlichkeit oder Übereinstimmung von Gefühl und Verhalten).

Filipp & Klauer (1986) unterscheiden sechs Prinzipien der Verarbeitung selbstbezogener Information. "Self-enhancement" bedeutet, daß die Person danach strebt, ein möglichst hohes Selbstwertgefühl zu besitzen. Das Prinzip "Consistency" bezeichnet das Bedürfnis nach Übereinstimmung und Einheitlichkeit verschiedener selbstbezogener Informationen. Das Prinzip "Distinctiveness/Uniqueness" verweist auf das Bestreben der Person, sich als einzigartiges Individuum zu fühlen. "Veridicality/Reality" bedeutet, daß das Selbstkonzept eine angemessene Rekonstruktion des eigenen Verhaltens darstellt. Das Prinzip "Control Enhancement" verweist auf das Bedürfnis der Person, Kontrolle über sich selbst und die eigene Umwelt zu haben. Das Prinzip "Ontological Acceptedness" bedeutet, daß Individuen ihr Selbstkonzept so konstruieren, daß es sich mit den Fremdkonstruktionen anderer Personen übereinstimmt. Diese sechs Prinzipien stehen nicht immer im Einklang miteinander (so wäre es beispielsweise nach der wiederholten Rückmeldung über eine schlechte Leistung möglicherweise veridikal, die Einschätzung der eigenen Fähigkeit zu verringern - dies verstößt jedoch gegen das Prinzip des "Self-enhancement").

In diesem Zusammenhang soll betont werden, daß die Integrationsleistung der Identität darin besteht, die Konsistenz der Selbstdefinition zu sichern (Widerspruchsfreiheit der inhaltlichen Selbst-Propositionen). In ähnlicher Weise betont Epstein (1973) die Einheitlichkeit von Identität: "[The self-concept] is a subsystem of internally consistent, hierarchically organized concepts contained within a broader conceptual system." (p.407) Der internen Konsistenz einer Theorie (und eines Selbstbildes) kommt dabei besondere Bedeutung bei: "The most effective way to destroy a theory is to demonstrate contradictions within its own postulate system." (p.410) Faßt man, wie Epstein, das Selbstkonzept einer Person als eine hierarchisch gegliederte Theorie, die eine Person von sich gebildet hat, so läßt es sich wie eine wissenschaftliche Theorie hinsichtlich der Aspekte Extension, Sparsamkeit, Validität, Überprüfbarkeit, Nutzen und interne Konsistenz einschätzen (vgl. auch Brim, 1976; Kelly, 1955; Lecky, 1945; Sarbin, 1962).

Die Analogie zwischen wissenschaftlicher Theorie und Selbstkonzept läßt es zu, statische und dynamische (entwicklungsbezogene) Aspekte der Identität zu konzeptualisieren. So hat beispielsweise Greve (1987) versucht, die Stabilität des Selbstkonzepts unter Bedingungen widersprüchlicher Information nachzuweisen. Greve geht es darum, zu zeigen, in welcher Weise Informationen wie etwa "Mit zunehmendem Alter vergesse ich immer öfter Telefonnummern" mit dem Selbstkonzept "Ich habe ein gutes Gedächtnis" in Einklang gebracht werden können. Dies Problem kann dadurch gelöst werden, daß man sich das Selbstkonzept - ähnlich wie eine wissenschaftliche Theorie - als hierachisch gegliedert vorstellt. Relativ abstrakte Aussagen wie "Ich habe ein gutes Gedächtnis" sind nicht durch direkte Beobachtungen zu widerlegen. Nur spezifische Aussagen wie "Ich kann mir Telefonnummern gut merken" sind empirisch prüfbar. Um nun Widersprüche im Selbstkonzept auszuräumen, die dann auftreten, wenn spezifische Aussagen dem abstrakten Kern des Selbstkonzepts widersprechen, und dabei gleichzeitig die Stabilität des Selbstkonzepts aufrechtzuerhalten, gibt es verschiedene Möglichkeiten: Zum einen ist es möglich, die Diagnostizität der spezifischen Aussage herabzusetzen ("Telefonnummern zu merken, ist nicht notwendigerweise Bestandteil eines guten Gedächtnisses") oder aber Zusatzannahmen einzuführen ("Ich habe keine Zeit mehr, mir Telefonnummern ausreichend einzuprägen; daher vergesse ich sie schneller als früher"), um so die zentrale Selbstkonzeptaussage "Ich habe ein gutes Gedächtnis" mit den widersprüchlichen Erfahrungen zu vereinbaren. Auch Epstein (1973) schreibt, daß

> "an individual's self-theory can contain considerable inconsistency even with regard to relatively basic postulates without the individual experiencing stress, as long as he is able to deny the inconsistency" (p.410).

Leugnung oder Verdrängung von Inkonsistenzen können eine Person also (zumindest zeitweilig) davor bewahren, sich mit eventuell vorhandenen Widersprüchlichkeiten im eigenen Selbstbild auseinanderzusetzen (s.a. die Literatur zu psychischen Abwehrmechanismen, wie etwa A. Freud, 1937; Vaillant, 1977; Whitbourne, 1986).

Die integrative Leistung der Person, eine Identität auszubilden, impliziert im übrigen auch nicht, daß Personen immer konsistent handeln müssen (Gergen, 1968, 1979). Es kann durchaus sein, daß Personen trotz großer Variabilität im Handeln das Gefühl einer inneren Konsistenz und Kontinuität besitzen: So mag sich das "wahre" Selbst in einem inneren Ich abbilden, das durch widersprüchliches Handeln nicht berührt sein muß. Diese Überlegungen haben Vallacher & Wegner (1987) dazu geführt, eine Hierarchie von auf Handlungen bezogene Klassifikationen ("action identification") einzuführen: Je nach der hierarchischen Ebene ihrer Klassifikation ("ein Kunstwerk schaffen" vs. "einen Pinselstrich machen") haben Handlungen unterschiedliche Nähe zu zentralen Aspekten der Identität und zeigen unterschiedliche Auswirkungen auf das Selbstkonzept einer Person. Handlungen, die auf unteren hierarchischen Ebenen kategorisiert werden, können sehr heterogen sein, ohne die grundsätzliche Identität einer Person in Frage zu stellen. In ähnlicher Weise konzipieren Kihlstrom & Cantor (1984) das Selbstkonzept einer Person als eine Hierarchie von kontextgebundenen "Selbst"-Prototypen, die jeweils durch zentrale und periphere Merkmale bestimmt sind. Widersprüche zwischen selbstbezogenen Propositionen können durch den Verweis auf unterschiedliche situative Kontexte aufgelöst werden (etwa "Selbst mit Fremden" ist ein unterschiedlicher Selbst-Prototyp als "Selbst mit Familie").

Allerdings ist es auch möglich, das globale Selbstkonzept im Angesicht von Inkonsistenzen selbstreferentieller Propositionen zu ändern. Zieht man abermals die Analogie der wissenschaftlichen Theorie heran, so ist in diesem Zusammenhang von Interesse, daß es in der Wissenschaftstheorie verschiedene Versuche gibt, die den Wandel von Theorien zu erklären versuchen. Hier sollen in erster Linie zwei Ansätze erwähnt werden: Zum einen kann sich der Wandel wissenschaftlicher Theorien kontinuierlich vollziehen. Eine Theorie wird in der Auseinandersetzung mit diskrepanten Erfahrungen (Daten) verändert und wird so im Zuge der "normalen Theorieentwicklung" adäquater als die alte Fassung der Theorie (Lakatos, 1974; Stegmüller, 1974). Zum anderen kann der Wandel von Theorien als "wissenschaftliche Revolution" vorgestellt werden. Eine neue Theorie bringt dann ein vollständig neues Weltbild mit sich, das mit dem der alten Theorie nicht kompatibel ist. Ein "Paradigma" ersetzt ein anderes (Feyerabend, 1976; 1984, Kuhn, 1962/1976).

Nach Stegmüller (1973, 1974) besteht die "logische Komponente" oder der Kern einer Theorie aus fünf Bestandteilen: Menge möglicher Modelle, Menge möglicher Partialmodelle, Restrinktionsfunktionen, Menge der Modelle und Menge der Nebenbedingungen. Die "normale" Wissenschaft besteht nach Stegmüller (1974) darin, den Theoriekern zu erweitern (intendierte Anwendungen einer Theorie) und diese Theorieerweiterungen empirisch zu prüfen:

> "Normale Wissenschaftler sind ... solche, die sich ... darauf beschränken müssen, über eine vorgegebene Theorie zu verfügen und den Strukturkern dieser Theorie zu hypothetischen Kernerweiterungen zu benützen." (p.191)

Beispielsweise verfügen die Angehörigen einer wissenschaftlichen Tradition (z.B. aristotelische Physiker, die Newtonianer, die Quantenphysiker)

> "über ein und dieselbe Theorie, obwohl sie im Wandel der Zeit ... mit dieser Theorie ganz verschiedene Überzeugungen und differierende Annahmen verbinden." (p.181)

Demgegenüber stehen Wissenschaftler, die "außerordentliche Forschung" ausüben und neue Theoriekerne errichten.

> "[Die] Schöpfer der neuen Theorie [haben] Erlebnisse, die einem Gestaltwandel ähnlich sind und die sie dazu führen, die Welt mit neuen Augen zu sehen." (p.169-170)

In ähnlicher Weise unterscheidet Epstein (1973) zwei Arten der Veränderung von Selbsttheorien. Selbsttheorien können sich ändern, indem neue Erfahrungen, die eine Person macht, in das Selbstkonzept eingebaut und damit das Selbstkonzept verändert wird. So schreibt Epstein:

> "[It] is a characteristic of theories, at least of good ones, to increase in scope with exposure to new data." (p.415)

Mit "Theorie" ist hier das Selbstkonzept einer Person gemeint, mit "Datum" die Rückmeldung (vornehmlich sozialer Art), die eine Person im Zuge ihres Engagements in der Welt erhält und die sie veranlassen, ihre "Theorie über sich selbst" zu ändern. In analoger Weise kann man Identitätstransformationen konzipieren: Zum einen kann man von der Weiterentwicklung eines Selbstkonzepts sprechen, zum anderen von der radikalen Ersetzung einer alten Identität durch eine neue. Macht eine Person Erfahrungen, die mit ihrem Selbstbild diskrepant sind, so kann die Person Aspekte ihrer Identität in einer Weise verändern, die es erlauben, von der Weiterentwicklung eines im Kern unveränderten Selbstkonzepts zu sprechen. Änderungen des Selbstkonzepts können jedoch auch als radikale Reinterpretationen der eigenen Person und der eigenen Lebensgeschichte vor sich gehen. Die Änderung der Identität findet dann als Ersetzung der alten Selbsttheorie durch eine neue statt.

Zusammenfassung: Das Selbstkonzept einer Person kann interpretiert werden als eine Theorie, die eine Person von sich selbst hat. Die Funktion dieser "Selbsttheorie" ist es, im Wandel sozialer Situationen Konsistenz und Kontinuität zu wahren. Theorien weisen sowohl Momente der Stabilität (Veränderungen der Theorie betreffen oftmals nur periphere und nicht zentrale Komponenten) als auch der Dynamik auf (Theorien können sich sowohl durch Anpassung an Daten ändern als auch durch radikalen Paradigmenwechsel). Analog dazu ist sowohl die Stabilität als auch die Entwicklung von Identität im Erwachsenenalter denkbar.

2.1.4 Identität und soziale Umwelt

Das Selbstkonzept einer Person ist abhängig von der sozialen Umwelt. So betont Baldwin (1899) die Notwendigkeit, die Idee des "Ich" mit der Idee des "Anderen" zu verbinden:

> "my thought of self is in the main, as to its character as a personal self, filled up with my thoughts of others, distributed variously as individuals; and my thoughts of others, as persons, is mainly filled up with myself. In other words ... the ego and the alter are to our thought one and the same thing." (p.12)

Und auch Cooley (1902) notiert in seiner Diskussion der Alltagssprache, daß

> "the 'I' of common language always has more or less distinct reference to other people as well as the speaker." (p.168)

Das Kind entwickelt ein "Selbstschema" erst in der Interaktion mit anderen Personen (Filipp, 1980; Harter, 1983; Mead 1934/1973). Und auch dann, wenn sich das Selbstkonzept einer Person ausgebildet hat, können soziale Rückmeldungen Aspekte eines Selbstkonzepts verändern. Identität besteht in der Präsentation der eigenen Person in verschiedenen Situationen (mit je unterschiedlichen Rollenerwartungen) in einer solchen Art und Weise, daß die Person von ihren Interaktionspartnern als identische Person erkannt (und wiedererkannt) wird (Krappmann, 1969). Dabei kann es dazu kommen, daß die Interaktionspartner ihre Zustimmung zu der präsentierten Selbstdefinition verweigern.
Besonders deutlich wird dies in Goffmans (1963) Beschreibung stigmatisierter Personen. Nach Goffman haben Personen, die durch Herkunft, körperliche Gebrechen oder andere ungewöhnliche Umstände negativ auffällig (stigmatisiert) sind, stärker als "normale" Personen mit der Schwierigkeit zu kämpfen, das eigene Selbstbild mit den Stereotypien und Erwartungen anderer Personen in Einklang zu bringen. Wenn die Bewertung der eigenen Person durch Andere nicht mit dem eigenen Selbstbild übereinstimmt (insbesondere dann, wenn diese Bewertungen negativ sind), wird die stigmatisierte Person ihre Identität an die sozialen Bewertungen anpassen oder "Identitätspolitik" betreiben, das heißt nicht alle Informationen über sich preisgeben, um das eigene Selbstbild vor den (negativen) Bewertungen durch andere zu schützen. Stigmatisierte sind jedoch nicht grundsätzlich von "normalen" Personen verschieden: Auch "normale" Personen müssen sich mit sozialen Rückmeldungen auseinandersetzen, die ihr Selbstbild betreffen. So haben beispielsweise Schwarzer, Lange & Jerusalem (1982) zeigen können, daß sich die anfangs differerierenden Selbstkonzepteinschätzungen von Schülern nach dem Übergang von der Grundschule in Hauptschule oder Gymnasium innerhalb einer nur wenige Monate dauernden Verweildauer in den jeweils neuen Bezugsgruppen einander angleichen. Die Selbstkonzepteinschätzung wird auf der Grundlage des Vergleichs mit der direkten Bezugsgruppe vorgenommen (Klassenkameraden).

Die Berücksichtigung von sozialen Rückmeldungen wird allerdings dann zu einer besonderen Problematik, wenn man die vielfältigen und diskrepanten sozialen Erwartungen, insbesondere im Blick auf die große Rollenvielfalt in modernen Industriegesellschaften, betrachtet (Parsons, 1968). Es reicht ganz sicher nicht aus, Identität zu definieren als die Summe aller (internalisierten) Rollen, die eine Person in verschiedenen Kontexten zu spielen hat. Zwei Probleme stehen einer solchen "außenbestimmten" Identitätsdefinition entgegen: Zum einen ist ein zentraler Aspekt von Identität das Verlangen nach Einzigartigkeit, das nicht befriedigt wird durch ein "außenbestimmtes" Selbstkonzept (Nunner-Winkler, 1985), zum anderen ist "Individualität" eine soziale Forderung an die Person. So lokalisieren einige Theoretiker das (kaum lösbare) Identitätsproblem in der Spannung zwischen Rollenvielfalt und der sozialen Forderung nach Individualität (Adorno, 1972). Von Interesse ist in diesem Zusammenhang die von Erikson (1959) beschriebene "negative Identität". Hierbei handelt es sich um eine Identitätsdefinition, in der eine Person eine sozial negativ bewertete Rolle einnimmt, weil andere mögliche, positive Identitätsdefinitionen nicht dazu führen würden, der Person Einzigartigkeit aus der "Innenperspektive" zu gewährleisten. Andererseits muß es für eine Person nicht notwendigerweise in einem Desaster enden, sich in verschiedenen, möglicherweise diskrepanten Rollen zu engagieren. Inkonsistenzen zwischen verschiedenen Rollenerwartungen lassen sich auch als eine Chance für das Individuum sehen, eine Identität aufzubauen, die nicht vollständig durch das Rollengefüge, in dem es einen Platz einnimmmt, determiniert ist (Krappmann, 1969).

Zusammenfassung: Das Selbstbild einer Person ist sozialer Bewertung und Korrektur unterworfen. Es reicht allerdings nicht aus, daß sich eine Person ausschließlich über soziale Erwartungen (Rollenzugehörigkeiten) definiert. Das Selbstbild muß einer Person ihre Einzigartigkeit (Individualität) garantieren.

2.1.5 Ausbildung der Identität in Kindheit und Jugend

Schon im letzten Abschnitt wurde angemerkt, daß sich das Selbstkonzept in der Interaktion mit anderen Personen verändert. Damit liegen Fragen zur Ausbildung von Identität in Kindheit und Jugend nahe: Wie sehen die Entwicklungsabschnitte des Selbstkonzepts in Kindheit und Jugend aus? Wann erwirbt eine Person Identität im hier definierten Sinn? Im folgenden sollen (1) die kognitiven Grundlagen der Entwicklung des Selbstkonzepts, (2) die Abhängigkeit zwischen kommunikativer Kompetenz und Selbstkonzept sowie (3) die psychosoziale Entwicklung der Person skizziert werden.

(a) Kognitive Entwicklung des Selbstkonzepts

Es ist einsichtig, daß Kinder erst ab einem bestimmten Alter auf die Frage "Wer bin ich?" eine Antwort geben können. In den letzten Jahren sind eine Reihe umfassender Übersichtsreferate erschienen, die Antworten auf diese Frage geben (Broughton, 1978; Damon & Hart, 1982; Filipp, 1980; Harter, 1983; Loevinger & Knoll, 1983; Oerter, 1987). In der Regel werden dabei zwei Abschnitte der Selbstkonzeptentwicklung unterschieden: (1) In der ersten Phase der frühesten Kindheit (0 - 24 Monate) werden die Grundlagen für ein erstes Selbstschema gelegt. (2) Die zweite Phase umfaßt Kindheit und Jugend: Hier kommt es zu einer stufenweise Ausdifferenzierung des Selbstkonzepts. Auf diese Phase schließlich folgt die Bildung von Ich-Identität in der Adoleszenz.

Phase (1): Grundlagen des Selbstschemas. Die gebräuchlichste Methode zur Erforschung des kindlichen Selbstschemas ist das Paradigma der visuellen Wiedererkennung: Kindern wird ein Spiegel vorgehalten oder es wird ihnen einen Videofilm gezeigt, in dem sie selbst zu sehen sind. Die Reaktionen des Kindes auf das eigene Spiegelbild werden interpretiert im Hinblick auf verschiedene Stufen des Selbstkonzepts. Harter (1983) identifiziert in einer Literaturübersicht zu Studien des visuellen Wiedererkennens fünf Stufen der Entwicklung des Selbstschemas (vgl. auch Filipp, 1979, 1980). Bevor ein Kind fünf Monate ist, zeigt es keine Reaktionen auf das eigene Spiegelbild. Ist das Kind 5 bis 8 Monate alt, zeigt es zum ersten Mal Interesse am Spiegelbild oder am Videofilm; allerdings unterscheidet es nicht zwischen sich selbst und anderen Personen (Stufe I). Im Alter von 9 bis 12 Monaten lernt das Kind, die Eigenart von reflektierenen Oberflächen zu verstehen (rhythmisches Spiel, Winken, Lokalisieren von Objekten) und reagiert unterschiedlich auf kontingente und zeitlich verschobene Videopräsentationen (Stufe II). Ist das Kind 12 bis 15 Monate alt, so ist es fähig, Bewegungen des eigenen Körpers von denen anderer Personen zu unterscheiden (Stufe III). Im Alter von 15 bis 18 Monaten zeigt das Kind selbst-gerichtetes Verhalten: Es ist in der Lage, auf einen roten Fleck auf der eigenen Nase zu deuten (den die Mutter zuvor unauffällig dort angebracht hat), wenn es in den Spiegel blickt (Stufe IV). Auf der letzten Stufe, mit 18 bis 24 Monaten schließlich kann das Kind sich selbst beim Namen nennen und verwendet das korrekte Personalpronomen zum eigenen Spiegelbild (Stufe V). Im Alter von zwei Jahren hat das Kind also gelernt, einen Unterschied zwischen sich und seiner Umwelt (als Objekte) zu machen.

Phase (2): Aufbau eines Selbstkonzepts in Kindheit und Jugend. Das Kleinkind hat die Fähigkeit zur Unterscheidung zwischen dem eigenen Selbst und der Umwelt aufgebaut. In dem Maße, in dem ein Kind der Sprache mächtig ist, entwickelt sich in den folgenden Jahren ein Selbstkonzept, das inhaltlich bestimmt ist. Dabei ist generell eine Entwicklung von konkreten

Begriffen der Selbstdefinition zu abstrakteren Begriffen zu beobachten. In der Entwicklung des kindlichen Selbstkonzepts beginnt die soziale Umwelt eine größere Rolle zu spielen. Dabei ist die Fähigkeit des Kindes, die Perspektive von anderen Personen zu übernehmen, ein entscheidendes Bindeglied zwischen kognitiver Entwicklung und sozialer Umwelt. Auch hier lassen sich eine Reihe von Stufen identifizieren, die die Entwicklung des Selbst in Kindheit und Adoleszenz kennzeichnen.

Harter (1983) beschreibt fünf Dimensionen, in denen sich entwicklungsbedingte Veränderungen in Kindheit und Jugend manifestieren: Physikalische Attribute, Verhalten, Emotionen, Motive und Kognitionen (Gedanken, Attitüden). Innerhalb jeder Dimension lassen sich vier Stufen beobachten. Auf der ersten Stufe beschreiben sich Kinder in konkreten Begriffen (etwa "ich kann gut zeichnen und rennen"). Die zweite Stufe ist gekennzeichnet durch den Gebrauch von Eigenschaftsbegriffen ("trait labels", auf der Verhaltensebene etwa "klug" oder "dumm"). In der dritten Stufe kommt es zu ersten Abstraktionen ("Ich habe einen hohen IQ, weil ich in Mathematik gut bin"), die auf der dritten Stufe in noch höheren Abstraktionsstufen integriert werden ("Ich bin ein Bohemien, der konventionelle Regeln der Gesellschaft ablehnt").

Damon & Hart (1982) stellen ein Modell der Selbstkonzeptentwicklung vor, das vier Aspekte des "Me" (Selbst als Objekt) und vier Dimensionen des "I" (Selbst als Subjekt) mit vier Entwicklungsstufen in Kindheit und Jugend verknüpft. James (1890) konzipiert das "Me" als bestehend aus einem Körper-Selbst, einem Handlungs-Selbst, einem sozialen Selbst und einem psychologischen (spirituellen) Selbst. Diese vier Aspekte des "Me" sind nach Damon & Hart in allen Altersstufen vorhanden. Allerdings spielt jedes dieser Selbst-Aspekte in einer bestimmten Altersstufe eine prominente Rolle. In der frühen Kindheit beschreibt sich das Kind in physischen Begriffen ("Ich bin groß"), in der mittleren und späten Kindheit werden Handlungsbegriffe herangezogen, um das Selbst zu beschreiben ("Ich kann gut rennen"), in der frühen Adoleszenz wird die eigene Person in sozialen Kategorien gefaßt ("Ich habe viele Freunde"), und in der späten Adoleszenz herrscht eine psychologisierende Beschreibung vor (bezogen auf die eigene Philosophie und die eigenen Gedankengänge). Die vier Dimensionen des "I" unterliegen ebenfalls einer Entwicklung in Kindheit und Jugend: Das Erleben von Kontinuität, Einzigartigkeit ("distinctiveness"), Willenskraft ("volition") und Selbstreflektion vollzieht sich in einer Bewegung von einem Dimensionspol zum anderen. So bezieht sich Selbstreflektivität in frühem Alter auf Körpermerkmale, in der Adoleszenz dagegen auf das reflexive Erkennen bewußter und unbewußter psychologischer Prozesse. In der Adoleszenz schließlich ist die Selbstkonzeptentwicklung nach Damon & Hart (1982) abgeschlossen. In den nachfolgenden Abschnitten des Erwachsenenalters gibt es keinen Entwicklungsfortschritt mehr; das Selbstkonzept von Erwachsenen beruht auf den gleichen kognitiven Fähigkeiten, die schon in der Adoleszenz vorhanden sind.

(b) Kommunikative Kompetenz und Selbstkonzept

Habermas (1976) stellt ein Modell der Identitätsentwicklung vor, das sich an Kohlbergs (1969, 1971) Stufentheorie des moralischen Urteils anlehnt (vgl. auch Döbert, Habermas & Nunner-Winkler, 1977). Von besonderer Bedeutung sind hierbei die Strukturen kommunikativen Handelns und die kommunikativen Fähigkeiten, die das Kind erwerben muß, um über zunächst unvollständige Interaktionen an kommunikativem Handeln und Diskurs teilnehmen zu können. Auf der Stufe des prä-operationalen Denkens versteht und befolgt das Kind konkrete Verhaltungserwartungen. Dabei orientiert es sich an der Dimension von Lust und Unlust. Auf der Stufe des konkret-operationalen Denkens werden von dem Kind reflexive Verhaltenserwartungen in Betracht gezogen: als Orientierung dienen gesellschaftliche Rollen und Normensysteme. Auf der Stufe formalen Denkens schließlich sind es nicht mehr partikulare Normen, die handlungsorientierend sind, sondern allgemeine Prinzipien, die universelle (auf alle Menschen bezogene) Anwendung finden.

Entsprechend verläuft die Entwicklung der Identität: Einer "natürlichen", leibgebundenen Identität des Kleinkindes folgt die Stufe der rollengebundenen Identität des Schulkindes. Der Jugendliche (und Erwachsene) schließlich muß

> "sein Ich hinter die Linie aller besonderen Rollen und Normen zurücknehmen und einzig über die abstrakte Fähigkeit stabilisieren, sich in beliebigen Situationen als jemand glaubwürdig darzustellen, der auch angesichts unvereinbarer Rollenerwartungen und im Durchgang durch eine Folge widersprüchlicher Lebensabschnitte den Forderungen nach Konsistenz genügen kann" (Habermas, 1976, p.80).

Die Rollenanforderungen und die Identitätsformen der verschiedenen Entwicklungsstufen lassen sich dabei nach Habermas (1976, p. 82) unter "den formalen Gesichtspunkten der Reflexivität, der Abstraktion und Differenzierung [und der] Generalisierung in eine gewisse Hierarchie bringen".

In ähnlicher Weise konzipieren Noam, Powers, Kilkenny & Beedy (1986) die Entwicklung der Identität (vgl. auch Noam, 1985). Sie unterscheiden sechs Stufen der Selbstkonzeptentwicklung, die auf unterschiedlich adäquaten Fähigkeiten basieren, in Interaktionen moralisch zu urteilen. Zusätzlich versuchen Noam und seine Kollegen, funktionale Entwicklungsmodelle (Bewältigung von Entwicklungsaufgaben) und strukturelle Stufenmodelle miteinander zu kombinieren. Je nach Lebensphase ("phase") haben die verschiedenen Stufen ("stage") des Selbstkonzeptes unterschiedliche Bedeutung. In klinischen Interviews ("stage-phase-and-style interview") werden die Selbstkonzeptstufen der Untersuchungspersonen für verschiedene Lebensbereiche erhoben (für Adoleszenten etwa Beziehungen zu peers und zu Autoritätspersonen).

Auch in diesen Ansätzen stellt die Adoleszenz denjenigen Zeitabschnitt dar, in dem eine Person Ich-Identität auszubilden beginnt. Ich-Identität ist nach diesen Ansätzen keine in der Adoleszenz abzuschließende Entwicklungsaufgabe, sondern stellt eine lebenslange Problematik dar, die mit den in der Adoleszenz erworbenen kommunikativen Fähigkeiten bearbeitet werden soll.

(c) Psychosoziale Entwicklung des Selbst

Erikson (1959, 1968) beschreibt in seiner epigenetischen Theorie der Persönlichkeit die Entwicklung des Individuums von der Geburt bis ins hohe Alter. Dabei postuliert er acht psychosoziale Stufen und acht entsprechende psychosoziale Krisen, die zu bewältigen Voraussetzung für die gesunde, optimale Persönlichkeit ist. Detailliert sind von Erikson die vier (an Freud orientierten) Entwicklungsaufgaben der Kindheit beschrieben worden. Es sind dies die Stufen von Urvertrauen vs. Urmißtrauen, Autonomie vs. Scham/Zweifel, Initiative vs. Schuldgefühl und Fleiß vs. Minderwertigkeit. In der Adoleszenz besteht die Entwicklungsaufgabe des Individuums darin, eine eigene Identität aufzubauen. Eine wichtige Bedingung für die Entwicklungsaufgabe der Identitätsformation stellen die großen körperlichen Veränderungen in der Pubertät dar, die das Individuum in dieser Zeit vor die Frage stellen, ob sie tatsächlich "ein-und-dieselbe Person" sei. Nach Erikson kann es dazu kommen, daß die adoleszente Person die Identifikationen und Wertvorstellungen in Frage stellt, die sie von ihren Eltern übernommen hat, und in einer Zeit des "psychosozialen Moratoriums" mit alternativen Werten experimentiert. Schließlich geht die Person Bindungen in verschiedenen Lebensbereichen ein (vornehmlich in den Bereichen Beruf und Ideologie).

Marcia (1964, 1966, 1980) hat den Prozeß der Identitätsformation anhand einer Typologie von Identitätszuständen beschrieben. Marcia definiert Identität anhand der zwei Bestimmungsstücke "Krise (oder Exploration)" und "Bindung an Ziele (commitment)". Eine Person hat dann erfolgreich eine Identität erworben, wenn sie durch eine Phase der Krise, das heißt durch eine Phase der Exploration von Werten und Zielvorstellungen gegangen ist sowie anschließend selbstgewählte Bindungen in den Bereichen "Beruf" und "Ideologie" vorgenommen hat. Aus der Kombination dieser beiden Bestimmungsstücke resultiert eine Matrix mit den vier Identitätszuständen "Erworbene Identität" (Krise und anschließende Bindung), "vorweggenommene Identität" (Bindung ohne vorangegangene Krise), "Moratorium" (Krise ohne Bindung) und "Diffuse Identität" (weder Krise noch Bindung).

Wie ließe sich der typische Ablauf der Identitätsformation anhand dieser Typologie von Identitätszuständen beschreiben? Waterman & Archer (1989) führen aus, daß Kinder sich dem Zustand der "diffusen Identität" zuordnen lassen, "in that [they] lack clearly delineated goals" (p.12). In der mittleren Kindheit und der Vor-Adoleszenz schließlich bildet die Person eine "vorweggenommene Identität" aus, wobei sie sich in ihren Zielvorstellungen und Werten stark an ihre Eltern anlehnt. Die Adoleszenz schließlich ist die Zeit des "Moratoriums", in dem die Person unterschiedliche Zielvorstellungen exploriert. Zu ersten "erworbenen Identitäten" kommt es dann im frühen Erwachsenenalter ("youth", College-Zeit). Diese Abfolge von Identitätszuständen ist in letzter Zeit kritisiert worden (Côté & Levine, 1988), da sich kaum empirische Ergebnisse für diese Entwicklungsabfolge haben finden lassen (vgl. Waterman & Waterman, 1971).

Zusammenfassung: Die Identität einer Person entwickelt sich von rudimentären Formen der Selbstwahrnehmung im Kleinkindalter (das eigene Bild wird unterschieden von dem Bild anderer Personen) über konkrete Selbstbeschreibungen in der mittleren Kindheit und im Jugendalter (bezogen auf den eigenen Körper und eigene Handlungen) zu einem Selbstkonzept, in dem die soziale Umwelt und komplexe psychologische Prozesse der eigenen Person ihren Platz haben. Die Adoleszenz schließlich wird als die Phase angesehen, in der eine Person vor allem die evaluativen (wertbezogenen) Aspekte des eigenen Selbstkonzepts in Frage stellt und eine eigenständige Identität aufbaut, in dem Bindungen innerhalb zentraler Lebensbereiche (Beruf, Familie, Ideologie) eingegangen werden.

2.1.6 Zusammenfassung

Identität bezeichnet die aktive Leistung eines Individuums, persönliche Ziele und Wünsche, Wissen um persönliche Eigenschaften und Merkmale, die Zugehörigkeit zu verschiedenen (oft diskrepanten) Rollensystemen und Vorstellungen über die eigene Entwicklung zu einem sinnvollen, einheitlichen, eindeutigen (sozial bestimmbaren) und einzigartigen Selbstkonzept zu integrieren. Im vorliegenden Zusammenhang soll zwischen Selbstbeschreibungen (faktischen, selbstbeschreibenden Propositionen) und Lebenszielen (evaluativen, selbstbeschreibenden Propositionen) unterschieden werden.

Die soziale Funktion der Identität ist es, Interaktionspartnern das Bild einer wiedererkennbaren Person zu bieten. Da das Selbstkonzept in Form sprachlicher Aussagen gekleidet (oder zumindest in Sprache überführbar) ist, läßt es sich kommunizieren. In der Auseinandersetzung mit anderen Personen kann die Identität einer Person bestätigt oder in Frage gestellt werden. Die Person hat verschiedene Möglichkeiten, auf widersprüchliche Rückmeldungen durch die (soziale) Umwelt zu reagieren. Um die Konstanz des Selbstkonzepts zu wahren, kann die Person widersprüchliche Informationen entwerten oder vernachlässigen. Allerdings kann die Person auch auf Inkonsistenzen reagieren, indem sie das bestehende Selbstkonzept durch Anpassung wandelt oder radikal umstrukturiert. Damit ist sowohl die Stabilität als auch die Veränderung von Identität im mittleren Erwachsenenalter denkbar.

Ontogenetisch wurzelt die Leistung, eine Ich-Identität auszubilden, in der Fähigkeit des Kleinkindes, zwischen sich selbst und den Objekten seiner Umwelt zu unterscheiden, und den verschiedenen Stufen der Selbstkonzeptentwicklung in Kindheit und Jugend, in denen sich die Selbstbeschreibungen ausgehend von konkreten, physischen Merkmalen zu abstrakten, psychologischen Attributen ausdifferenzieren. In verschiedenen entwicklungspsychologischen Ansätzen wird die Entwicklung des Selbstkonzepts von der Kindheit bis zur Adoleszenz beschrieben. Über die Entwicklung des Selbstkonzepts im Erwachsenenalter wird von kognitiven Entwicklungstheorien keine Aussage gemacht. Theoretiker, die sich mit der psychosozialen Entwicklung beschäftigen, postulieren eine stabile Identität im mittleren Erwachsenenalter, die auf langfristigen Bindungen in den Bereichen Beruf, Ideologie und Familie basiert.

In dieser Untersuchung geht es nur um einen Teil der in diesem Abschnitt behandelten Facetten des Identitätskonzepts: Es wird nach den zentralen Lebenszielen von Personen im mittleren Erwachsenenalter gefragt. Das im vorliegenden Zusammenhang wichtigste Ergebnis der konzeptuellen Überlegungen ist die Gliederung von Lebenszielen anhand der Dimension Handlungsorientierung (mit den Ausprägungen Sozialorientierung und Selbstorientierung) sowie der Dimension Lebenszeitperspektive (mit den Ausprägungen Vergangenheit, Gegenwart, personale und nicht-personale Zukunft).

2.2 Identitätsentwicklung im mittleren Erwachsenenalter

Im letzten Abschnitt wurden - im Rahmen der Darstellung des Identitätskonzepts - Forschungsergebnisse zur Ausbildung der Identität in Kindheit und Jugend vorgestellt. In diesem Abschnitt geht es um die Frage, welche Befunde sich in der entwicklungspsychologischen Literatur zur Veränderung der Identität im Erwachsenenalter finden lassen.

Die Entwicklungsverläufe im Erwachsenenalter sind allerdings so unterschiedlich, daß die Forschung ein recht verwirrendes Bild bietet. Die theoretischen Positionen zur Entwicklung von Identität im Erwachsenenalter sind gegensätzlich, die empirischen Ergebnisse der Forschung lassen sich nicht zu eindeutigen Aussagen zusammenfassen (Neugarten, 1977). Es lassen sich drei verschiedene theoretische Ansätze unterscheiden, Entwicklung im Lebenslauf (also auch Entwicklung im Erwachsenenalter) zu beschreiben und zu erklären. Drei Begriffe fassen diese Ansätze recht prägnant zusammen: biologische Reifung, Altersnormen und normative Krise. Zusätzlich zu diesen drei Positionen, die Veränderungen der Identität im Erwachsenenalter postulieren, läßt sich ein vierter Standpunkt ausmachen, dessen Vertreter die Stabilität des Selbstkonzepts im Erwachsenenalter annehmen. Diese vier theoretischen und empirischen Positionen sollen im folgenden vorgestellt werden. In einem fünften abschließenden Abschnitt soll versucht werden, die auseinanderstrebenden Positionen und Befunde in der Perspektive einer Entwicklungspsychologie der Lebensspanne zu integrieren.

2.2.1 Veränderung der Identität infolge köperlicher Veränderung

Eine erste theoretische Position, derzufolge sich das Selbstbild einer Person im Laufe des Lebens verändert, setzt die körperlichen Veränderungen mit dem Selbstbild in Beziehung. Charlotte Bühler (1932, 1935, 1968; s.a. Frenkel, 1936/37; Frenkel-Brunswik, 1963) unterscheidet fünf Phasen des Lebenslaufs, die - auf körperlicher Reifung basierend - den Lebenslauf anhand biologischer Kriterien unterteilen. Diese Phasen sind eine Periode körperlichen Wachstums ohne Fähigkeit der Reproduktion (0-15 Jahre), eine Periode des Wachstums mit der Fähigkeit zur Reproduktion (15-22 Jahre), eine Periode der Reproduktion ohne Wachstum (22-45 Jahre), eine Periode des langsamen Schwindens der Kräfte, bei Frauen mit der Menopause der Verlust der Fähigkeit zur Reproduktion (45-65 Jahre) und schließlich eine Phase des raschen Abbaus (ab 65 Jahre). Es sei dahingestellt, ob die Altersangaben noch den aktuellen Stand der medizinischen und biologischen Forschung wiedergeben. Von Bedeutung ist hier, daß der menschliche Lebenslauf anhand der physischen Entwicklung des Körpers gegliedert wird.

In der entwicklungspsychologischen Forschung hat es nur selten den Versuch gegeben, Identitätsentwicklung im mittleren Erwachsenenalter unter dem Aspekt köperlicher Veränderungen zu betrachten. Es gibt nur wenige Untersuchungen zur Auswirkung körperlicher Veränderungen auf das Selbstbild im mittleren Erwachsenenalter (sehr viel mehr Untersuchungen gibt es zum Einfluß körperlicher Veränderungen auf das Selbstbild im hohen Alter; vgl. Schaie & Willis, 1986). In der Forschung wurden bisher die Phasen des mittleren

Erwachsenenalters hervorgehoben, in denen besonders starke körperlichen Veränderungen stattfinden.

So fragten Neugarten & Kraines (1965), ob das Klimakterium mit seinen körperlichen Veränderungen einen Einfluß auf das Selbstkonzept von Frauen hat. Dazu wurden 460 Frauen in sechs Altersgruppen zu körperlichen Symptomen interviewt. Die Altersgruppen bestanden aus 13-18, 20-29, 30-44, 45-54 (prä- oder postmenopausal), 45-54 (menopausal) und 55-65 Jahre alten Frauen. Die Gruppen mit den meisten berichteten Symptomen waren die Gruppen der Adoleszenten und der Frauen in der Menopause. Da allerdings auch gezeigt wurde (Neugarten, Wood, Kraines & Loomis, 1963), daß sich die Einstellungen zum Klimakterium mit der Position im Lebenslauf verändern (Frauen, die schon durch die Menopause gegangen sind, beurteilen diese Zeit positiver, als Frauen, denen dieser Lebensabschnitt noch bevorsteht), ist es nicht zu entscheiden, ob die Veränderungen, die Frauen in dieser Zeit erleben, körperlich bedingt sind oder ob dieser Zeit mit ihrer stark soziokulturell geprägten Bedeutung der Status einer sozialen Rolle zukommt, so daß erlebte Veränderungen eher Ausdruck von Veränderungen sozialer Rollen sind (Wechsel von der Rolle der "(potentiellen) Mutter" zur "(potentiellen) Großmutter"; s. nächster Abschnitt).

Zusammenfassung: Körperliche Veränderungen (etwa infolge von Wachstum oder Altersabbau) können ein Indiz für Veränderungen des Selbstbildes im Lebenslauf sein. Für die Periode des mittleren Erwachsenenalters gibt es nur wenige Abschnitte mit deutlichen körperlichen Veränderungen. Für diese Phasen konnten Unterschiede hinsichtlich des Selbstbildes gezeigt werden.

2.2.2 Veränderungen der Identität nach Altersnormen

In der (deskriptiven) soziologisch-sozialpsychologischen Forschung zu Altersnormen wird danach gefragt, welche Vorstellungen in der Gesellschaft darüber herrschen, wie alt eine Person sein muß (oder noch sein darf), um für bestimmte soziale Rollen das beste (oder ein noch akzeptables) Alter zu haben. Neugarten & Datan (1973) schreiben beispielsweise: "Es gibt Zeiten, in denen von jemandem erwartet wird, zu arbeiten, zu heiraten, Kinder aufzuziehen, sich zur Ruhe zu setzen, ja es gibt sogar Vorstellungen darüber, wann jemand krank zu werden und zu sterben hat." Hier wird die Entwicklung im Erwachsenenalter als das Durchlaufen von alterskorrelieten Rollensequenzen angesehen, wie sie beispielsweise in den Rollen von Schüler, Lehrling, Arbeitnehmer und Rentner gegeben ist. Diese Erwartungen an die Entwicklung können so prägend sein (etwa im Bereich von Erziehung und

Ausbildung), daß man von einem "institutionalisierten Lebenslauf" sprechen kann (Meyer, 1981, 1986).

Altersnormen sind empirisch untersucht worden (Neugarten, Moore & Lowe, 1965; Plath & Ikeda, 1975, Zepelin, Sills & Heath, 1986/87). Fragt man beispielsweise Personen danach, wann eine Frau oder ein Mann "jung" sind, so erhält man mit einer hohen Übereinstimmung relativ enge Altersangaben. Allerdings haben sich diese Altersnormen im Laufe der Zeit gelockert. Während in den USA der fünfziger Jahre eine Frau zwischen 18 und 24 von der großen Mehrzahl der Befragten (88%) als jung bezeichnet wurde, hielt derselbe Prozentsatz von Befragten in den frühen achtziger Jahren eine Alterspanne von 18 bis 35 Jahren für akzeptabel. Für Männer sehen diese Altersnormen ähnlich aus (fünfziger Jahre: 18 bis 29 Jahre, achtziger Jahre: 18 bis 35 Jahre; 84% Übereinstimmung) (Zepelin, Sills & Heath, 1986/87).

Altersnormen lassen sich auch für den Familienzyklus und die Berufskarriere erfragen. Das Alter, das von den meisten Befragten als angemessenes Heiratsalter angegeben wurde, wandelte sich von 19 bis 24 Jahren bei Frauen und 20 bis 25 Jahren bei Männern in den fünfziger Jahren zu 20 bis 27 Jahren bei Frauen und 21 bis 30 Jahren bei Männern in den achtziger Jahren (87% bzw. 85% Übereinstimmung). Da die Frage nach dem besten Alter, eine Berufskarriere zu beginnen, nur bei der zweiten Befragung an beide Geschlechter gerichtet wurde, läßt sich hier nur ein Wandel für Männer belegen: In den fünfziger Jahren lag das beste Alter, eine Berufskarriere zu starten, zwischen 24 und 26 Jahren (70% Übereinstimmung), drei Dekaden später lag die Spanne des akzeptablen Alters zwischen 25 und 35 Jahren (Zepelin, Sills & Heath, 1986/87). (Im übrigen ist die Tatsache, daß es die Untersucherinnen zu dem frühen Untersuchungszeitpunkt nicht für nötig hielten, nach dem Alter des Karrierebeginns bei Frauen zu fragen, diese Frage in der heutigen Zeit dagegen unproblematisch beantwortet wird, ein deutliches Zeichen für den soziokulturellen Wandel.)
Die Altersangaben variierten jedoch nicht nur über die historische Zeit, sondern auch mit dem Alter, dem Geschlecht sowie der Schichtzugehörigkeit der Befragten. Beispielsweise machten auf die Frage "Was ist das beste Heiratsalter für eine Frau?" alte Befragte niedrigere Altersangaben als junge Befragte (22.9 vs. 23.7 Jahre), Frauen höhere Angaben als Männer (23.7 vs. 22.9 Jahre) und Angehörige der Unterschicht niedrigere Angaben als Angehörige der Mittelschicht (22.7 vs. 24.0 Jahre) (Zepelin, Sills & Heath, 1986/87).

Trotz dieser vielfältigen Unterschiede läßt sich festhalten, daß es allgemein recht genaue Vorstellungen darüber gibt, was eine Person zu einem gegebenen chronologischen Alter zu tun und zu lassen habe. Bezogen auf die Zeit des jungen Erwachsenenalters könnte man die gesellschaftlichen Forderungen so formulieren: "Suche Dir eine(n) Ehepartner(in), bekomme

Kinder, beginne mit einer beruflichen Karriere!" und bezogen auf die Zeit des mittleren Erwachsenenalters: "Strebe Kontinuität in der beruflichen Karriere an und hilf Deinen Kindern, erwachsen zu werden!". Andererseits haben sich diese Altersnormen in den letzten 30 Jahren so gelockert, daß einige Forscher von einer "alters-irrelevanten" Gesellschaft sprechen. Obwohl diese Charakterisierung angesichts der eben berichteten Daten zu extrem erscheint, ist es sicher richtig, die größere Variation der Altersgrenzen als Ausdruck einer Liberalisierung dieser Altersnormen zu interpretieren.

Zusammenfassung: Die sozialpsychologische Forschung zu Altersnormen hat gezeigt, daß es recht klare gesellschaftliche Normen darüber gibt, welche Lebensziele eine Person mit einem gegebenen chronologischen Alter haben solle. Personen im mittleren Erwachsenenalter (30-45 Jahre) sollten verheiratet sein, Kinder haben sowie eine stabile Berufskarriere verfolgen.

2.2.3 Veränderung der Identität durch normative Krisen

In der eher pädagogisch-klinisch orientierten Forschung zu normativen Krisen und Entwicklungsaufgaben wird danach gefragt, mit welchen Problemen oder Krisen eine Person in verschiedenen Lebensaltern konfrontiert ist. Dabei ist die Reihenfolge der Probleme und der daraus entstehenden Krisen oft in Form von Stufenmodellen festgelegt (Erikson, 1950, 1959, 1968, 1982; Frieze, 1978; Gould, 1972, 1978; Levinson, 1978, 1986).

Erikson (1959) beschreibt in seiner epigenetischen Theorie der Persönlichkeit acht psychosoziale Stufen und acht entsprechende psychosoziale Krisen, deren Bewältigung notwendig für eine optimale Persönlichkeitsentwicklung ist. Diese Krisen entstehen durch einander reziproke Bedürfnisse und Fähigkeiten des Individuums sowie Anforderungen der Gesellschaft. Erikson (1959) spricht davon, daß die "allmählich wachsenden Fähigkeiten des Kindes kulturell geprägten Angeboten und Begrenzungen begegnen" (p.53, eigene Übersetzung, CTR), so daß man "inneren Entwicklungsgesetzen vertrauen kann, die eine Reihe von Gelegenheiten für signifikante Interaktionen" (p.54, eigene Übersetzung, CTR) zwischen Kind und der es umgebenden Gemeinschaft hervorbringen, die zu den entsprechenden psychosozialen Krisen führen.

Nach Erikson beginnt die Identitätsformation nicht erst mit der Adoleszenz (sondern in den frühen Stadien des Sich-selbst-Erkennens des Säuglings) und endet nicht schon mit der Adoleszenz, sondern stellt eine lebenslange Aufgabe dar (Erikson, 1959, p.122). Die erfolgreiche Lösung der Identitätsproblematik ist schließlich Voraussetzung für die Bewältigung der normativen Krisen des Erwachsenenalters. Die Krise des jungen Erwachsenenalter betrifft die Problematik der Intimität (vs. Isolation). Personen im mittleren Erwachsenenalter sehen sich mit der Problematik der Generativität (vs. Stagnation) konfrontiert. Im hohen Alter kommt es schließlich zu der Frage, ob die Person ihr Leben akzeptieren kann (Integrität vs. Verzweiflung). Dabei sind langfristige und stabile Bindungen, die die Person in der Adoleszenz und im jungen Erwachsenenalter in verschiedenen Lebensbereichen wie Beruf, religiöse und politische Überzeugungen, Einstellungen zur Geschlechtsrolle, Partnerschaft und Kindern eingeht, günstig für die Bewältigung der späteren Entwicklungsaufgaben.

Havighurst (1948) definiert das Konzept der Entwicklungsaufgabe - ähnlich wie Erikson - in folgender Weise:

> "A developmental task is a task which arises at or about a certain period in life of the individual, successful achievement of which leads to his happiness and to success with later tasks, while failure leads to unhappiness in the individual, disapproval by the society, and difficulty with later tasks." (p.2)

Einige der von Havighurst beschriebenen Aufgaben sind universell (wie laufen und sprechen lernen), andere sind dagegen kulturspezifisch (wie die Fähigkeit zu erwerben, sich in einer Peer-Gruppe zurechtzufinden, oder zu lernen, seinen bürgerlichen Pflichten nachzukommen); einige der Aufgaben sind in eng umgrenzten Zeiträumen zu bewältigen (wie die Aufgabe, die Ausscheidungsorgane willentlich zu kontrollieren), andere dagegen sind lebenslange Aufgaben (wie das Problem der Identitätsbildung).

Die Frage ist nun, ob sich das Selbstkonzept einer Person mit der Bewältigung dieser Entwicklungsaufgaben verändert. Hier sollen drei empirische Forschungsansätze vorgestellt werden, die sich (zumindest teilweise) auf Eriksons Ideen berufen: (1) Untersuchungen zum Konzept der "Identitätszustände" nach Marcia (1964, 1966, 1980), (2) Levinsons (1976) Untersuchung zu Veränderungen der Lebenstruktur und (3) Forschungen zu kritischen Lebensereignissen.

(a) Forschung innerhalb des "identity status"-Ansatzes

Marcia (1964, 1966) hat sein Konzept der Identitätszustände, die anhand der Kriterien "Krise (Exploration)" und "Bindung an Ziele" definiert werden können, im Anschluß an Eriksons Überlegungen zur Identitätsbildung entwickelt. Obwohl Marcias Theorie in letzter Zeit mit dem Argument kritisiert worden ist (Côté & Levine, 1987, 1988; vgl. jedoch Waterman, 1988), sie entspräche nicht den ursprünglichen Konzepten Eriksons, stellt die auf Marcias Formulierungen basierende Forschung immer noch einen ernstzunehmenden Versuch dar, die Konzepte Eriksons empirisch zu untersuchen (s. etwa Hodgson & Fischer, 1979, Podd, 1972; Slugoski, Marcia & Koopman, 1984; Tesch & Cameron, 1987; Waterman & Waterman, 1971). Ein Einwand von Côté & Levine (1988) muß jedoch betont werden: Die Forschung innerhalb des "identity status paradigm" war nicht sehr erfolgreich, empirische Evidenz zur Identitätsentwicklung im Erwachsenenalter zu schaffen. Die Haupt–problematik dieses Ansatzes scheint darin zu liegen, daß die Entwicklungsabfolge der verschiedenen Identitätszustände weder theoretisch eindeutig begründet noch empirisch nachgewiesen wurde.

So hat Marcia (1976) in einer Längsschnittuntersuchung die Stabilität der Identitätszustände von 30 Männern untersucht. Dabei zeigten sich (logisch nicht mögliche) Übergänge vom Zustand der erworbenen Identität, der eine Krise voraussetzt, zum Zustand der vorweggenommen Identität, also einem Zustand ohne Krise. In ähnlicher Weise zeigten sich in einer Längsschnittstudie an Studienanfängern (Waterman & Waterman, 1971) sowohl Ergebnisse, die mit Marcias Annahmen übereinstimmen (so nahm z.B. die Zahl der Studenten im "foreclosure status" ab), als auch solche Ergebnisse, die damit im Widerspruch stehen (die Zahl von Personen im Status der "identity diffusion" nahm zu; einige der Personen, die anfänglich als "identity achieved" beurteilt wurden, hatten diesen Status nach dem ersten Studienjahr wieder verlassen).

Wie sind solche Forschungsergebnisse zu interpretieren? Die angemessenste Erklärung scheint zu sein, daß Personen im Laufe ihres Lebens unterschiedliche Bewertungen ihrer eigenen Lebensgeschichte vornehmen. Während ein(e) Jugendliche(r) einem Streit mit den Eltern große Bedeutung beimessen könnte und man aus einem solchen Bericht auf eine Identitätskrise schließen könnte, ist es durchaus möglich, daß aus der größeren Entfernung des Erwachsenenalters Auseinandersetzungen mit den Eltern als nicht berichtenswert erscheinen (und damit der Eindruck erweckt werden könnte, es hätte keine Krise vorgelegen). Die Folgerung, die man aus den Ergebnissen des "identity status paradigm" ziehen muß, lautet, daß es zwar gelungen ist, theoretische Konzepte Eriksons in empirische handhabbare Konstrukte zu übersetzen, daß jedoch der Versuch, die langfristige Entwicklung der Identität im Erwachsenenalter zu beschreiben, bislang nicht erfolgreich war.

(b) Untersuchungen zur Veränderung der Lebenstruktur

Die Untersuchungen Levinsons (1978, 1986; vgl. auch Gould, 1972, 1978; Vaillant, 1977) sind ein prominentes Beispiel für die Position, das Selbstkonzept einer Person verändere sich mit Entwicklungsaufgaben. (Die bisherigen Untersuchungen Levinsons basieren auf ausgedehnten Interviews mit 40 Männern; eine Studie über den Lebenslauf von Frauen ist angekündigt; Levinson, 1986.) Das zentrale Konzept Levinsons ist das Konzept der "Lebensstruktur". Die Lebensstruktur bezeichnet die Beziehungen zwischen dem Selbst und der es umgebenden sozialen Welt: Das Selbst in der Welt und die Welt im Selbst. Levinson betont drei Aspekte der Lebensstruktur: die soziokulturelle Welt, in der eine Person lebt, Aspekte des Selbst (Phantasien, Werte, Wünsche, Talente) und das Engagement einer Person in der Welt (seine Beziehungen zu Freunden, Ehepartner, Vorgesetzten und Kollegen).

Der zentrale Aspekt des Lebenslaufs ist nach Levinson, eine kohärente Lebensstruktur aufzubauen. Dabei wird der Lebenszyklus von Levinson in verschiedene zeitliche Phasen geteilt, die jeweils etwa 20 bis 25 Jahre dauern (Kindheit und Jugend, frühes Erwachsenalter, mittleres Erwachsenenalter, hohes Alter). Zwischen den "großen" Lebensperioden, in denen sich die jeweilige Lebensstruktur stabilisiert, liegen Übergangsphasen, die jeweils etwa fünf Jahre dauern. Das Engagement des Selbst in der Welt ändert sich von Lebensabschnitt zu Lebensabschnitt, und auf diese Weise ändert sich auch die Identität der Person. So baut eine Person in ihren zwanziger Jahren eine vorläufige Erwachsenenstruktur auf. Mit dem Wechsel vom dritten in das vierte Lebensjahrzehnt erlebt die Person eine Krise, in deren Verlauf sie ihre bisherige Lebenstruktur in Frage stellt und sie ändert oder aber diese Struktur weiter ausformt. Die dann geformte Struktur bleibt bis zum Eintreten der nächsten Krise (Übergang vom frühen zum mittleren Erwachsenenalter) stabil. In diesem Zusammenhang sind die Ergebnisse Levinsons zur "mid-life transition" von Interesse.

Die "mid-life transition" bereitet den Übergang vom frühen Erwachsenenalter zum reifen Erwachsenenalter vor; damit würden nach Levinson Männer zwischen 38 und 43 Jahren mit hoher Wahrscheinlichkeit eine "mid-life crisis" erleben. Nach Levinson wird die "mid-life transition" durch drei Aufgaben gekennzeichnet: Das bisherige Leben muß rückblickend beurteilt werden, die Lebensstruktur des "self in society" muß modifiziert werden, und schließlich müssen grundlegende anthropologische Polaritäten (wie die Gegensätze des Maskulinen und Femininen, der Schöpfung und Zerstörung) miteinander in Einklang gebracht werden (pp.191-192).

Levinson beschreibt fünf verschiedene Modi, mit den Aufgaben der "mid-life transition" umzugehen (pp.200-208). Zum einen ist es möglich, diese Periode mit einer stabilen Lebensstruktur durchzustehen (Sequenz A). Eine weitere Möglichkeit ist die des ernsthaften Scheiterns innerhalb einer unveränderten Lebenstruktur (Sequenz B). Drei Sequenzen bringen schließlich Veränderungen der Lebensstruktur mit sich: Im Falle des "Ausbruchs" wird eine ganz neue Lebensstruktur ausprobiert (Sequenz C), im Falle der überraschenden

Beförderung vollzieht sich eine Veränderung der Lebensstruktur durch äußeren (z.B. beruflichen) Erfolg (Sequenz D), und schließlich zeigt die Kategorie der unstabilen Lebenstruktur keine festen Konturen während des gesamten Erwachsenenalters (Sequenz E). Ein Beispiel für den Ausbruch aus einer alten Lebensstruktur stellt ein Schriftsteller dar (pp.293-300), der nach erheblichen Erfolgen als Romanschriftsteller mit 37 Jahren sein Verlagshaus verläßt, mit 40 Jahren in das Investmentgeschäft überwechselt und dort erfolgreich arbeitet, bis er mit 45 Jahren in Form des Schreibens von Biographien die Literatur als Teil einer veränderten Lebenstruktur wieder in seine Identität inkorporiert. Ein Beispiel für die Veränderung der Lebensstruktur durch äußeren Erfolg stellt ein Manager (p.207) dar. Dieser Manager wird mit 37 Jahren Leiter der Einkaufsabteilung der Firma, für die er arbeitet, und bekommt schon mit 40 Jahren die Möglichkeit, die Produktionsabteilung derselben Firma zu leiten. Diese veränderte Lebensstruktur hat erhebliche Konsequenzen für ihn: Er erkrankt mit unsicherer Diagnose und wird mit 44 Jahren auf einen unwichtigeren Posten versetzt. Ein Beispiel für eine unstabile Lebensstruktur stellt schließlich ein Biologe (p.207) dar, der mit 39 Jahren weder ein erfolgreicher akademischer Biologe noch ein erfolgreicher wissenschaftlicher Administrator ist. Das Gefühl, Kompromisse eingegangen zu sein, durchzieht sein berufliches und familiäres Leben.

Trotz dieser Beispiele für heftige und tiefgreifende "mid-life crises" scheinen die meisten Männer in Levinsons Studie jedoch eine recht stabile Lebensstruktur aufgebaut zu haben: 29 der 40 befragten Männer sind den eher stabilen Sequenztypen zuzuordnen. Immerhin läßt sich jedoch sagen, daß neben der Stabilität einer im jungen Erwachsenenalter aufgebauten Lebensstruktur auch (möglicherweise sogar tiefgreifende) Veränderungen der Identität im Erwachsenenalter möglich sind.

(c) Forschung zu kritischen Lebensereignissen

Das Konzept der Entwicklungsaufgabe, das sich in Eriksons und Levinsons Theorien findet, hat die Konnotation der Regelmäßigkeit: Viele Personen sind zu einem klar spezifizierbaren Alter und mit hoher Wahrscheinlichkeit mit dem jeweiligen Problem konfrontiert. Berücksichtigt man auch die anderen Ausprägungen der hier angesprochenen Dimensionen (Universalität, Eintrittswahrscheinlichkeit, Korrelation mit dem kalendarischen Alter), so erweitert sich das Konzept der Entwicklungsaufgaben zu dem allgemeineren Begriff des "kritischen Lebensereignisses" (Brim & Ryff, 1980). Holmes & Rahe (1967, p.217) definieren kritische Lebensereignisse als Ereignisse, "deren Eintritt eine bedeutsame Veränderung in der gegenwärtigen Lebensstruktur der Person notwenig macht oder auf eine solche Veränderung hinweist". Filipp (1981b, p.13) charakterisiert das Konzept "Lebensereignis" sehr allgemein als eine "sich konkretisierende und beobachtbare Zäsur in der Person-Umwelt-Beziehung".

Beiden Definitionen gemeinsam ist die Betonung der Veränderung (in Person, Umwelt und/oder Person-Umwelt-Beziehung) in Reaktion auf ein beobachtbares und zeitlich lokalisierbares Ereignis.

Seinen Ursprung hat das Konzept des "kritischen Lebensereignisses" in der klinisch-epidemiologischen Forschung (vgl. Dohrenwend & Dohrenwend, 1974). Die grundlegende Idee dieser Forschungsrichtung besteht darin, das kritische Potential eines Lebenslaufs und die Anfälligkeit für Krankheiten anhand der erfahrenen Lebensereignisse zu messen. So legten Holmes & Rahe (1967) ihren Probanden eine aus 43 Ereignissen bestehende Liste vor, die von (anderen) Beurteilern im Vergleich mit einem von den Untersuchern festgelegten Ankerstimulus hinsichtlich der erforderlichen Wiederanpassung ("readjustment") eingeschätzt werden. Allerdings bringt dieses Vorgehen methodische Schwierigkeiten mit sich. Hultsch & Cornelius (1981) argumentieren, daß solche eindimensional konzipierten Ereignislisten Probleme der Konstruktvalidität mit sich bringen (Genauigkeit, mit der Ursache und Wirkung in hypothetischen Begriffen dargestellt und interpretiert werden können), und schlagen vor, die Merkmale von Lebensereignissen (subjektiv-objektiv, freiwillig-unfreiwillig, positiv-negativ, Dauer usw.) als Grundlage für mehrdimensionale Klassifizierungen zu verwenden. Mehrdimensionale Klassifizierungen erlauben differenziertere Aussagen über die Auswirkungen von qualitativen und zeitlichen Ereignischarakteristika.

Mit der Intention, die Forschung zu kritischen Lebensereignissen zu systematisieren, stellt Filipp (1981b) ein "allgemeines Modell für die Analyse kritischer Lebensereignisse" vor. Filipp unterscheidet antezedente Merkmale (wie Formen antizipatorischer Sozialisation), konkurrente Bedingungen (in der Person und in der Umwelt), objektive und subjektive Ereignismerkmale, Merkmale der unmittelbaren Auseinandersetzung mit dem Lebensereignis und schließlich Effekte der Auseinandersetzung und Bewältigung. Dieses Modell umfaßt eine Vielzahl von operationalisierbaren Variablen, die zum Gegenstand empirischer Forschung gemacht worden sind (bzw. gemacht werden könnten), und ist daher geeignet, die vielfältige Forschung zu kritischen Lebensereignissen zu systematisieren.

So ist argumentiert worden, daß aus der Erfahrung mit (früheren) kritischen Lebensereignissen (antezendente Bedingungen) Bewältigungsmuster stammen können, die die Bewältigung zukünftiger Ereignisse erleichtern (Danish & D'Augelli, 1980). Einige Forschungsergebnisse zeigen, daß Personmerkmale (etwa Alter, Geschlecht, sozioökonomischer Status) mit der Zahl und Art kritischer Lebensereignisse korreliert sind: Lowenthal, Thurner & Chiriboga (1975) berichten, daß Frauen mehr kritische Lebensereignisse erleben als Männer; während Webb, Snodgrass & Thagard (1978) zwar keine Geschlechtsunterschiede hinsichtlich der Zahl kritischer Lebensereignisse feststellen, aber angeben, daß Männer häufiger berufliche oder gesetzliche Schwierigkeiten, Frauen dagegen eher Probleme im zwischenmenschlichen Bereich berichten. Auch Situationsmerkmale haben einen Einfluß auf die Wirkung kritischer Lebensereignisse: So konnten Caldwell & Bloom (1982) nachweisen, daß die Probleme einer kurz zurückliegenden Ehescheidung für Personen mit hoher sozialer Unterstützung (reichhaltige Situationsressourcen) leichter zu bewältigen sind als für Personen mit geringer sozialer Unterstützung. Große Bedeutung schließlich hat die Beschreibung der Merkmale kritischer Lebensereignisse. Hierzu gehören Klassifikationen von Lebensereignissen (vgl. Brim & Ryff, 1980) oder Versuche, allgemeine Dimensionen von Lebensereignissen festzustellen: Gräser, Esser & Saile (1981) ließen 20 ausgewählte Ereignisse anhand von 18 Skalen bewerten und fanden vier Ereignisklassen: Bereicherung, Verlust, öffentliche Ereignisse und Krankheit. Schließlich läßt sich nach Formen der Bewältigung von kritischen Lebensereignissen fragen, wie sie vor allem in der Streßforschung untersucht werden (Lazarus & Launier, 1978), sowie nach den Auswirkungen kritischer Lebensereignisse auf Person, Umwelt und Person-Umwelt-Beziehung. So wurden beispielsweise die Auswirkungen ökonomischer Deprivation auf die Persönlichkeitsentwicklung in Abhängigkeit von Geschlecht, Lebensalter und sozialem Status der Betroffenen (Elder, 1974; Walper, 1988) oder Veränderungen des Selbstbildes aufgrund des Erlebens und Bewältigens kritischer Lebensereignisse (Mummendey, 1981; Mummendey & Sturm, 1981) untersucht.

Zusammenfassend läßt sich die Forschung zu kritischen Lebensereignissen charakterisieren als der Versuch, die Antezendenzien und Konsequenzen mehr oder weniger regelhafter krisenhafter "Lebenszäsuren" zu beschreiben. Neben der breiten Diskussion konzeptueller und methodischer Probleme läßt sich eine Vielzahl von empirischen Ergebnissen ausmachen. Da Untersucher, die sich mit kritischen Lebensereignissen beschäftigen, in der Regel an zeitlich genau umgrenzten Altersabschnitten und sehr oft an "Krisenperioden" interessiert sind, weisen die Ergebnisse vieler Studien zu kritischen Lebensereignissen auf die Veränderung von Persönlichkeitsmerkmalen hin.

(d) Zusammenfassung

Trotz des hohen theoretischen Anspruchs Eriksons, die Stufen der psychosozialen Entwicklung für den gesamten Lebenslauf zu beschreiben, ist es der empirischen entwicklungspsychologischen Forschung nicht gelungen, die von Erikson postulierten Krisen und Entwicklungsverläufe nachzuweisen. Marcias Versuche, mit dem "Identity Status Paradigm" eine brauchbare Operationalisierung des Eriksonschen Identitätsbegriffs zu liefern, hat zwar eine Fülle von Studien zu interindividuellen Unterschieden nach sich gezogen, aber nur sehr wenige und widersprüchliche Ergebnisse zur Entwicklung der Identität im Erwachsenenalter. Die Arbeiten von Levinson stellen den Versuch dar, in retrospektiven Interviews Lebensphasen im Erwachsenenalter abzubilden. Dabei gelingt ihm der Aufweis subjektiv wahrgenommener Krisen im mittleren Erwachsenenalter. Die Forschung zu kritischen Lebensereignissen schließlich betont die Möglichkeit zu Veränderungen der Identität in Abhängigkeit von mehr oder minder gravierenden, mehr oder weniger regelhaften Vorfällen im privaten oder öffentlichen Leben.

2.2.4 Stabilität des Selbstkonzepts

Ergebnisse zur Stabilität von Selbstkonzept und Persönlichkeit werden vor allem von Eigenschaftstheoretikern vorgelegt. Dabei geht es diesen Forschern um die Stabilität von Persönlichkeit. Die Instrumente zur Erfassung von Persönlichkeit lassen sich auch als Meßinstrumente zur Erfassung des Selbstkonzepts interpretieren, da den Probanden Aspekte von Persönlichkeit vorgelegt werden, auf denen sie sich selbst einschätzen sollen (McCrae & Costa, 1982).

Bengtson, Reedy & Gordon (1985) stellen 62 Untersuchungen vor, die sich mit der Frage nach Stabilität oder Veränderung der kognitiven, emotionalen (selbstwertbezogenen) und behavioralen (verhaltensbezogenen) Aspekten des Selbstkonzepts im Erwachsenenalter beschäftigen. Die referierten Ergebnisse belegen sowohl Stabilität als auch Änderung des Selbstkonzepts (wobei je die Hälfte der Untersuchungen für Stabilität bzw. Wandelbarkeit des Selbstkonzepts sprechen). Ihre Übersicht beschließen Bengtson, Reedy & Gordon mit 15 Propositionen zur Selbstkonzeptentwicklung im Erwachsenenalter. In ihrer Zusammenfassung betonen sie die Stabilität des Selbstkonzepts im Lebenslauf. So weisen Dimensionen des Temperaments (persönliches Wohlbefinden, Kontaktfreudigkeit und Leistungsbereitschaft) hohe Stabilität sowohl in der Faktorstruktur als auch in den Skalen-Mittelwerten auf. Die zentralen Persönlichkeitsdimensionen Introversion/Extraversion und Neurotizismus zeigen korrelative Stabilität über verschiedene Perioden des Erwachsenenalters. Kein Unterschied im Mittelwert zwischen Personengruppen verschiedenen Lebensalters zeigt sich im Selbstwertgefühl von Personen. Auch auf der Verhaltensebene läßt sich Stabilitätsnachweisen: Aggressivität, Impulsivität und Abhängigkeit scheinen bei Männern, Passivität und Konformität bei Frauen im Erwachsenenalter stabil zu sein.

Noch stärker betonen Costa & McCrae (1980) die Stabilität von Persönlichkeit. Sie berichten, bei einer Stichprobe von Männern in einem Alter, in dem typischerweise eine "mid-life crisis" zu erwarten ist (Levinson, 1978), keine Änderungen der Selbstwahrnehmung auf einem speziell konstruierten Instrument ("Midlife Characteristic Scale") beobachten zu können. Costa & McCrae (1978) finden sogar in klinischen Interviews eine hohe (wahrgenommene)

Stabilität der eigenen Persönlichkeit: Auf die Frage, ob und wie sie sich in den letzten Jahren verändert haben, erwähnt die große Mehrzahl der Untersuchungspersonen keine Veränderungen. Eine ähnliche Wahrnehmung von Stabilität der eigenen Identität berichtet auch Whitbourne (1986) in einer qualitativen Untersuchung. Costa & McCrae (1988) schließlich beschreiben eine Längsschnittstudie, in der sich hohe Stabilitäten in Selbsteinschätzungen und in Einschätzungen des Ehepartners über einen Zeitraum von sechs Jahren zeigten.

Zusammenfassung: Die Stabilität des Selbstkonzepts wurde innerhalb eines trait-theoretischen Forschungsansatzes wiederholt nachgewiesen. Dabei wurden vor allem standardisierte Methoden der Selbstauskunft (standardisierte Skalen) verwendet.

2.2.5 *Identitätsentwicklung in der Perspektive der Lebensspanne*

Welche Quintessenz läßt sich aus der heterogenen Befundlage und den unterschiedlichen theoretischen Ansätzen zur Selbstkonzeptentwicklung ziehen? Die Entwicklungspsychologie der Lebensspanne bietet in diesem Zusammenhang theoretische und methodologische Perspektiven an, die bei der Integration der Forschungsergebnisse zur Identitäts-, Selbstkonzept- und Persönlichkeitsforschung dienlich sein können. Baltes & Reese (1984; vgl. auch Baltes, 1986; Baltes, Reese & Lipsitt, 1980; Baltes & Sowarka, 1983) stellen eine Reihe von theoretischen Propositionen ("prototypical beliefs") vor, die die Perspektive einer auf die Lebensspanne bezogenen Entwicklungspsychologie charakterisieren. Anhand dieser Propositionen sollen die heterogenen Ergebnisse der Forschung zur Selbstkonzeptentwicklung interpretiert werden.

(a) Entwicklung als lebenslanger Prozeß

Entwicklungsveränderungen ("developmental change", d.h. regelhafte, langfristige Änderungen) können in jeder Altersperiode beobachtet werden. Es gibt keine Altersperiode, die in bezug auf entwicklungsbedingte Veränderungen von vornherein größere Aufmerksamkeit beanspruchen könnte als eine andere. Für das Gebiet der Identitätsentwicklung bedeutet das, daß die Suche nach entwicklungsbezogenen Veränderungen auch im Erwachsenenalter lohnend sein kann. Mit Sicherheit hat dabei die Art der Erhebungsmethode einen Einfluß auf die Ergebnisse einer Untersuchung zur Veränderung oder Konstanz der Identität im Erwachsenenalter. Gibt man Personen sehr allgemeine Persönlichkeitsdimensionen vor (die über Zeitpunkte und Situationen generalisieren), so wird man andere Ergebnisse erhalten, als wenn man Personen in freien oder halbstrukturierten klinisch-biographischen Interviews befragt. In Antworten auf Persönlichkeitsfragebögen werden Personen von konkreten

Situationen abstrahieren und einen langen Zeitraum berücksichtigen (vgl. Furnham & Henderson, 1982). Auch auf die frei beantwortbare, aber recht abstrakte Frage, ob Personen in den Jahren zuvor "Veränderungen an sich selbst" feststellen konnten, ist es recht wahrscheinlich, Antworten zu erhalten, die die Konstanz von Persönlichkeit betonen, da den Personen ein Referenzpunkt dafür fehlt, welche Änderungen als relevant geschildert werden sollen. Wenn Personen dagegen gebeten werden, über konkrete Erlebnisse in ihrem Leben zu berichten, werden sie eher wechselnde Lebensumstände und Änderungen in ihrer Person hervorheben. Filipp & Klauer (1986) fanden in einer dreijährigen Längsschnittstudie, daß das Selbstkonzept einer Person eine sehr hohe Stabilität aufweist, wenn standardisierte Instrumente verwendet werden, daß die Stabilität des Selbstkonzepts jedoch geringer ist, wenn freie Selbstbeschreibungen analysiert werden. Neugarten (1977) schlägt in diesem Zusammenhang "naturalistische" Erhebungsmethoden (wie freie oder halbstrukturierte Interviews) vor.

(b) Multidimensionalität und Multidirektionalität

Die der lebenslangen Entwicklung unterworfenen Phänomene sind mehrdimensional und die Entwicklungsverläufe der verschiedenen Dimensionen multidirektional. Man könnte daher dafür argumentieren, die verschiedenen (inhaltlichen) Aspekte des Selbstkonzepts zu betonen (aus diesem Grund sprechen Bengtson, Reedy & Gordon, 1985, auch im Plural von "self-conceptions"). Da es bislang keine einheitliche Definition der Begriffe "Selbstkonzept" und "Identität" gibt und verschiedene Forscher unterschiedliche Auffassungen darüber haben, welche Dimensionen zum Selbstkonzept gehören, wie diese miteinander zusammenhängen und wie sie zu messen sind, dürfen diskrepante Untersuchungsergebnisse nicht erstaunen.

Zudem ist das Selbstkonzept zu verschiedenen Zeitpunkten und bei verschiedenen Personen unterschiedlich stabil: Costa & McCrae (1980) berichten, daß Personen, die höhere Werte auf der "Offenheits"-Skala ("openness to experience") erreichen, mehr kritische Lebensereignisse erwähnen als Personen mit geringeren Offenheitswerten. Unabhängig von interindividuellen Unterschieden kann man jedoch davon ausgehen, daß Personen danach streben, ein stabiles Selbstbild zu besitzen (Kontinuität der eigenen Person in der Zeit). Veränderungen des Selbstkonzeptes nimmt eine Person infolge äußerer Ereignisse oder aufgrund der Wahrnehmung interner Inkonsistenzen vor. Auch von daher ist es nicht erstaunlich, daß unterschiedliche Forscher unterschiedliche Ergebnisse erhalten - je nachdem, ob sie unbelastete Lebensabschnitte oder "kritische" Perioden untersuchen.

(c) Plastizität der Entwicklung

Eine weitere theoretische Proposition der Lebensspannenforschung (die dem Gebiet der Intelligenzentwicklung entlehnt ist) betrifft die Plastizität von Entwicklungsverläufen (zur Modifizierbarkeit fluider Intelligenz s. Baltes & Willis, 1982, Baltes, Dittmann-Kohli & Kliegl, 1986). Plastizität von Entwicklungsverläufen impliziert, daß die Entwicklung des Menschen nicht unausweichlich einem bestimmten Muster folgt, sondern durch Intervention verändert werden kann. Interventionen können dabei als Eingriffe in Institutionen vorgestellt werden (Politik), als individuumzentrierte Aktionen von Experten (Training, Therapie) oder auch als selbstinitiierte Aktionen von Betroffenen selbst (Brandtstädter, 1984; Gurin & Brim, 1984; Lerner & Busch-Rossnagel, 1981).

(d) Einflußsysteme

Aus der Sicht der Lebensspannenforschung ist es sinnvoll, drei Gruppen von Einflußsystemen zu unterscheiden, die die lebenslange Entwicklung der Person bestimmen. Diese drei Einflußsysteme sind alterskorrelierte Variablen ("age-graded": biologische Variablen, Entwicklungsaufgaben, Familienzyklus), soziokulturelle Bedingungen ("history-graded": ökonomische Veränderungen, kultureller Wandel) und nicht-normative Ereignisse ("non-normative": Tod eines Geschwisters während Kindheit oder Jugend, späte Geburt des ersten Kindes, Lotteriegewinn). Diese drei Einflußsysteme bestimmen (zum Teil miteinander interagierend) die Entwicklung (und Konstanz) des Selbstkonzepts einer Person. Dabei können verschiedene Variablen durchaus gegensätzliche Wirkungen auf ein Phänomen zeigen. So sind beispielsweise Kohorteneffekte (soziokulturelle Bedingungen) für das scheinbare Absinken der Intelligenz im Alter verantwortlich (sofern Intelligenzentwicklung im Querschnitt untersucht wird), während alterskorrelierte Variablen (veränderte Entwicklungsaufgaben) für Konstanz und qualitative Veränderung der Intelligenz sprechen (Baltes, 1984). Die heterogenen Ergebnisse der Selbstkonzeptforschung lassen sich (teilweise) auch auf die unterschiedliche Wirkung der verschiedenen Einflußsysteme zurückführen.

Von Interesse sind diese Überlegungen auch für die vorliegende Untersuchung. Da es sich bei der vorliegenden Arbeit um eine explorative Studie zur Untersuchung der Identitätsentwicklung im mittleren Erwachsenenalter handelt, wird danach zu fragen sein, inwiefern etwaige Veränderungen der Identität auf Entwicklungsaufgaben (alterskorrelierte Variablen) und auf unerwarteten kritischen Lebensereignissen (non-normativen Variablen) beruhen. Es ist weiterhin von Interesse, welchen Einfluß der gesellschaftliche (Wert)wandel (als soziokulturelle Bedingung) auf die Bildung und Veränderung von Identität hat.

(e) Methodische Überlegungen

Die Entwicklungspsychologie der Lebensspanne stellt schließlich eine Reihe methodischer Überlegungen bereit, die herangezogen werden können, um die Heterogenität der Ergebnisse zur Entwicklung des Selbstkonzepts zu erklären.

Untersuchungsdesign: Wie auch sonst in der Entwicklungspsychologie gibt es im Bereich der Selbstkonzeptforschung weitaus mehr Querschnitt- als Längsschnittstudien. Während Querschnittstudien große Altersunterschiede nachweisen (hier sind die Variablen Alter und Kohorte miteinander konfundiert), deuten Längsschnittstudien eher auf die Stabilität des Selbstkonzepts (wobei Ergebnisse aus Längsschnittstudien nicht ohne weiteres auf andere Kohorten übertragen werden können). Um die Begrenzungen beider Methoden zu überwinden, wird verstärkt der Einsatz von Sequenzmodellen gefordert (Baltes, Reese & Nesselroade, 1977).

Stichproben: Die in Studien zur Stabilität des Selbstkonzepts untersuchten Personen variieren sehr stark in bezug auf eine Reihe wichtiger Variablen (sozio-ökonomische Verhältnisse, Geschlecht, Gesundheit, Familienstruktur). Die große Heterogenität der untersuchten Personen mag auch für widersprüchliche Ergebnisse verantwortlich sein.

Art der statistischen Analyse: Vier Ansätze lassen sich unterscheiden, mit denen die Frage nach Stabilität oder Veränderung im Selbstkonzept untersucht werden kann. Diese Ansätze sind die Untersuchung struktureller Invarianz ("Ist die via Faktorenanalyse oder Clusteranalyse festgestellte Struktur in einem Variablensatz zu mindestens zwei Zeitpunkten invariant?"), korrelativer Stabilität ("Ist die Rangfolge von Personen auf einer Dimension zu mindestens zwei Zeitpunkten gleich?"), "absoluter" Stabilität ("mean level stability": "Ist die Höhe der erreichten Werte in einer Dimension für eine Gruppe von Personen zu mindestens zwei Zeitpunkten gleich?") und "relativer" Stabilität ("ipsative stability": "Ist die relative Ausprägung verschiedener Dimensionen innerhalb einer Person zu mindestens zwei Zeitpunkten gleich?"). Da diese verschiedenen statistischen Analysen (zumindest teilweise) unabhängig voneinander sind, ist es möglich, daß die Untersuchung derselben Fragestellung anhand gleicher Daten unterschiedliche Ergebnisse erbringt. So finden etwa Mortimer, Finch & Kumka (1982) in einer Längsschnittstudie (über 14 Jahre) zwar strukturelle und ipsative Stabilität in den Variablen Wohlbefinden, Soziabilität, Kompetenzerleben und Unkonventionalität, sie können aber auch Unterschiede in der Höhe der verschiedenen Dimensionsausprägungen nachweisen. Kompetenzerleben und Wohlbefinden sinkt während des College-Besuchs und steigt danach wieder an. Unkonventionalität fällt nach dem Ausscheiden aus dem College, Kontaktfreudigkeit in der gesamten 14 jährigen Periode ab.

2.2.6 Zusammenfassung

In der Literatur zur Entwicklung von Selbstkonzept und Persönlichkeit lassen sich vier verschiedene theoretische Positionen unterscheiden: (a) Die Identität einer Person verändert sich mit körperlichen Veränderungen, (b) die Identität einer Person ändert sich mit dem - durch Altersnormen regulierten - Druchschreiten sozialer Rollen, (c) die Identität einer Person verändert sich in Auseinandersetzung mit Entwicklungsaufgaben und kritischen Lebensereignissen, und (d) die Persönlichkeit (und damit das Selbstkonzept) bleiben im Erwachsenenalter stabil.

Aus der Perspektive der Lebensspannenforschung lassen sich diese vier Positionen integrieren. Persönlichkeit ist ein multidimensionales Phänomen; unterschiedliche Dimensionen zeigen unterschiedliche Entwicklungsverläufe. So ist es die grundsätzliche Funktion von Identität, die Kontinuität einer Person in der Zeit und über verschiedene soziale Situationen hinweg zu bewahren (daher werden allgemeine und abstrakte Fragen zum Selbstkonzept die Stabilität der Identität belegen). Andererseits wandelt sich das Selbstkonzept in der Bewältigung von Entwicklungsaufgaben (so wird man auf Veränderungen des Selbstkonzepts stoßen, wenn man nach konkreten Auseinandersetzungen mit kritischen Ereignissen fragt). Entwicklungsbedingungen für den Wandel von Identität sind alterskorrelierte Variablen, soziokulturelle Bedingungen und nicht-normative Ereignisse. Ein interessanter Gesichtspunkt ist die grundsätzliche Plastizität menschlicher Entwicklung: Nicht nur äußere Interventionen (Training, Therapie, Politik) verändern das Selbstkonzept, sondern ebenso können Personen durch "selbstinduzierte Identitätstransformationen" selbst einen Wandel ihres Selbstkonzepts im mittleren Erwachsenenalter herbeiführen und zu "Ko-Produzenten ihrer eigenen Entwicklung" werden (Lerner & Busch-Rossnagel, 1981). Bezieht man diese Ergebnisse und Überlegungen auf die vorliegende Fragestellung, so kann man erwarten, daß die Mehrzahl von Personen im mittleren Erwachsenenalter die Konstanz einer wichtigen Facette ihrer Identität, nämlich die Konstanz zentraler Lebensziele betonen werden.

2.3 Identität im soziokulturellen Wandel

In den zwei vorangegangenen Abschnitten wurde zum einen gefragt, welche Lebensziele die Identität von Personen im mittleren Erwachsenenalter charakterisieren, und zum anderen, ob die Identität von Personen im mittleren Erwachsenenalter stabil ist. Kurzgefaßt lautet die Antwort auf beide Fragen: Die meisten Personen im mittleren Erwachsenenalter etablieren nach einer mehr oder weniger krisenhaften Phase der Identitätsbildung in der Adoleszenz und im frühen Erwachsenenalter eine stabile Identität, die durch die zentralen Lebensbereiche

Beruf, Partnerschaft und Familie gekennzeichnet ist. In der vorliegenden Arbeit soll auch die Antwort auf eine dritte Frage versucht werden. Diese Frage läßt sich so formulieren: War der Ablauf und das Ergebnis der Identitätsbildung in allen geschichtlichen Epochen gleich? Gibt es Hinweise darauf, daß die Identitätsproblematik einem historischen Wandel unterliegt?

In diesem Abschnitt werden zwei theoretische und empirische Positionen referiert, in denen dieser geschichtliche Wandel problematisiert wird. Diese Forschungslinien lassen sich durch zwei Begriffe charakterisieren: Individualisierungstrend und Wertwandel. (1) Den Trend zur Individualisierung kann man folgendermaßen beschreiben: Im Prozeß der Modernisierung werden Individuen aus traditionellen (ständischen oder familiären) Bindungen freigesetzt und konstituieren sich als eigenständige soziale Einheiten (Prozeß der Individualisierung). Arbeiten zur Individualisierungsthese beziehen sich auf die Entwicklung der westlichen Gesellschaften seit dem Mittelalter. (2) Verknüpft mit dem Individualisierungstrend wird in der Soziologie untersucht, inwiefern sich die grundlegenden Werte von Mitgliedern einer Gesellschaft im Lauf der Zeit verändern. Unter dem Stichwort Wertwandel sind insbesondere Veränderungen von Werthaltungen in den westlichen Industrienationen empirisch untersucht worden. Im folgenden sollen Ergebnisse dieser beiden Forschungsstränge dargestellt werden.

2.3.1 Historischer Trend zur Individualisierung

Das "Identitätsproblem" hat sich nicht in allen geschichtlichen Epochen in gleicher Weise gestellt. So war es in vor-industriellen Gesellschaften sehr viel weniger problematisch, einen "festen" Platz in der Gesellschaft einzunehmen und so die eigene Identität zu sichern (Chapman & Siegert; 1984, Sennett, 1977). Luckmann (1979) bemerkt dazu:

> "Im größeren Teil der Menschheitsgeschichte war für den überwiegenden Teil der Menschen persönliche Identität nicht das Ergebnis einer subjektiven Reflexion, die sich aus der Gegenüberstellung von Ich und seinem sozialen Lebensumkreis ergab, sondern eine gesellschaftliche Gegebenheit. Das Ich war in seine gesellschaftlich-natürliche Umwelt eingebettet, persönliche Identität wurde sozial hergestellt. ... Das ist heute anders geworden: das Ich hebt sich nunmehr von seinem sozialen Lebensumkreis ab." (p.294)

Luckmann illustriert seine These, indem er die Ausformung persönlicher Identität in archaischen Gesellschaften der Identitätsbildung in modernen Industriegesellschaften gegenüber-

stellt. Verwandtschaftliche Beziehungen bestimmten das Handeln - und die Identitätsbildung - in archaischen Gesellschaften:

> "So entfaltete sich persönliche Identität so gut wie ausschließlich in unmittelbaren sozialen Beziehungen, die einen hohen Vertrautheitsgrad und außerordentliche Stabilität besaßen." (p.304)

Dagegen sind moderne Gesellschaften sehr viel stärker durch getrennte soziale Systeme gekennzeichnet, die auf verschiedene abgegrenzte Funktionsbereiche ausgerichtet sind (Wirtschaft, Herrschaft, Religion, Familie). Dementsprechend gibt es in modernen Gesellschaften keine einheitliche Weltauffassung, die für alle Mitglieder in allen Rollenzusammenhängen verbindlich sind. Damit ist nach Luckmann

> "persönliche Identität nicht in gleichem Maß wie in anderen Gesellschaftsformen schicksalhaft ... Die Produktion [persönlicher Identität] verlagert sich in kleine Unternehmungen privater Hand" (p. 308).

Die Ausbildung persönlicher Identität ist also nicht durch gesellschaftliche Vorgaben bestimmt, sondern wird zunehmend zur privaten Aufgabe des Individuums (vgl. Baumeister, 1986).

Chapman & Siegert (1984) beschreiben im Detail die geschichtlichen Veränderungen von Identitätskonzeptionen seit dem Mittelalter. Obwohl für die meisten Menschen des Mittelalters ihre soziale Position - und damit ihre Identität - in ähnlicher Weise festgelegt war wie von Luckmann beschrieben, lokalisieren einige Historiker im 12. Jahrhundert den Beginn eines westlichen Individualismus (Morris, 1972). So erhielt in der Theologie des 12. Jahrhunderts die Erlösung des Individuums größere Bedeutung als zuvor. Auch in den Bereichen von Freundschaft und Liebe, im Auftauchen erster "zivilisierter" Verhaltenskodices (Elias, 1936/1976) und einer Reihe von Autobiographien (Le Goff, 1965, p.162) zeigt sich die wichtiger werdende Stellung des Individuums. Die Reformation brachte in zweierlei Hinsicht wichtige Impulse für die Entwicklung von Identitätskonzeptionen: Luthers Lehre der Erlösung allein durch Glaube (und nicht durch weltliche Werke) sowie die calvinistische Doktrin der Prädestination verwiesen das Individuum auf sich selbst. Dennoch besaß noch im 18. Jahrhundert die soziale Konvention handlungsorientierende Kraft: Sennett (1977) beschreibt, wie mittels Konventionen soziale Unterschiede unter bestimmten Umständen (wie in den Kaffehäusern von London) zeitweilig aufgehoben waren, ohne daß die beteiligten Personen damit ihr "privates Selbst" offenbart hätten. Während der Romantik wurde die Trennung zwischen konventionellem Handeln und authentischem Ausdruck der eigenen

Person betont: Mit dem Ideal des authentischen inneren Selbst ergibt sich die Schwierigkeit zu bestimmen, in welchem Lebensbereich das "wahre Selbst" realisiert werden kann. Im 20. Jahrhundert schließlich setzte sich dieser historische Trend fort. Persönliche Beziehungen oder Bindungen an eine Gemeinschaft werden um ihrer selbst willen gepflegt und um "wahre" oder "authentische" Gefühle zu zeigen (Sennett, 1977, spricht von der "intimate society").

Resümierend läßt sich sagen, daß im Prozeß der Modernisierung Individuen aus traditionellen Bindungen freigesetzt werden und sich als "autonome" soziale Einheiten wahrnehmen. Gleichzeitig ist allerdings eine immer größere Standardisierung des Lebenslaufs festzustellen, die sich am chronologischen Alter der Person festmacht (Chronologisierung). Als funktionale Erklärung für das Auftreten dieser auf den ersten Blick diskrepanten Trends läßt sich vor allem das Problem der sozialen Kontrolle, das heißt der Vergesellschaftung freigesetzter, "autonomer" Individuen anführen. Fragt man nach der Möglichkeit, "institutionelles Programm und subjektive Konstruktion" miteinander zu vereinbaren (Kohli, 1985), so lassen sich drei Modelle unterscheiden: (1) Gesellschaftliche Mechanismen bestimmen ausschließlich den Lebenslauf der Individuen, die biographischen Konstruktionen erscheinen als vernachlässigbares Epiphänomen (Mayer, 1986), (2) institutionalisierter Lebenslauf und biographische Konstruktion sind einander parallel und ergänzen sich (Meyer, 1986), und (3) heteronomer Lebenslauf und subjektive Rekonstruktion des eigenen Lebens stehen in einer gewissen Spannung zueinander, da Handeln immer ein Moment von Autonomie enthält und Akteure somit nicht einem institutionalisierten Lebenslauf folgen müssen (Kohli, 1985).

Ein gemeinsames Merkmal dieser drei Modelle ist eine Abgrenzung des privaten Selbst und der öffentlich anerkannten Stellung einer Person im Lebenslauf. Daraus folgt, daß für "moderne" Individuen soziale Beziehungen zu anderen Personen oder Institutionen weniger zentrale Komponenten der Identität darstellen, als dies für "traditionelle" Personen der Fall ist. Zentrale Bestandteile der Identität "moderner" Individuen sind dagegen persönliche Wünsche, Bedürfnisse und Erwartungen. Meyer (1986) bemerkt dazu:

> "The modern system in fact strips definite and fixed role-related content from the self, leaving it free to find motives, needs, expectations, and perceptions appropriate to the situation." (p.209)

Handlungen werden also nicht mehr im Blick auf soziale Zugehörigkeiten gerechtfertigt, sondern hinsichtlich der Wünsche und Erwartungen des eigenen Selbst, so wie es die wechselnden Situationen des täglichen Lebens nahelegen. In ähnlicher Weise äußert sich Held (1986):

> "One could hypothesize that [the] private action space is no longer conceived of as depending on the age-structured public identities but rather as an extension of or a playground for the self. Marriage and procreation may thus come to be seen merely as experiences, as elements of an exploring, growing self and no longer as roles and status positions that carry with them quasi-public identities." (p.162)

Hier zeigt sich deutlich die Spannung zwischen heteronomen Vorgaben eines institutionalisierten Lebenslaufs und Autonomiebestrebungen des modernen Selbst. Kohli (1985) spekuliert schließlich darüber, ob

> "die Institutionalisierung des Lebenslaufs ... die Grundlage [ist], auf der sich jetzt die individualisierte Abkehr von der Chronologie vollzieht." (p.24)

Festzuhalten ist, daß die verschiedenen Autoren eine Veränderung der Handlungsorientierung als Folge zunehmender Individualisierung konstatieren (Soziale Bindungen vs. Selbstbezug). Ähnliche Unterscheidungen zwischen zwei Polen der Handlungsorientierung lassen sich bei Hogan & Cheek (1983) finden, die in Selbstbeschreibungen die (voneinander) unabhängigen Dimensionen "social identity" und "personal identity" nachweisen, sowie bei Turner (1975/76), der Institution und Impuls als zwei Ursprünge sozialen Handelns charakterisiert: "We distinguish between self as anchored in institutions and self as anchored in impulse." (p.991)

Meyer (1986) argumentiert schließlich, daß die (öffentliche) Person zeitliche Kontinuität über den standardisierten Lebenslauf gewinnt, während das (private) Selbst als veränderlich betrachtet wird, und bemerkt dazu: "Stability and continuity in measures of the subjective self decline with the modern system." (p.209) Aus dieser Überlegung läßt sich schließen, daß Veränderungen der Identität im mittleren Erwachsenenalter bei "traditionellen" Personen an das Auftreten spezifischer Lebensereignisse oder Statusübergänge gebunden sein wird (vgl. Neugarten, 1977; Neugarten & Datan, 1973), während bei "modernen" Personen Veränderungen der Identität unabhängig von Lebensereignissen stattfinden sollten.

<u>Zusammenfassung</u>: Die Identitätsproblematik hat sich in verschiedenen historischen Epochen in verschiedener Weise gestellt. Während es in "archaischen" oder traditionellen Gesell-

schaften unproblematisch war, eine Identität auszubilden, da die gesellschaftlichen Rollen - und damit die Identität - einer Person durch Geburt in soziale Stände festgelegt war, ist die Identitätsbildung in modernen Gesellschaften zu einem individuellen Problem geworden. Altersnormen, die die Einbindung in soziale Zusammenhänge ersetzt haben, verlieren in der letzten Zeit ihre scharfen Grenzen und verlieren an Bedeutung. In pluralistischen Gesellschaften lassen sich demnach neben eher "traditionellen Identitätsprojekten", in denen sich Personen an sozialen Institutionen orientieren, auch "moderne Identitätsprojekte" finden, in denen der Selbstbezug im Vordergrund steht. Entsprechend hat sich auch die Stabilität der Identität verändert. Während die relative Stabilität traditioneller Gesellschaften die Stabilität der in ihnen lebenden Menschen sicherte, fehlt es in modernen Gesellschaften an ähnlich verbindlichen Stabilitätsgarantien. Dies bedeutet, daß in modernen Gesellschaften sowohl (relativ) stabile Identitäten (insofern Bindungen an stabile soziale Institutionen vorgenommen wurden) als auch Formen von Identitätstransformationen zu finden sein werden (im Falle des reinen Selbstbezugs).

2.3.2 Wertwandel

Ein zweiter Forschungsstrang, über den hier berichtet werden soll, beschäftigt sich mit der Frage des Wertwandels in modernen Gesellschaften. Diese Forschungsrichtung bezieht sich vor allem auf demoskopische Umfragen, die seit Ende des Zweiten Weltkriegs zuerst in den USA und dann in Westeuropa Verbreitung fanden. Die empirischen Ergebnisse dieser Forschung beziehen sich demnach maximal auf den Zeitraum der letzten vier Jahrzehnte.

Trotz des sehr viel langfristigeren Trends in Richtung auf selbstbezogene Identitätsbildung stellen einige Autoren fest, daß für einen Großteil der Menschen bis in die fünfziger und sechziger Jahre dieses Jahrhunderts Werte vorherrschten, die die Einbindung des Individuums in gesellschaftliche Institutionen vorsahen (Klages, 1984). Damit blieb in dieser Zeit auch die Frage der Identitätssicherung für weite Teile der Bevölkerung relativ unproblematisch. Die herrschenden soziokulturellen Werte schrieben bestimmte soziale Positionen, die eine Person in ihrem Lebenslauf einzunehmen hatte, relativ fest vor. Diese Wertordnung hat in den letzten Jahrzehnten einen Teil ihrer Verbindlichkeit in den westlichen Gesellschaften eingebüßt.

Klages (1984) beschreibt den "Wertwandel", der in der BRD seit Mitte der 60er Jahre stattfindet (vgl. auch Klages & Herbert, 1983; Klages & Kmieciak, 1979; Kmieciak, 1976). Nach Klages sind an diesem Wertwandel zwei Gruppen von Werten beteiligt: Auf der einen Seite stehen die "traditionellen" Werte des Selbstzwangs und der Selbstkontrolle (Pflicht-

und Akzeptanzwerte), auf der anderen Seite findet man die "modernen" Werte der Selbstentfaltung. Werte des Selbstzwangs und der Selbstkontrolle beziehen sich auf die Einbindung des Menschen in die Gesellschaft. Die Selbstenfaltungswerte lassen sich differenzieren in Werte idealistischer Gesellschaftskritik (sozialer Aspekt) sowie hedonistische und individualistische Werte (individueller Aspekt).

Klages unterscheidet drei Phasen des "Wertwandels" (in der BRD): In der ersten Phase, die bis zur Mitte der sechziger Jahre dauerte, herrschten ausgeprägte Akzeptanz- und Pflichtwerte. In der zweiten Phase - Mitte der sechziger bis Mitte der siebziger Jahre - fand ein deutlicher Abbau der Pflicht- und Akzeptanzwerte statt. Gleichzeitig expandierten die Selbstentfaltungswerte. In der letzten Phase - seit den siebziger Jahren bis heute - läßt sich ein Stagnieren der Wertwandlungs-bewegung "bei verhältnismäßig hoher Instabilität (Schwankung) der Wertbezüge der Menschen oder zumindest sehr zahlreicher Menschen" beobachten (Klages, 1984, p.22; vgl. jedoch Allerbeck, 1985).

Es soll hier darauf hingewiesen werden, daß die "Selbstentfaltungswerte" nicht erst in der Mitte des 20. Jahrhunderts "erfunden" wurden. Ein Großteil dieser Werte entstammt den utopischen Gesellschaftstheorien, die im 19. Jahrhundert in Europa entwickelt wurden. Betont werden sollte jedoch, daß erst seit recht kurzer Zeit die "modernen" Selbstentfaltungswerte zum kulturellen Allgemeingut geworden sind. (An dieser Entwicklung ist die humanistische Psychologie im übrigen nicht unbeteiligt; vgl. Maslow, 1968, Rogers, 1961.)

Es gibt verschiedene Ansätze, die Ursachen dieses Wertwandels zu erklären (s. dazu Klages, 1984; Klages & Kmieciak, 1979; Pawlowsky, 1986a). An dieser Stelle sei auf die Thesen Ingleharts (1979) verwiesen. Inglehart stellt die Voraussetzungen und Konsequenzen von "materialistischen" und "postmaterialistischen" Wertprioritäten dar. Personen, die materialistische Werte vertreten, sind an Wohlstand, Besitz und der Befriedigung grundlegender, physischer Bedürfnisse orientiert. Personen mit postmaterialistischer Wertorientierung dagegen schätzen soziale und Selbstverwirklichungsbedürfnisse hoch (Inglehart verweist auf die konzeptuelle Nähe der Maslowschen Bedürfnishierarchie, die als Dichotomisierung in den Wertegruppen materialistischer und postmaterialistischer Orientierungen zu finden ist). Die Ausbildung einer Wertorientierung ist nach Inglehart (1979) an zwei Bedingungen geknüpft:

> "1. Mangelhypothese: Die Prioritäten eines Individuums reflektieren seine sozioökonomische Umwelt. Man schätzt jene Dinge subjektiv am höchsten ein, die verhältnismäßig knapp sind. 2. Sozialisationshypothese: Das Verhältnis zwischen sozioökonomischer Umwelt und Wertprioritäten ist nicht

> eines der unmittelbaren Anpassung. Eine beträchtliche zeitliche Verzögerung spielt hierbei eine Rolle, da die Grundwerte einer Person zum größten Teil jene Bedingungen reflektieren, die während der Jugendzeit vorherrschten." (p.280)

Nach diesen Hypothesen bilden Personen, die in einer Zeit des Mangels an grundlegenden Ressourcen aufwachsen, materialistische Orientierungen aus, während Personen, die Kindheit und Jugend in materieller Sicherheit verbringen, postmaterialistische Werthaltungen zeigen. Inglehart belegt seine Thesen mit einer Reihe von Untersuchungen zu Kohortenunterschieden, zu Unterschieden zwischen Kulturen mit unterschiedlicher Geschichte des ökonomischen Wohlstands und zu Unterschieden zwischen Personen verschiedener sozialer Herkunft. So angreifbar die Ergebnisse Ingleharts im einzelnen auch sein mögen (es lassen sich beispielsweise Kohortenunterschiede auch als Lebensalterunterschiede interpretieren), muß man dem theoretischen Ansatz Ingleharts bescheinigen, neben einer Beschreibung auch eine theoretische Begründung des Wertwandels in den westlichen Industriegesellschaften geliefert zu haben.

Im folgenden soll der Wertwandel für Lebensbereiche, die in herkömmlicher Sicht als "Identitätsreferenten" relevant für das Selbstkonzept einer Person sind, kurz dargestellt werden. Diese Lebensbereiche sind Arbeit und Freizeit, Familie, Religion und politische Orientierung ("Staatsbezug"). Abschließend soll als moderne Lebensform die Suche nach Selbstverwirklichung besprochen werden. (Die Darstellung bezieht sich auf den Wertwandel in der BRD. Für die USA betreffende Darstellungen s. Veroff, Pouvan & Kulka, 1981, Yankelovich, 1981.)

(a) <u>Arbeit, Freizeit und Identität</u>

Pawlowsky (1986b) zeigt für den Zeitraum von 1963 bis 1981 den Trend für zwei sehr allgemeine Lebensauffassungen. Auf die Frage, ob Personen ihr eigenes Leben eher als Aufgabe betrachten, in der (berufliche) Leistung eine große Rolle spielt, antworteten 1963 beinahe 60% der Befragten mit "Ja", 1981 dagegen nur noch etwa 40%. Genau umgekehrt sieht der Trend für die alternative Aussage aus, die das Genießen des eigenen Lebens betont: während 1963 nur etwa 25% der Befragten diese Aussage bejahte, stimmten ihr 1981 beinahe 40% zu. Auch anhand konkreterer Indikatoren läßt sich ein Wandel in Einstellungen zur Arbeit nachweisen. So zeigt Pawlowsky (1986a, p.142) getrennt für vier Berufsgruppen (ungelernte Arbeiter, Facharbeiter, Angestellte und leitende Angestellte), daß Einkommensansprüche und Ansprüche an gute Aufstiegsmöglichkeiten über die Jahre 1973 bis 1981 eher zurückgegangen sind, während Anforderungen an eine interessante, abwechslungsreiche und verantwortungsvolle Tätigkeit zugenommen haben. Die Bewertungsdimension "Selbständige Arbeit" wird 1983 häufiger als 1963 herangezogen, um den eigenen Arbeitsplatz zu bewerten (72% vs. 53%, Pawlowsky, 1986a, p.155).

Diese Skizze mag genügen, um die These zu belegen, daß sich in den letzten zwei Jahrzehnten im Bereich der Arbeit ein weitgreifender Wandel vollzogen hat. In herkömmlichen Arbeitszusammenhängen spielte das Konzept der "Pflicht" eine große Rolle. Leistung, Pünktlichkeit und Fleiß waren wichtige Tugenden, an die sich weite Teile der arbeitenden Bevölkerung orientierten. Die bindende Kraft dieser Werte ist schwächer als früher. Zum einen wird an die Arbeit die Forderung gestellt, mehr intrinsisch interessante Tätigkeiten zu bieten, in denen sich eine Person verwirklichen kann. Zum anderen wird Arbeit auch rein instrumentalistisch aufgefaßt und dient der finanziellen Versorgung der Freizeit, die den eigentlich wichtigen Lebensbereich für die Person darstellt (vgl. aber Hoff, 1986, der Arbeit nach wie vor als zentralen Lebensbereich sieht).

(b) Familie und Identität

Noch deutlicher als im Arbeitsbereich dokumentiert sich der Wertwandel in den Vorstellungen über Familie und persönliche Liebesbeziehungen. Die gesellschaftliche Akzeptanz von unverheirateten, aber gemeinsam lebenden Paaren ist ein Beispiel dafür. So beurteilten junge unverheiratete Männer und Frauen im Jahr 1973 diese Art der Partnerschaft als "normal" ("Finde nichts dabei", 87% bzw. 92%), während noch sechs Jahre zuvor ein Großteil der Befragten diese Form des Zusammenlebens ablehnte ("Geht zu weit": Männer 43%, Frauen 65%, im Jahre 1967) (Klages, 1984, p.70). Parallel dazu entwickelte sich die Auffassung von "Treue" in der Partnerschaft. Im Jahr 1963 verlangten noch 77% der (verheirateten) Frauen und 84% der (verheirateten) Männer von ihren Partnern, treu zu sein. Im Jahr 1976 hatte sich das Bild gewandelt: Nur noch 69% beziehungsweise 68% der verheirateten Frauen beziehungsweise. Männer legten Wert auf Treue (Klages, 1984, p.72).

Auch die Rollenverteilung in der Ehe hat sich vielfach geändert ("role-sharing marriages"), wobei die häuslichen Pflichten geteilt werden und/oder beide Partner arbeiten, um Geld zu verdienen (Smith & Reid, 1986). Dennoch sind zwischen 1978 und 1984 (zumindest in der BRD) berufstätige Ehefrauen mit dem Familienleben unzufriedener geworden, offensichtlich weil in den meisten Ehen immer noch die Frauen die Doppelbelastung von Berufs- und Hausarbeit tragen müssen (Berger & Mohr, 1986).

Ein Wandel läßt sich auch an den Werten ablesen, von denen Befragte meinen, daß sie in der Erziehung realisiert werden sollten. Während 1951 noch 25% aller Befragten für "Gehorsam und Unterordnung" als Erziehungsziel plädierten, waren es im Jahr 1976 nur noch 10%. Umgekehrt sah es bei dem Wert "Selbständigkeit und freier Wille" aus: Im Jahr 1951 sahen nur 28% der Befragten dies als wünschenswertes Erziehungsziel an, während es 1976 beinahe doppelt so viele (51%) waren (Klages, 1984, p.19). Daß die Partnerbeziehung nicht mehr in erster Linie dem Ziel dient, Kinder in die Welt zu setzen und aufzuziehen, läßt sich am Geburtenrückgang feststellen (1965 wurden 17,0 Lebendgeburten jährlich auf 1.000 Einwohner gezählt, 1978 nur noch 8,7) (Klages, 1984, p.115).

Auch zeigt sich ein Wandel, der sich in Vorstellungen und Werten zur Familie vollzogen hat. Während die Familie traditionell als Institution gesehen wird, in der Kinder aufwachsen und in der von den erwachsenen Familienmitgliedern erwartet wird, Treue und Plichtgefühl in ihre Identität als Vater oder Mutter zu integrieren, so sind "moderne" Partnerschaften "Liebesbeziehungen", in denen den Gefühlen und den beruflichen Aspirationen der beiden Partner Priorität vor etwaigen familiären Verpflichtungen eingeräumt wird.

(c) <u>Religion, politische Orientierung und Identität</u>

Auch in Einstellungen zu Religion und Staat haben sich in den letzten zwanzig Jahren gewichtige Veränderungen vollzogen. Die Konfessionszugehörigkeit wurde für viele Personen immer mehr zu einem bloßen demographischen Anhängsel: Während 1953 nur 21% der unter 30jährigen Katholiken "selten" oder "nie" zur Kirche gingen, waren es 1979 dreimal so viel: 64% (für Protestanten sind die Zahlen weniger dramatisch; sie lauten 58% und 84%) (Klages, 1984, p.94).

Das Interesse an Politik hat seit den fünfziger Jahren stetig zugenommen. Während im Juni 1952 die Frage "Interessieren Sie sich für Politik?" 27% der Befragten mit "Ja" antworteten ("Nein": 41%), so bejahten 1974 47% diese Frage ("Nein": 42%) (Klages, 1984, p.98). Von Interesse ist in diesem Zusammenhang, daß Religion (zumindest in bezug auf die Institutionen der beiden christlichen Konfessionen) nicht mehr ein zentraler Bereich der Identität für viele Personen ist. Hinsichtlich der politischen Orientierung kann man feststellen, daß es neben eher traditionellem Staatsbezug auch gesellschaftskritische politische Einstellungen gibt, die als Identitätsreferent für (zumindest eine Gruppe von Personen) relevant ist.

(d) <u>Persönliches Wachstum und Identität</u>

In den letzten Abschnitten wurde dargestellt, daß sich (vor allem in den letzten zwei Jahrzehnten) ein gesellschaftlicher Wertwandel vollzogen hat, in dessen Verlauf vormals gesellschaftlich anerkannte "Identitätsreferenten", wie Arbeit, Familie, Kirche und Staatsbezug, an Bedeutung verloren oder sich qualitativ veränderten. Ein Beispiel für einen gesellschaftlichen Bereich der Identitätssicherung, dessen Bedeutung gesunken ist, stellen die Religionen und ihre Institutionen, die Kirchen, dar. Eine qualitative Veränderung läßt sich bei persönlichen Beziehungen feststellen: Im Zusammenhang mit Pflicht- und Akzeptanzwerten bedeutet "Liebe" nicht nur ein starkes positives Gefühl für eine andere Person, sondern impliziert auch Begriffe wie "Verpflichtung", "Treue" und "Dauer". Dies ist unter der Perspektive der "neuen" Selbstentfaltungswerte anders: Hier hat sich die Bedeutung von "Liebe" gewandelt. "Liebe" meint jetzt vor allem das große, positive Gefühl für eine andere Person, von dem erwartet wird, daß diese Person es teilt, von dem aber nicht gesagt werden kann, ob es beständig ist (Klages, 1984).

Bei den bisher beschriebenen Ausprägungen der Selbstentfaltungswerte handelt es sich allerdings um "gemäßigte" Formen des Selbstbezuges. Dabei wird unter Selbstverwirklichung verstanden, daß Arbeit interessanter, abwechslungsreicher und sinnvoller ist und daß die jeweilige Familienrolle als sinnvoll und befriedigend empfunden werden kann (Ryff, 1985). Von dieser gemäßigten Form der Selbstverwirklichung soll eine zweite, radikalere Form unterschieden werden. Hier geht es nicht darum, schon bekannte Selbst-Werte zu verwirklichen, sondern hier fehlt überhaupt das Wissen, was dieses "Selbst" eigentlich sei. Der Prozeß der Selbstverwirklichung besteht darin, das eigene Selbst erst zu verstehen und im Prozeß der Selbstfindung ausdrücken zu lernen. Diese radikale Form der Selbstverwirklichung soll im folgenden "Selbstverwirklichung als persönliches Wachstum" genannt werden.

Diese Form der Selbstverwirklichung zeigt sich beispielsweise in dem sogenannten "Therapie-Boom", der immer neue Therapieformen hervorbringt (Béjin, 1984; Nogala, 1987; Schülein, 1976; Smith, 1982). Als Extremfall läßt sich die radikale Form der "Selbstverwirklichung als persönliches Wachstum" am Auftreten von neoreligiös-therapeutischen Gruppen ablesen. Als prägnantes Beispiel soll hier die Rajneesh-Gruppe um den indischen Philosophie-Professor Bhagwan Shree Rajneesh dienen. Für seine Anhänger ist <u>ein</u> Aspekt dieser spirituell-therapeutischen Gemeinschaft von zentraler Bedeutung: Es ist dies die therapeutische und lenkende Behandlung, die ihnen Bhagwan zugute kommen läßt (Berger, 1984; Heidtke & Thielen, 1984, Horn, o.J.; für eine aktuelle Berichterstattung über die Rajneesh-Gruppe s. FitzGerald, 1986, Thoden & Schmidt, 1987). Bhagwan hält in seinen Vorlesungen seinen Anhängern immer wieder vor, daß ihre Sozialisation sie starr und unbeweglich gemacht habe und daß es darauf ankomme, diese "Programmierungen" einzureißen, um zum "wahren Selbst" vorzudringen. Mittel solcher "De-Programmierungen" sind verschiedene Therapiegruppen und das fraglose Akzeptieren von Entscheidungen, die der Guru für die einzelnen Sektenmitglieder gefällt hat.

All dies wird von einem Sannyasin mit dem Ziel unternommen, die Vervollkommnung des eigenen Selbst zu erreichen. Jede Handlung wird in erster Linie als Mittel gesehen, das die Entwicklung des eigenen Selbst in Richtung auf ein transzendentales Ziel, auf eine in der "Erleuchtung" zu erreichende Vollkommenheit unterstützen soll. Damit unterscheidet sich der Beweggrund von Rajneesh-Anhängern ganz entscheidend von einer Pflichtethik, nach der harte Arbeit der Gemeinschaft dienen soll und die Vervollkommnung der eigenen Person eher ein Nebenprodukt des Dienstes an der Allgemeinheit ist.

(e) Zusammenfassung

In den letzten drei bis vier Jahrzehnten hat sich in den westlichen Gesellschaften eine soziokulturelle Entwicklung vollzogen, die sich mit dem Begriff des Wertwandels fassen läßt. Im Verlauf dieser Entwicklung verringerte sich die Geltung von traditionellen Werten, die die Einbindung von Personen in soziale Institutionen wie Arbeit und Familie vorschrieben. Die Veränderungen betreffen den Aspekt des Selbstbezugs: Während "traditionelle" Werte die Betonung auf das reibungslose Einpassen des Individuums in die Gemeinschaft fordern, steht bei "modernen" Werten die Befriedigung individueller Bedürfnisse im Vordergrund. Extrem wird diese Forderung bei sogenannten "Selbstentfaltungswerten", in denen die Exploration des eigenen Selbst mit dem Ziel des persönlichen Wachstums und der persönlichen Vervollkommnung gefordert wird. Als ein Beispiel für "Selbstentfaltungswerte" läßt sich auf die Existenz neoreligiös-therapeutischer Gruppierungen verweisen, in denen es um die Verwirklichung dieser Art von Werten geht. Resümierend läßt sich sagen, daß in modernen Gesellschaften ein Pluralismus von Werten zu finden ist, der sich zwischen den Polen "sozialbezogener" und "selbstbezogener" Handlungsorientierungen anordnen läßt.

2.3.3 Zusammenfassung

In diesem Abschnitt wurde dargelegt, daß sich die Ausbildung von Identität in verschiedenen historischen Epochen unterschiedlich vollzogen hat. In traditionellen Gesellschaften wurde eine personale Identität vollständig in Anlehnung an gesellschaftliche Rollen gebildet. Dagegen ist es in modernen Gesellschaften zu einem potentiell problematischen Entscheidungsprozeß geworden, eine Identität zu finden. Während es in modernen pluralistischen Gesellschaften immer noch die Regel ist, daß Bezüge auf Institutionen zentrale Identitätsreferenten sind, lassen sich doch auch Identitätsprojekte finden, in denen der Selbstbezug zentral ist.

Im Zusammenhang mit dem langfristigen historischen Trend der Individualisierung hat sich in der letzten Zeit ein Wertwandel vollzogen. Dieser Wertwandel berührte alle Lebensbereiche, denen herkömmlicherweise eine Bedeutung bei der Identitätsbildung von Personen zugesprochen wurde (Arbeit, Familie, Religion und Staatsbezug), und brachte eine Verringerung der Geltung traditioneller Werte mit sich, die die Einbindung von Personen in soziale Institutionen vorschreiben, sowie eine Verstärkung von Werten, in denen es um die Befriedigung von persönlichen Bedürfnissen geht. In modernen Gesellschaften findet sich ein Pluralismus von Werten, der durch die Pole "sozialbezogene" und "selbstbezogene" Werte gekennzeichnet werden kann. SozialbezogeneWerte kennzeichnen Identitätsprojekte, in denen eine Person die Einbindung in soziale Rollen oder Status betreibt. Durch selbstbezogene Werte sind Identitätsprojekte ausgezeichnet, in denen es der Person darum geht, die Verwirklichung eigener Bedürfnisse und Wünsche mit dem Ziel des persönlichen Wachstums zu betreiben.

2.4 Identitätsprojekte und Identitätstransformationen

Identität bezeichnet die aktive Leistung eines Individuums, Selbst- und Fremdbeschreibungen der eigenen Person sowie Ziele und Wünsche zu einem einheitlichen und sinnvollen Selbstbild zu integrieren. In dieser Arbeit geht es um die wertbehafteten Facetten der Identität: Gefragt wird danach, welche Lebensziele Personen im mittleren Erwachsenenalter verfolgen und ob Lebensziele in diesem Altersabschnitt stabil sind. Im folgenden werden (a) eine Typologie von Identitätsprojekten (oder zentralen Lebenszielen) vorgestellt, (b) Formen von Stabilität oder Veränderung von Identität beschrieben, (c) die methodischen Prinzipien der vorliegenden Studie behandelt sowie (d) Erwartungen für die empirische Studie formuliert.

2.4.1 Typologie von Identitätsprojekten

Im ersten Abschnitt dieses Kapitels wurde dargelegt, daß Lebensziele (oder Identitätsprojekte) einen wichtigen Bestandteil der Identität einer Person im mittleren Erwachsenenalter ausmachen. Aus den Überlegungen zur inhaltlichen Struktur der Identität, zur Persönlichkeitsentwicklung im Erwachsenenalter und insbesondere zum soziokulturellen Wandel ergibt sich, daß die Handlungsorientierung eine zentrale Dimension für die Organisierung der Identitätsprojekte einer Person im mittleren Erwachsenenalter darstellt. Dem historischen Argument zum soziokulturellen Wandel lassen sich die beiden Endpole dieser Dimension entnehmen. Es sind dies Sozialbezug als die traditionelle Verankerung von Identität und

Selbstbezug als die historische neuere Art der Identitätsbildung. Zieht man zusätzlich die Lebenszeitperspektive als zentrale Komponente der Identität heran (mit den Ausprägungen Vergangenheit, Gegenwart, personale Zukunft, nicht-personale Zukunft), so läßt sich eine Typologie von sechs Identitätsprojekten entwickeln, die die verschiedenartigen Lebensentwürfe einer modernen, pluralistischen Gesellschaft abzubilden gestattet. Abbildung 2.1 zeigt die aus der Kombination von Lebenszeitperspektive und Handlungsorientierung resultierenden Typen von Identitätsprojekten. Im folgenden sollen diese sechs Identitätsprojekte im einzelnen definiert werden.

(a) Rollenstatus aufrechterhalten

Von dem Identitätsprojekt, einen aktuellen "Rollenstatus aufrechtzuerhalten", soll dann gesprochen werden, wenn eine Person in der Gegenwart eine soziale Position innehat, mit der sie zufrieden ist und die sie aufrechterhalten will. Mit "sozialer Position" ist hier eine soziale Rolle (oder ein sozialer Status) gemeint, die (oder der) einen sozialen Bezug auf andere Menschen oder soziale Institutionen impliziert. Für die Person ist die gegenwärtige Situation das zentrale Element ihres Lebensentwurfs. Typische Beispiele für einen Rollenstatus sind berufliche Position, Familienstand und Stellung in Verbänden (etwa in politischen Parteien).

Abbildung 2.1: Typologie von Identitätsprojekten

<table>
<tr><th></th><th></th><th colspan="4">Zeitperspektive</th></tr>
<tr><th></th><th></th><th>Vergangenheit</th><th>Gegenwart</th><th>personale Zukunft</th><th>nicht-personale Zukunft</th></tr>
<tr><th rowspan="2">Handlungsorientierung</th><th>Sozialbezug</th><td colspan="2">Rollenstatus aufrechterhalten</td><td>Statusziele realisieren</td><td>Sozial-relationale Generativität</td></tr>
<tr><th>Selbstbezug</th><td>Reflexive Rekonstruktion des eigenen Lebens</td><td colspan="2">Selbstverwirklichung</td><td>generative Selbst-aktualisierung</td></tr>
</table>

In die Kategorie des "Rollenstatus aufrechterhalten" fallen aber auch die Aufrechterhaltung sozial anerkannter Eigenschaften (etwa der Versuch, ein bestimmtes Körpergewicht zu halten) und der Besitz von Dingen (beispielsweise der Besitz eines Hauses oder eines Autos).

(b) Statusziele realisieren

Wenn eine Person einen erwünschten sozialen Rollenstatus noch nicht erreicht hat, aber daraufhin arbeitet, einen solchen Zustand in der Zukunft zu erreichen, dann soll ein solches Identitätsprojekt mit dem Begriff des "Statusziele realisieren" bezeichnet werden. Die Person beabsichtigt, in der Zukunft eine konkrete soziale Position (wie sie eben beschrieben wurde) zu erreichen. Auch hier bezieht sich die Person in der Verwirklichung ihres Lebensentwurfs auf andere Menschen oder soziale Institutionen, hat dabei allerdings die eigene (personale) Zukunft im Blick.

(c) Sozialrelationale Generativität

Wenn die Person nicht so sehr mit der eigenen "personalen" Zukunft beschäftigt ist, sondern mit der Zukunft der Mitglieder folgender Generationen, so soll dies mit dem Konzept der "sozialrelationalen Generativität" gefaßt werden. Sozialrelational bedeutet hier, daß sich die Person um tatsächliche, konkrete Mitglieder folgender Generationen kümmert, nicht um die Menscheheit im allgemeinen. Konkrete Mitglieder nachfolgender Generationen sind beispielsweise eigene Kinder, Schüler, Auszubildende oder Jugendliche, mit denen sich die Person im Freizeitbereich beschäftigt. Auch hier bezieht sich die Person in der Verwirklichung ihres Lebensentwurfs auf andere Menschen oder soziale Institutionen.

(d) Reflexive Rekonstruktion des eigenen Lebens

Wenn sich eine Person gedanklich mit der eigenen, persönlichen Vergangenheit auseinandersetzt, so soll dies im folgenden "Reflexive Rekonstruktion des eigenen Lebens" genannt werden. Die Person führt sich dabei ihr eigenes Leben vor Augen, überdenkt die Abschnitte der eigenen Geschichte und kommt möglicherweise zu neuen Interpretationen und Bewertungen. Besonders intensive Lebensüberprüfungen können in Therapie- oder Selbsterfahrungsgruppen erfolgen, wenn die Teilnahme dem Ziel dient, die eigene Vergangenheit aufzuarbeiten. Im Unterschied zu den drei oben beschriebenen Identitätsprojekten bezieht sich die Person in der reflexiven Rekonstruktion des eigenen Lebens auf sich selbst.

(e) Selbstverwirklichung

Mit dem Konzept der "Selbstverwirklichung" sollen hier Identitätsprojekte beschrieben werden, in denen es einer Person in erster Linie darum geht, die eigenen Fähigkeiten und Bedürfnisse zu erkennen und zu realisieren. Dabei geht es der Person jedoch nicht darum, sich mit anderen Personen zu messen und durch die Realisierung sozial anerkannter Fähigkeiten eine soziale Position einzunehmen. Vielmehr geht es der Person darum, das eigene Potential zu verwirklichen und Tätigkeiten um ihrer selbst willen nachzugehen. Der Unterschied zu dem Identitätsprojekt der "Reflexiven Rekonstruktion des eigenen Lebens" besteht darin, daß sich die Person in der Selbstverwirklichung auf Gegenwart und Zukunft bezieht. Ähnlich wie bei der Lebensrückschau bezieht sich die Person in der Selbstverwirklichung auf sich selbst.

(f) Generative Selbstaktualisierung

Wenn eine Person nicht so sehr mit der eigenen Zukunft beschäftigt ist, sondern sich um nachfolgende Generationen im allgemeinen sorgt, so soll der Terminus der "Generativen Selbstaktualiserung" verwendet werden. In diesem Fall glaubt die Person durch die Realisierung ihrer Fähigkeiten und Talente nachfolgenden Generationen im allgemeinen nützlich zu sein. Im Unterschied zur "Sozialrelationalen Generativität" geht es der Person dabei nicht darum, Beziehungen zu konkreten Mitgliedern nachfolgender Generationen aufzubauen. Der Person ist es vielmehr wichtig (ähnlich wie im Fall der "Selbstverwirklichung"), eigenes Potential zu realisieren und so der Menschheit im allgemeinen dienlich zu sein. Die Person bezieht sich dabei in erster Linie auf sich selbst, verfügt aber über eine das eigene Leben transzendierende, "nicht-personale" Lebenszeitperspektive.

(g) Zusammenfassung

Eine Typologie von Identitätsprojekten wurde vorgestellt. Die organisierenden Dimensionen waren Handlungsorientierung (mit den Ausprägungen Sozial- und Selbstbezug) sowie Lebenszeitperspektive (mit den Ausprägungen Vergangenheit, Gegenwart, personale Zukunft und nicht-personale Zukunft). Drei der aufgeführten Identitätsprojekte weisen den traditionellen Sozialbezug als zentrale Handlungsorientierung auf: Im Falle des Identitätsprojekts "Rollenstatus aufrechterhalten" versucht die Person, eine in Vergangenheit und Gegenwart gültige soziale Position auch in der Zukunft zu bewahren; im Falle des Identitätsprojekts "Statusziele realisieren" versucht die Person, eine in der Zukunft liegende soziale Position erst zu erreichen, und im Falle der "Sozialrelationalen Generativität" bezieht sich die Person auf die Zukunft der nachfolgenden Generation (wie die Zukunft etwa der eigenen Kinder).

Die drei restlichen Identitätsprojekte weisen schließlich den modernen Selbstbezug auf: "Reflexive Rekonstruktion des eigenen Lebens" ist der Versuch, sich die eigene Vergangenheit vor Augen zu führen und eventuell neu zu bewerten; das Identitätsprojekt "Selbstverwirklichung" ist auf die Realisierung eigener Fähigkeiten und Bedürfnisse gerichtet, und im Falle "Generativer Selbstaktualisierung" wird die Verwirklichung des eigenen schöpferischen Potentials mit dem Ziel unternommen, der Nachwelt damit dienlich zu sein.

2.4.2 Identitätstransformationen

Ein zweites Ziel dieser Untersuchung ist es, neben der Organisation von Identität im mittleren Erwachsenenalter (Typen von Identitätsprojekten) die Formen von und die Bedingungen für Veränderungen von Identität in dieser Altersperiode zu forschen. In der Erörterung des Konzepts der "Selbst-Theorie" (Epstein, 1973) wurden wissenschaftstheoretische Überlegungen zur Dynamik wissenschaftlicher Theorien zitiert. Wissenschaftlicher Wandel wurde entweder vorgestellt als Erweiterung von im Kern unverändertenTheorien ("normale Wissenschaft") oder als das Ersetzen alter Theoriekerne durch neue ("Paradigmenwechsel"). Übrträgt man diese Überlegungen auf die Identitätsentwicklung, so lassen sich ebenfalls zwei Formen der Veränderung von Identität vorstellen: Stabilität mit Modifikation peripherer selbstbezogener Propositionen (diese Form der Veränderung entspricht dem Bild der "normalen Wissenschaft") sowie Identitätstransformationen als das Ersetzen zentraler selbstbezogener Propositionen (diese Form der Veränderung entspricht dem Bild des "Paradigmenwechsels"). Da es in der vorliegenden Arbeit nicht um das Gesamt des Selbstbildes geht (faktische und evaluative selbstreferentielle Propositionen), sondern ausschließlich um zentrale Lebensziele, soll Identitätsentwicklung im vorliegenden Zusammenhang als Veränderung der Zentralität von Lebenszielen definiert werden.

Für jedes der sechs oben beschriebenen Typen von Identitätsprojekten läßt sich nach der Stabilität oder der Veränderung des jeweiligen Projekts im Erwachsenenalter fragen, indem man untersucht, ob die Bedeutung eines Identitätsprojekts (oder Lebensziels) in dieser Zeit zu- oder abgenommen hat. Die Stabilität eines Identitätsprojekts liegt vor, wenn sich die Zentralität eines Lebensentwurfs im Erwachsenenalter einer Person nicht verändert hat (gleich geblieben ist). Eine Veränderung der Identität liegt vor, wenn sich die Zentralität dieses Lebensentwurfs im Erwachsenenalter der Person verschoben hat (d.h. entweder unbedeutender oder bedeutender geworden ist). Eine Identitätstransformation liegt dann vor, wenn sich die Zentralität eines Identitätsprojekts im Erwachsenenalter extrem verschoben hat (d.h. entweder völlig unbedeutend oder zentral geworden ist). Diese Definitionen kann man als eine erste Annäherung an die oben skizzierten Veränderungsformen von (Selbst-)Theorien begreifen. Auf diese Weise lassen sich sowohl die Stabilität als auch mehr oder weniger radikale Veränderungen von Selbsttheorien in bezug auf die zentralen Lebensziele einer Person fassen.

2.4.3 Methodische Prinzipien

Um die methodischen Prinzipien darzustellen, die diese Studie leiten, ist es nützlich, noch einmal die Untersuchungsfragen der vorliegenden Studie zu formulieren:

(1) Welche Lebensziele verfolgen Personen im mittleren Erwachsenenalter?
(2) Erleben sich Personen im mittleren Erwachsenenalter als stabil oder nehmen sie Veränderungen an sich wahr?
(3) Gibt es in pluralistischen Gesellschaften unterschiedliche Typen von Identitätsprojekten und Arten von Identitätstransformationen?

Um diese Fragen zu beantworten, sollen in dieser Untersuchung zwei methodische Ansätze verfolgt werden. Zum einen soll in einem explorativen Schritt die in Frage stehenden Phänomene untersucht werden. Zweitens sollen in einem vergleichenden Schritt verschiedene Gruppen von Personen untersucht werden, die die unterschiedlichen Typen von Identitätsprojekten und Identitätstransformationen in pluralistischen Gesellschaften repräsentieren sollen.

(a) Explorativer Schritt

An dieser Stelle sind Überlegungen von Interesse, die Northrop (1966) über die Möglichkeit komparativer Kulturanthropologie angestellt hat. Northrop unterscheidet zwei Stufen der Wissenschaftsentwicklung. Auf ein Stadium der "natural history" folgt die Periode der "deductively formulated theory". Northrop (1966) beschreibt diese zwei Stadien der Wissenschaftsentwicklung so:

> "(1) In its natural history stage there tend to be as many independent assumptions and propositions in a science as there are naively observed facts. An example is natural history biology ... (2) In the stage of deductively formulated theory, however, all the inductively described natural history facts are first analyzed and then described in terms of the smallest possible number of primitive or undefined concepts and elementary or unproved propositions." (p.195)

Die Stufe der "natural history", in der es um Beschreibung und Klassifikation von Phänomenen geht, die konstitutiv für eine Wissenschaft sind, wird als notwendige Voraussetzung für die Formulierung einer deduktiven Theorie angesehen. In dieser Stufe wissenschaftlicher Forschung wird festgelegt, über welche Phänomene gesprochen werden soll. (Trotz der Begrifflichkeit, die sich scheinbar ausschließlich auf Naturwissenschaften bezieht, zielt Northrop auf die "humanities", vor allem auf die Kulturanthropologie.) Damit ist die explorative, beschreibende Erforschung eines Phänomenbereichs eine notwendige Arbeit, die der deduktiven Theoriebildung vorausgehen muß. Erst wenn die Stufe der "natural history" abgeschlossen ist, können deduktiv abgeleitete Theorien gebildet werden (deren Formulierung wiederum zu einer neuen Sicht der Phänomene führt) und überprüft werden.

Auch in anderen Forschungstraditionen der Sozialwissenschaften ist ein exploratives Vorgehen Teil der etablierten Forschungsstrategie. Unter den Schlagworten "qualitative" und "quantitative" Forschung sind Methoden der Erhebung und Auswertung von Daten beschrieben worden, die als gegensätzliche oder einander ergänzende sozialwissenschafliche Vorgehensweisen charakterisiert wurden (Glaser & Strauss, 1965/1979; Hopf, 1979; Hopf & Weingarten, 1979; Jüttemann, 1985; Mayring, 1983, 1985; Merton & Kendall 1945-46/1979; Thomae, 1985; Walker, 1985a). Die beiden Forschungsstrategien lassen sich hinsichtlich verschiedener Aspekte differenzieren. Eine griffige Unterscheidung bietet Hedges (1981, zit. nach Walker, 1985b), wenn er bemerkt, daß qualitative Methoden eher dazu dienen herauszufinden, "what things exist than to determine how many such things there are".

Damit lassen sich Überlegungen anstellen, wie die oben gestellten Fragen zu Sicherung und Entwicklung von Identität im Erwachsenenalter untersucht werden sollen. Zum einen soll sichergestellt werden, daß möglichst unterschiedliche Personen des mittleren Erwachsenenalters zur Frage der Identitätsprojekte und Identitätstransformationen befragt werden. Als relevante Variablen in diesem Zusammenhang ist eine möglichst große Streuung hinsichtlich soziodemographischer Variablen denkbar (Bildung, Einkommen). Zum anderen soll in der vorliegenden Untersuchung ein "multimethodaler" Ansatz verfolgt werden, das hießt eine Kombination aus "qualitativen" und "quantitativen" Erhebungs- und Analysemethoden. Ergebnis der qualitativen Analyse wäre der exemplarische Nachweis verschiedener Typen von Identitätsprojekten und Formen von Identitätstransformation. Um eine große Variation von Identitätsprojekten und Identitätstransformationen sicherzustellen, sollen für diese Untersuchung Personengruppen herangezogen werden, die eine große Bandbreite an möglichen Identitätsprojekten und Identitätstransformationen repräsentieren.

An dieser Stelle sei noch erwähnt, unter welchen Umständen die retrospektive Erhebung von Entwicklungsverläufen durch biographische Interviews das Mittel der Wahl darstellen. Es ist ein besonderes Problem, Entwicklungsprozesse zu untersuchen, deren Beginn nicht von einem "sichtbaren Zeichen" begleitet wird, wie sie feste Altersabschnitte ("turning forty", s. Nichols, 1986) oder alterskorrelierte Entwicklungsaufgaben darstellen. Identitätstransformationen im mittleren Erwachsenenalter sind ein Beispiel für zeitlich nur schlecht vorhersagbare und an individuelle Interpretationsmuster geknüpfte Entwicklungsprozesse. Nicht-normative kritische Lebensereignisse schließlich sind per definitionem prospektiv nicht lokalisierbar. Von daher ist in einer explorativen Studie zur Identitätsentwicklung die retrospektive Erhebung von Entwicklungsprozessen im Erwachsenenalter eine, wenn nicht notwendige, so doch angemessene Methode.

(b) Deskriptiv-vergleichender Schritt

Der qualitative (exemplarische) Nachweis verschiedener Typen von Identitätsprojekten und Formen von Identitätstransformation stellt in dieser Arbeit nur einen ersten Schritt in der Analyse der Identitätsentwicklung im mittleren Erwachsenenalter dar. Darüber hinaus wird in dieser Untersuchung auch nach dem Einfluß des soziokulturellen Wandels in Form des Individualisierungstrends auf die Identitätsentwicklung im Erwachsenenalter gefragt. Das Problem dieser Fragestellung ist die Tatsache, daß sich ein soziokultureller Wandel in recht großen Zeitabschnitten vollzieht (verglichen mit den Zeiteinheiten ontogenetischer Entwicklung). Zu fragen ist, wie der soziokulturelle Wandel des Individualisierungstrends der empirischen Analyse zugänglich gemacht werden kann. Diese Überlegungen sollen im nächsten Abschnitt dargestellt werden.

2.4.4 *Design und Untersuchungsfragen*

(a) Design

In dieser Arbeit wird argumentiert, daß es möglich ist, den oben beschriebenen soziokulturellen Wandel zu untersuchen, indem Personengruppen rekrutiert werden, die diesen soziokulturellen Wandel in unterschiedlichem Maß repräsentieren. Ein Beispiel für ein ähnliches Design läßt sich in einer Arbeit von Luria (1974/1986) finden, in der die "sozialhistorische Entstehung psychischer Prozesse" thematisiert wird (Auswirkungen von Alphabetisierungsmaßnahmen in Folge der russischen Revolution auf kognitive Leistungen). Die unabhängige Variable des Designs (Maß der Beeinflussung durch soziokulturellen Wandel) wird in Lurias Untersuchung durch fünf Gruppen mit unterschiedlichem Alphabetisierungsgrad repräsentiert.

Welche Merkmale sind Indikatoren für den in dieser Arbeit in Frage stehenden historischen Wandel ("Individualisierungstrend")? Es lassen sich viele Faktoren identifizieren, die den Individualisierungstrend beeinflussen. Einige dieser Variablen sind auf gesellschaftlicher Ebene anzusiedeln (Ausmaß des gesellschaftlichen Reichtums, Ausmaß der flexiblen Verfügung über Arbeitskräfte), andere dagegen auf individueller Ebene (Bildung, Verfügbarkeit von materiellen Ressourcen, Alter, Schicht). In dieser Arbeit soll die Bedeutung der Bildung hervorgehoben werden. Bildung stellt einen wichtigen Faktor im Individualisierungsprozess dar (Meyer, 1981, 1986). Held (1986) weist darauf hin, daß Personen mit hoher Bildung Avantgarde-Funktion in sozialen Änderungsprozessen übernehmen. Inglehart (1979, p.298) argumentiert in seiner Diskussion zur Formation materialistischer und postmaterialistischer Wertorientierungen, daß "der Prozeß der Bildung an sich schon die Entstehung postmaterialistischer Tendenzen fördert". Es kann also davon ausgegangen werden, daß Personen mit hoher Bildung im Zuge ihres Bildungsprozesses mit höherer Wahrscheinlichkeit einen Wertpluralismus kennengelernt haben als Personen mit geringer Bildung, und daß Personen, die eine hohe Bildung genossen haben, eher in der Lage sind, herkömmliche Lebensformen in Frage zu stellen und neue Lebensformen zu realisieren als Personen mit geringem Bildungsstand. Darüber hinaus ist die Bildungsvariable mit anderen relevanten Faktoren korreliert (etwa Schicht oder Verfügbarkeit materieller Ressourcen). Allerdings soll hier darauf hingewiesen werden, daß hohe Bildung nur die Voraussetzung für die Auseinandersetzung mit modernen Lebensformen und Werten darstellt, aber keine hinreichende Bedingung für die Beeinflussung durch den Individualisierungstrend ist.

Welche Gruppen von Personen können nun herangezogen werden, um den soziokulturellen Individualisierungstrend zu repräsentieren? In dieser Arbeit sollen nicht allein Personen mit hoher und geringer Bildung miteinander verglichen werden, da die Bildungsvariable keine hinreichende Bedingung für das Verfolgen selbstbezogener Lebensziele ist. Gesucht sind vielmehr Personengruppen, die in bezug auf den Individualisierungstrend eine Vorläuferrolle spielen. Dazu soll hier auf das Phänomen neoreligiös-therapeutischer Gemeinschaften hingewiesen werden. Neoreligiös-therapeutische Gemeinschaften sind extremer Ausdruck eines sogenannten "Therapie-Booms", der seit einigen Jahren große Teile der gebildeten Mittelschicht der westlichen Industriegesellschaften erfaßt hat (Béjin, 1984; Nogala, 1987; Schülein, 1976; Smith, 1982). Diese "Therapie-Kultur" basiert darauf, daß eine Person in ihrer Freizeit an Therapie- oder Selbsterfahrungsgruppen teilnimmt, um persönliches Wachstum zu erfahren. Mitglieder neoreligiös-therapeutischer Gemeinschaften verfolgen diese Ziele in extremer Form: Sie verlassen etablierte Positionen in Beruf, Freundschaften und Familie, um an ihrem eigenen Selbst zu arbeiten. Als Mitglieder neoreligiös-therapeutischer Gemeinschaften hoffen sie, das eigene Selbst kennenzulernen, zu verbessern und "personal growth" zu erleben.

Es wird in dieser Arbeit davon ausgegangen, daß Mitglieder von neoreligiös-therapeutischen Gruppen in hohem Maße selbstbezogene Lebensziele verfolgen und zu einer bestimmten Zeitpunkt im Erwachsenenalter eine tiefgreifende Veränderung ihrer Lebensziele erfahren haben. In typischer Weise repräsentieren Mitglieder der Sannyas-Gemeinschaft (Anhänger des indischen Guruh Bhagwan Shree Rajneesh) solche neoreligiös-therapeutischen Gemeinschaften. Mitglieder der Sannyas-Gemeinschaft sind Personen im jungen und mittleren Erwachsenenalter, die in der Regel gut gebildet sind (zur Mitgliederstruktur dieser Gemeinschaft s. FitzGerald, Horn, o.J., 1986; Satyananda, 1979, 1981; Thoden & Schmidt, 1987).

Diese Überlegungen führten zur Rekrutierung von Mitgliedern der Sannyas-Gemeinschaft für die vorliegende Studie ("Sannyasins"). Zwei Kontrastgruppen mit festem Beruf und unterschiedlichem Bildungsniveau wurden ausgewählt, um das Design der vorliegenden Studie zu vervollständigen. Die Gruppe mit niedrigem Bildungsniveau besteht aus Personen mit beruflicher Ausbildung ("Facharbeitern"). Die Gruppe mit hohem Bildungsniveau besteht aus Personen, die ein Hochschulstudium mit der Berechtigung zum Lehramt absolviert haben ("Lehrer").

Bevor die Untersuchungsfragen dieser Arbeit vorgestellt werden, soll auf ein Problem des Designs verwiesen werden. Zwei der Gruppen wurden aufgrund von Berufsklassifikationen gebildet (Facharbeiter und Lehrer als Personen mit geringer bzw. hoher Bildung), während die dritte Gruppe aus Personen besteht, die einer spezifischen Lebensform anhängen (Sannyasins). Der Vergleich zweier Berufsgruppen mit einer Gruppe, die eine spezifische Lebensform repräsentiert, ist problematisch, weil die zugrundeliegenden Unterschiede mehrdimensional sind (und nicht nur auf einer, nämlich der Bildungsdimension basieren). Zudem sind mit der Taxonomie, auf der die Klassifikation der Gruppen aufbaut, keine eindeutigen Zuordnungen von Elementen (Personen) möglich: Das Element einer Klasse (z.B. Lehrer) kann auch das Element einer anderen Klasse sein (z.B. Sannyasin).

Es könnte nun argumentiert werden, daß sich die drei Gruppen (Facharbeiter, Lehrer und Sannyasins) nicht im Blick auf die Dimension "Individualisierung" unterscheiden, sondern vielmehr hinsichtlich der Dimension "Gesellschaftliche Normativität der Lebenssituation". Mit gesellschaftlicher Normativität der Lebenssituation ist die Etablierung einer herkömmlich anerkannten Lebensform gemeint. Zieht man die Variablen "Stabilität der beruflichen Karriere", "Stabilität von persönlichen Beziehungen" sowie "Elternschaft" heran, um die soziale Einbettung zu bestimmen, so läßt sich argumentieren, daß Lehrer und Facharbeiter in gesellschaftlich stärker normierten Lebenssituationen leben als Sannyasins, die sich bei dem Eintritt in die neoreligiös-therapeutische Gruppe aus herkömmlichen gesellschaftlichen Institutionen gelöst haben. (Diese Alternativhypothesen sollen bei der Diskussion der Ergebnisse berücksichtigt werden.)

(b) Untersuchungsfragen

Die Ableitung der Hypothesen soll zuerst im Blick auf die "Individualisierungsthese" vorgenommen werden ("Die drei Gruppen repräsentieren einen soziokulturellen Wandel"). Im Anschluß daran sollen die Hypothesen der "Normativitätshypothese" erörtert werden ("Die drei Gruppen unterscheiden sich hinsichtlich der Normativität der Lebenssituation").

1. Individualisierungsthese: Berücksichtigt man die dargestellte Literatur zu Lebenszielen und Persönlichkeitsentwicklung im Erwachsenenalter (s. Abschnitte 2.1 und 2.2), so lassen sich die folgenden Thesen formulieren:

I-1 Im mittleren Erwachsenenalter sind die Orientierung auf soziale Beziehungen (etwa in den Bereichen des Berufs und der Familie) von zentraler Bedeutung für die Selbstdefinition. Die Beschäftigung mit dem eigenen Selbst hat nicht die für die Adoleszenz charakteristische Bedeutung.

I-2 Personen im mittleren Erwachsenenalter erleben sich als stabil. Der Wechsel von zentralen Bestimmungsstücken von Identität, die das adoleszente Moratorium kennzeichnet, sind nicht typisch für das mittlere Erwachsenenalter.

Berücksichtigt man die Überlegungen zum soziokulturellen Wandel (Individualisierungstrend und Wertwandel; s. Abschnitt 2.3), so läßt sich zwischen "traditionellen" und "modernen" Personen unterscheiden. "Modern" sollen solche Personen heißen, die von dem Individualisierungstrend in besonderem Maße betroffen sind. "Traditionell" sollen solche Personen heißen, die von diesem Individualisierungtrend nicht betroffen sind. Damit lassen sich diese beiden Thesen folgendermaßen modifizieren:

I-1 Im mittleren Erwachsenenalter sind für "traditionelle" Personen Orientierungen auf soziale Beziehungen von zentraler Bedeutung. Für "moderne" Personen ist dagegen die Beschäftigung mit dem eigenen Selbst zentral.

I-2 "Traditionelle" Personen erleben sich im mittleren Erwachsenenalter als stabil, während "moderne" Personen ihr eigenes Selbst als diskontinuierlich wahrnehmen.

Bezieht man sich nun auf das Design der vorliegenden Studie, so ist zu fragen, welche der drei Gruppen als "modern" beziehungsweise "traditionell" klassifiziert werden soll. Da die Bildungsvariable pars pro toto als Indikator für die Modernität von Personen herangezogen wurde, können die Lehrer als eine Gruppe mit hohem Bildungsniveau als "modern", die Facharbeiter als Gruppe mit geringerem Bildungsniveau als "traditionell" klassifiziert werden. Die Gruppe der Sannyasins ist als neoreligiös-therapeutische Gruppe qua definitionem eine Extremgruppe. Damit lauten die Erwartungen für die vorliegende Studie:

I-1 Im mittleren Erwachsenenalter sind für Facharbeiter Identitätsprojekte, die durch einen Sozialbezug gekennzeichnet sind, von größerer Bedeutung als für Lehrer und Sannyasins. Für Lehrer und Sannyasins sind dagegen Identitätsprojekte mit Selbstorientierungen wichtiger als für Facharbeiter.

I-2 Facharbeiter erleben sich im mittleren Erwachsenenalter als stabil, während Lehrer und Sannyasins ihre Vergangenheit im Erwachsenenalter als wenig kontinuierlich wahrnehmen.

2. <u>Normativitätsthese</u>: Die soziale Einbettung bestimmt Identitätsprojekte und Identitätstransformationen im mittleren Erwachsenenalter. Personen mit hoher gesellschaftlicher Normativität der Lebenssituation verfolgen sozialbezogene Identitätsprojekte und nehmen ihre Identität im mittleren Erwachsenenalter als stabil wahr. Dagegen verfolgen Personen mit geringer Normierung der Lebenssituation selbstbezogene Identitätsprojekte und nehmen ihre Identität im mittleren Erwachsenenalter als veränderlich wahr. Geht man nun davon aus, daß Facharbeiter und Lehrer Personen mit starker gesellschaftlicher Normierung der Lebenssituationen sind, die Lebenssituation von Sannyasins dagegen nur eine geringe gesellschaftliche Normierung aufweist, dann lauten die Hypothesen für die vorliegende Untersuchung folgendermaßen:

N-1 Im mittleren Erwachsenenalter sind für Facharbeiter und Lehrer Identitätsprojekte, die durch einen Sozialbezug gekennzeichnet sind, von größerer Bedeutung als für Sannyasins. Für Sannyasins sind dagegen Identitätsprojekte mit Selbstorientierungen wichtiger als für Facharbeiter.

N-2 Facharbeiter und Lehrer erleben sich im mittleren Erwachsenenalter als stabil, wähend Sannyasins ihre Vergangenheit im Erwachsenenalter als wenig kontinuierlich wahrnehmen.

Die Unterschiede zwischen "Individualisierungshypothese" und "Normativitätshypothese" machen sich an soziodemographischen Indikatoren fest (Bildung, Stabilität der Berufskarriere, Familienstand, Elternschaft). Soziodemographische Merkmale der drei Gruppen werden im nächsten Kapitel (Methode) dargestellt .

3. Methode

3.1 Design

Drei Gruppen von Männern und Frauen im mittleren Erwachsenenalter wurden für die vorliegende Studie ausgewählt. Diese Gruppen bestehen aus Facharbeiter/innen, Lehrer/innen und Angehörigen einer neoreligiös-therapeutischen Gemeinschaft ("Sannyasins"). Die Aufnahmekriterien für die drei Gruppen sind in folgender Weise definiert:

1. Facharbeiter/innen: In diese Gruppe wurden Personen aufgenommen, die eine Lehre abgeschlossen haben und in ihrem erlernten Beruf arbeiten oder in einem Beruf, der ähnliche Ausbildungsvoraussetzungen aufweist wie ein Lehrberuf. (Acht Personen dieser Gruppe hatten eine Berufsausbildung abgeschlossen. Die restlichen Personen ohne Berufsausbildung arbeiteten als Verwaltungsangestellte, Dreher und Busfahrer.) Trotz einer gewissen Heterogenität der Berufe in dieser Gruppe soll die Bezeichnung "Facharbeiter/in" beibehalten werden.

2. Lehrer/innen: In diese Gruppe wurden Personen aufgenommen, die ein Studium an einer Hochschule oder pädagogischen Hochschule absolviert haben und als Lehrer an Grundschule, Hauptschule, Realschule, Gesamtschule oder Gymnasium arbeiten.

3. Sannyasins: Eine Person, die als Mitglied der neoreligiös-therapeutischen Gemeinschaft der Sannyasins klassifiziert wurde, hat einen Initiationsritus durchlaufen, der von den Gruppenmitgliedern als "Sannyas nehmen" bezeichnet wird. Dieses Ritual bestand zur Zeit der Interviews in der Übernahme eines neuen (indischen) Namens, der in der Regel von dem Führer der Sannyas-Gemeinschaft, Bhagwan Shree Rajneesh, verliehen wurde, sowie in der Verpflichtung, eine Kette aus Holzperlen ("Mala"), an der ein Bild Bhagwans befestigt ist, und rot- oder orangefarbene Kleidung zu tragen. Die Sannyasins wurden nach einer Phase teilnehmender Beobachtung (Siegert & Chapman, 1985) rekrutiert.

Es wurden 29 Untersuchungspersonen befragt, und zwar n=11 Facharbeiter/innen, n=9 Lehrer/innen und n=9 Sannyasins. Das ursprüngliche Design sah zehn Untersuchungspersonen pro Gruppe vor (geplante Gesamtzahl N=30), mußte aber nachträglich geändert werden. In einem Fall (Sannyasin) hatte die Tonbandaufzeichnung während eines großen Teils des Interviews versagt; diese Person wurde aus der weiteren Analyse ausgeschieden. In einem zweiten Fall mußte eine Person, die anfänglich als Lehrer klassifiziert worden war (sie war als "Fachlehrer für Metall" beschäftigt), ihrer Ausbildung wegen der Gruppe der Facharbeiter zugeordnet werden (die Untersuchungsperson hatte eine Lehre in einem metallverabeitenden Beruf, aber kein Lehramtsstudium absolviert). Um die Beschreibung der Gruppen sprachlich einfach zu gestalten, sollen im folgenden die (männlichen) Bezeichnungen "Facharbeiter" und "Lehrer" verwendet werden (z.B. "Gruppe der Lehrer", "Facharbeiter-Gruppe"); die weiblichen Untersuchungspersonen sind dabei - sofern nicht anders vermerkt - mitgemeint.

3.2 Untersuchungspersonen

In diesem Abschnitt werden soziodemographische Informationen über die drei Gruppen vorgestellt sowie Variablen zur Normativität der Lebenssituation analysiert.

3.2.1 Soziodemographische Variablen

Tabelle 3.1 gibt einen Überblick über verschiedene soziodemographische Variablen in den drei Gruppen. Im folgenden sollen die Ergebnisse von Vergleichen zwischen den Gruppen berichtet werden. Es soll hier darauf hingewiesen werden, daß im Fall numerischer Variablen (wie "Einkommen" oder "Prestige des Berufs") Vergleiche zwischen allen möglichen Paarungen der drei Gruppen berichtet werden können (univariate Varianzanalysen mit anschließenden Scheffé-Tests). Im Fall der Analyse von Häufigkeiten (nominalskalierte Variablen wie "Abgeschlossene Berufsausbildung") sollen univariate, paarweise Vergleiche angestellt werden, bei denen die Gruppe der Sannyasins als Referenzgruppe dient (es werden also Vergleiche zwischen der Gruppe der Facharbeiter und der Gruppe der Sannyasins sowie der Gruppe der Lehrer und der Gruppe der Sannyasins berichtet). Der Grund für dieses Vorgehen besteht darin, daß post-hoc-Vergleiche für mehrstufige Nominalvariablen nicht möglich sind, ohne den α-Fehler zu erhöhen. Da im Fall von drei Gruppen zwei paarweise Vergleiche unabhängig voneinander sind, wurde dieses Vorgehen gewählt. Wegen der geringen Fallzahl pro Gruppe wird Fishers exakter Test verwendet. (Im Anhang A ist der in dieser Studie verwendete Fragebogen zu den soziodemographischen Variablen zu finden.)

(a) Alter und Geschlecht

Das mittlere Alter (bezogen auf alle drei Gruppen) beträgt 39 Jahre, der Range beträgt 31 bis 46 Jahre. Die Gruppe der Facharbeiter/innen ist mit 41 Jahren geringfügig älter als die beiden anderen Gruppen (Lehrer/innen 37 Jahre, Sannyasins 37 Jahre; der Unterschied zwischen den drei Gruppen ist tendenziell signifikant; $F[2,26]=2.58$, $p<.10$). Die Gruppe der Facharbeiterbeiter/innen besteht aus fünf Frauen und sechs Männern, die Gruppe der Lehrer/innen aus fünf Frauen und vier Männern und die Gruppe der Sannyasins aus vier Frauen und fünf Männern.

(b) Herkunftsfamilie

Die drei Gruppen werden hinsichtlich ihrer sozialen Herkunft, das heißt Bildungsniveau und Prestige des Berufs der Eltern sowie Zahl der Geschwister, miteinander verglichen. Das Prestige der beruflichen Tätigkeit wurde anhand der "Magnitude Prestige Skala (MPS)" be-

Tabelle 3.1: Übersicht über die soziodemographischen Variablen der drei Gruppen. Dargestellt sind Mittelwerte und (in Klammern) Standardabweichungen bzw. Prozentwerte und (in Klammern) absolute Häufigkeiten.

	Facharbeiter	Lehrer	Sannyasins
Alter			
Alter	40.64 (4.43)	37.44 (2.79)	37.44 (3.78)
Alter (Range)	31-46	33-43	34-44
Soziale Herkunft			
Vater Abitur %	9 (1)	44 (4)	56 (5)
Mutter Abitur %	0 (0)	33 (3)	22 (2)
Prestige Beruf des Vaters[1]	52.71 (2.27)	100.06 (2.79)	85.91 (3.07)
Prestige Beruf der Mutter[1]	53.56 (1.47)	86.44 (5.34)	75.09 (1.99)
Zahl der Geschwisterkinder	0.82 (0.75)	1.78 (1.30)	1.67 (1.32)
Abitur %	0 (0)	100 (9)	67 (6)
Jahre in Ausbildung	10.00 (1.73)	22.22 (3.42)	15.86 (4.14)
Berufsausbildung %	73 (8)	100 (9)	100 (9)
Aktueller Status			
Einkommen[2]	2.45 (0.69)	3.78 (0.67)	2.33 (0.71)
Verheiratet %	36 (4)	33 (3)	11 (1)
Zahl der Kinder	1.82 (1.60)	0.44 (0.73)	0.22 (0.67)
Wohngemeinschaft %	0 (0)	22 (2)	67 (6)
Evangelisch/Katholisch %	45 (5)	22 (2)	0 (0)

[1]Kodierung des Berufsprestiges nach Wegener (1985). Bei Hausfrauen/Hausmännern wird der Prestigescore des Ehemannes/der Ehefrau gegeben; Arbeitslose erhalten den um 50% reduzierten Score ihrer letzten Tätigkeit.
[2]Fünfstufige Skala, Erklärung s. Text.

stimmt (Wegener, 1985, vgl. auch Mayer, 1977, Treiman, 1977). Hausfrauen beziehungsweise Hausmänner erhalten den Score des Ehepartners beziehungsweise der Ehepartnerin. Arbeitslose erhalten den um 50% reduzierten Score ihrer letzten Tätigkeit.

Das Bildungsniveau der Väter, gemessen anhand der Zahl der Personen mit Abitur, ist in der Gruppe der Sannyasins signifikant höher als in der Gruppe der Facharbeiter (Fishers exakter Test: p=.0499). Die Zahl der Mütter mit Abitur unterscheidet sich in diesen beiden Gruppen nicht signifikant. Die Gruppen der Lehrer und der Sannyasins unterscheiden sich nicht signifikant hinsichtlich der Zahl der Eltern mit Abitur.

Das Berufsprestige des Vaters unterscheidet sich hochsignifikant zwischen den Gruppen (F[2,23]=6.53, p<.006). Dieser Unterschied ist auf die verschieden hohen Prestigewerte von Lehrer-Vätern (mittlerer Prestigescore: 100.1) und Facharbeiter-Vätern (mittlerer Prestigescore: 52.7) zurückzuführen. Das Berufsprestige der Sannyasin-Väter liegt zwischen dem der beiden anderen Gruppen und ist von keinem der beiden anderen Werte signifikant verschieden (mittlerer Prestigscore: 85.9). Das Berufsprestige der Mütter ist (tendenziell) in ähnlicher Weise wie das Berufsprestige der Väter zwischen den drei Gruppen unterschiedlich (F[2,24]=2.57, p<.10).

Keine signifikanten Unterschiede (zwischen allen drei Gruppen) finden sich in der Zahl der Geschwisterkinder in der Herkunftsfamilie (F[2,26]=2.21, n.s.).

(c) <u>Schulbildung</u>

In der Schulbildung gleichen sich Lehrer und Sannyasins: Alle Lehrer und sechs von neun Sannyasins besitzen das Abitur (Fishers exakter Test: p=.21). Dagegen unterscheidet sich die Schulbildung der Facharbeiter signifikant von der der Sannyasins, da kein Facharbeiter über diesen Abschluß verfügt (Fishers exakter Test: p=.0022). Vergleicht man dagegen die Länge der gesamten Ausbildungszeit (Zahl der Schuljahre zuzüglich Zahl der Studien- oder Ausbildungsjahre), so findet man signifikante Unterschiede in allen drei Paarvergleichen: Die Lehrer verzeichnen mit 22 Jahren die längste Zeit der Ausbildung, die Facharbeiter mit 10 Jahren die kürzeste, die Sannyasins weisen mit 16 Jahren eine mittlere Position auf (F[2,22]=33.56, p<.0001). Alle drei Gruppen unterscheiden sich signifikant hinsichtlich der Länge der Ausbildung voneinander.

Alle Sannyasins und Lehrer verfügen über eine Berufsausbildung, dagegen nur acht Personen in der Gruppe der Facharbeiter. (Da zwei der drei Personen ohne Berufsausbildung als Verwaltungsangestellte bzw. Dreher recht anspruchsvollen Tätigkeiten nachgehen, soll im folgenden die Bezeichnung "Facharbeiter" für diese Gruppe beibehalten werden).

(d) Aktueller sozioökonomischer Status

Auch in Variablen des aktuellen sozialen Status ergeben sich Unterschiede. Das Einkommen wurde auf einer 5-Punkte-Skala gemessen (1="unter 1.000 DM/Monat", 2="1.000-2.000 DM/Monat", 3="2.000-3.000 DM/Monat", 4="3.000-4.000 DM/Monat", 5="über 4.000 DM/Monat"). Die drei Gruppen unterscheiden sich signifikant hinsichtlich des Einkommens ($F[2,26]=12.55$, $p<.001$). Die Lehrer weisen mit einem Wert von 3.78 das höchste Einkommen der drei Gruppen auf, die entsprechenden Werte für die Facharbeiter und Sannyasins betragen 2.45 beziehungsweise 2.33. Die Gruppe der Lehrer unterscheidet sich signifikant von den beiden anderen Gruppen; zwischen diesen bestehen keine reliablen Unterschiede.

(e) Struktur der Familie

Die drei Gruppen unterscheiden sich nicht signifikant hinsichtlich der Zahl der verheirateten Personen (Vergleich Lehrer-Sannyasins: Fishers exakter Test $p=.58$, Vergleich Facharbeiter-Sannyasins: Fishers exakter Test $p=.59$). Dagegen ist die Zahl der Kinder für die drei Gruppen signifikant unterschiedlich ($F[2,26]=5.94$, $p<.001$). Die Facharbeiter haben signifikant mehr Kinder (1.60) als die Lehrer (0.73) oder die Sannyasins (0.67); diese beiden Gruppen unterscheiden sich nicht reliabel voneinander.

(f) Wohnform

In der Gruppe der Sannyasins finden sich mehr Personen, die in Wohngemeinschaften leben (67%) als in der Gruppe der Facharbeiter (0%; Fishers exakter Test: $p=.0022$). Zwischen den Lehrern (22%) und den Sannyasins findet sich kein reliabler Unterschied hinsichtlich der Zahl der Personen, die angeben, in einer Wohngemeinschaft zu leben (Fishers exakter Test: $p=.16$).

(g) Kirchenzugehörigkeit

Hinsichtlich der Kirchenzugehörigkeit (evangelisch oder katholisch) unterscheidet sich die Gruppe der Facharbeiter mit 45% konfessionsgebundenen Personen signifikant von der Gruppe der Sannyasins (0%, Fishers exakter Test: $p=.038$). Die Gruppen der Lehrer (22%)

und der Sannyasins dagegen unterscheiden sich nicht reliabel voneinander (Fishers exakter Test: p=.48).

3.2.2 Normativität der Lebenssituation

Nachdem im letzten Abschnitt die drei Gruppen (Facharbeiter, Lehrer und Sannyasins) hinsichtlich allgemeiner soziodemographischer Variablen verglichen wurden, sollen in diesem Abschnitt spezifische Variablen herangezogen werden, um die Normativität der Lebenssituation zwischen den drei Gruppen zu vergleichen. Die Normativität der Lebenssituation bezieht sich auf die erfolgreiche Bewältigung der im mittleren Erwachsenenalter relevanten Entwicklungsaufgaben (Havighurst, 1972). In der vorliegenden Untersuchung wurden die folgenden drei Entwicklungsaufgaben herangezogen: "Stabilität der beruflichen Karriere", "Stabilität von persönlichen Beziehungen" und "Elternschaft". Normativität der Lebenssituation läßt sich als die erfolgreiche Bewältigung aller drei Entwicklungsaufgaben definieren (Indexvariable).

(a) Stabilität der beruflichen Karriere

Die Variable "Stabilität der beruflichen Karriere" soll folgendermaßen definiert werden: Stabilität der beruflichen Karriere liegt dann vor, wenn der Status (Prestige) der aktuellen beruflichen Beschäftigung gleich hoch oder höher ist als der Status der Beschäftigung, für die die Person ausgebildet worden ist. Zu diesem Zweck wurde das Prestige der beruflichen Tätigkeiten anhand der "Magnitude Prestige Skala (MPS)" (Wegener, 1985) für Ausbildungsberuf und aktueller Tätigkeit bestimmt. Hausfrauen/Hausmänner erhalten den Score des Ehepartners/der Ehepartnerin; Arbeitslose erhalten den um 50% reduzierten Score ihrer letzten Tätigkeit. Stabilität der beruflichen Karriere liegt vor, wenn die Differenz zwischen den Prestigewerten des aktuellen Berufs und des Ausbildungsberufs größer oder gleich Null ist. Instabilität der beruflichen Karriere liegt vor, wenn diese Differenz kleiner Null ist.

In Abbildung 3.1 (erste Spalte) ist der Vergleich der drei Gruppen hinsichtlich der kategorialisierten Variable "Stabilität der beruflichen Karriere" aufgeführt. Die Gruppe der Sannyasins unterscheidet sich von den beiden anderen Gruppen hochsignifikant in bezug auf die berufliche Stabilität. Während alle elf Facharbeiter sowie die meisten Lehrer (8 Personen, 89%) berufliche Stabilität aufweisen, ist es bei den Sannyasins nur eine Person (11%). Die Ergebnisse der statistischen Analysen lauten für den Vergleich "Facharbeiter vs. Sannyasins": Fishers exakter Test p=.00007, und für den Vergleich "Lehrer vs. Sannyasins": Fishers exakter Test p=.0034.

Abbildung 3.1: Prozentsatz an Untersuchungspersonen pro Gruppe, die verschiedene Kriterien einer normativen Lebenssituation erfüllen (Definition s. Text).

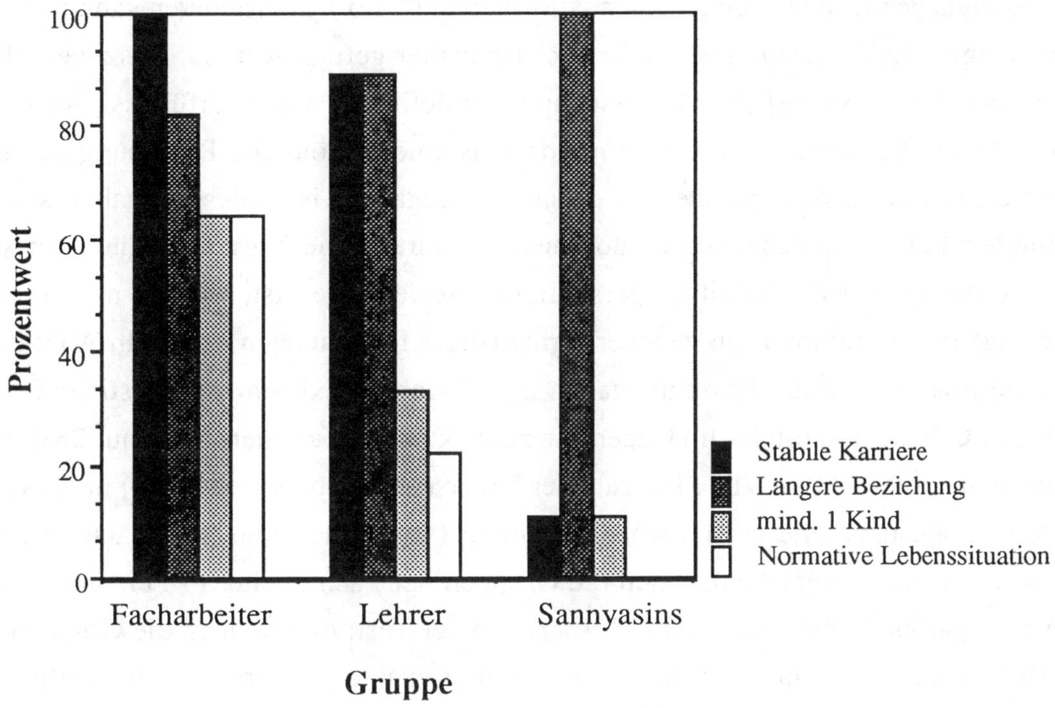

Die Analyse der kategorialen Variable läßt sich ergänzen durch die Analyse der numerischen Ausgangsvariablen (univariate Analyse von Differenz-Scores bzw. "mixed-design"-Varianzanalyse der Faktoren "Gruppe" und "Zeitpunkt des Berufsprestiges"). Beide Analysen sind problematisch. Die Verwendung von Differenz-Scores wirft Probleme wegen der geringeren Reliabilität der Differenz-Variable auf, und die Voraussetzungen für eine "mixed-design"-Varianzanalyse sind verletzt, da alle Mitglieder der Lehrergruppe den identischen Prestigescore für ihren Ausbildungsberuf erhalten (und die Varianz der entsprechenden Zelle Null ist). Zieht man für die Analysen den numerischen Differenz-Score heran, so zeigen sich keine signifikanten Unterschiede zwischen den Gruppen, obwohl die Mittelwerte für die drei Gruppen in der Tendenz die Ergebnisse der dichotomisierten Variablen bestätigen (Facharbeiter +109.9, Lehrer - 3.3, Sannyasins - 166.0; $F[1,26]=1.99$, n.s.). Das Ergebnis einer "mixed-design"-Varianzanalyse entspricht der Analyse des Differenz-Scores (die Interaktion zwischen den Faktoren "Gruppe" und "Zeitpunkt" ist nicht signifikant, $F[2,26]=1.99$).

(b) Stabilität von persönlichen Beziehungen

Im vorliegenden Zusammenhang kann "Stabilität von persönlichen Beziehungen" durch zwei Variablen operationalisiert werden. Zum einen kann der Familienstand zum Zeitpunkt des Interviews herangezogen werden ("Person ist verheiratet", s.o.), zum anderen kann nach der Existenz langfristiger Beziehungen im Erwachsenenalter gefragt werden. Das zweite Kriterium wurde für die vorliegende Untersuchung so definiert, daß es erfüllt ist, wenn die Person während des Erwachsenenalters mindestens eine persönliche Beziehung zu einer anderen Person von mindestens einem Jahr Dauer eingegangen ist. (Diese Angaben wurden individuellen Lebenslaufschemata entnommen.) Während die Variable "Ehe" ein sehr strenges Kriterium für die Stabilität persönlicher Beziehungen ist, werden mit der hier vorgeschlagenen Definition auch weniger formalisierte Beziehungen erfaßt. In Abbildung 3.1 (zweite Spalte) sind die Prozentangaben der Variable "Existenz langfristiger Beziehungen" pro Gruppe dargestellt. Im Gegensatz zum aktuellen Familienstand (nur 28% aller Personen sind verheiratet), ist die Mehrzahl der Untersuchungspersonen (90%) im Erwachsenenalter mindestens eine persönliche Beziehung (von mindestens einem Jahr Dauer) eingegangen. Weder unterscheiden sich die Gruppen der Facharbeiter (9 Personen, 82%) und der Sannyasins (9 Personen, 100%; Fishers exakter Test: p=.48) noch die Gruppen der Lehrer (8 Personen, 89%) und der Sannyasins (Fishers exakter Test: p=1.0) hinsichtlich der Existenz langfristiger persönlicher Beziehungen.

(c) Elternschaft

Mit Elternschaft ist die Existenz eigener Kinder gemeint (Analyse der numerischen Variable s.o.). Dichotomisiert man diese Variable ("mindestens ein eigenes Kind" vs. "kein Kind"), so ergibt sich ein ähnliches Bild. Die Prozentwerte der dichotomisierten Variable Elternschaft für die drei Gruppen sind in Abbildung 3.1 (dritte Spalte) aufgetragen. Zwischen den Gruppen der Facharbeiter und der Sannyasins besteht ein signifikanter Unterschied hinsichtlich der Existenz von Kindern. Während sieben Facharbeiter (64%) mindestens ein Kind haben, hat nur nur ein Sannyasin (11%) mindestens ein Kind (Fishers exakter Test: p=.028). Der Vergleich zwischen der Gruppe der Lehrer (2 Personen, 22%) und der Gruppe der Sannyasins wird nicht signifikant (Fishers exakter Test: p=.57).

(d) Indexvariable "Normativität der Lebenssituation"

Während bislang die drei Kriterien "stabile Karriere", "Partnerschaft" und "Kinder" getrennt betrachtet wurden, soll nun ein Gesamtkriterium gebildet werden, das aus der Kombination der drei einzelnen Kriterien besteht. Dieses Gesamtkriterium soll "Normativität der

Lebenssituation" genannt werden. Hier soll die folgende (sehr strenge) Definition verwendet werden: Eine Person lebt in einer normativen Lebenssituation, wenn alle der drei zuvor beschriebenen Kriterien erfüllt sind (die Person verfolgt eine stabile Karriere, ist mindestens einmal im Erwachsenenalter eine langfristige Beziehung eingegangen und hat mindestens ein Kind). Eine Person lebt in einer nicht-normativen Lebenssituation, wenn mindestens eins dieser drei Kriterien nicht erfüllt ist. In Abbildung 3.1 (vierte Spalte) sind die Prozentwerte der Variablen "Normativität der Lebenssituation" für die drei Gruppen dargestellt.

Der Vergleich zwischen den Gruppen der Sannyasins und der Facharbeiter zeigt signifikante Unterschiede: Während die Mehrzahl der Facharbeiter (7 Personen, 64%) eine normative Lebenssituation aufweisen, ist dies bei keiner Person aus der Sannyasin-Gruppe der Fall (Fishers exakter Test: p=.0047). In der Gruppe der Lehrer gibt es ebenfalls nur wenige Personen (2 Personen, 22%), die nach dem hier verwendeten Kriterium eine normative Lebenssituation aufweisen. Zwischen den Gruppen der Lehrer und der Sannyasins zeigt sich kein signifikanter Unterschied (Fishers exakter Test: p=.47).

3.2.3 Zusammenfassung

Die Gruppe der Facharbeiter weist in allen drei Variablen mehr als 50% von Personen auf, die das jeweilige Kriterium für eine "normative Lebenssituation" erfüllen (alle Facharbeiter zeigen eine stabile Berufskarriere, die meisten Facharbeiter haben langfristige Beziehung und mindestens ein Kind). Die Gruppe der Lehrer weist dagegen nur in zwei der drei Variablen (Berufskarriere und persönliche Beziehung) mehr als 50% von Personen auf, die das jeweilige Kriterium erfüllen. Die Sannyasins schließlich erfüllen nur eins der drei Kriterien (persönliche Beziehung) einer "normative Lebenssituation". Gibt man den drei Indikatoren für die Normativität der Lebenssituation gleiches Gewicht (Kombination der Variablen Berufskarriere, persönliche Beziehung und Elternschaft), so weist nur in der Gruppe der Facharbeiter eine Mehrzahl von Personen (64%) eine normative Lebenssituation auf, während dies in der Gruppe der Lehrer nur eine Minderzahl der Personen ist (22%). In der Gruppe der Sannyasins erfüllt keine Person dieses kombinierte Kriterium. Allerdings muß betont werden, daß sich die Gruppe der Sannyasins in dem wichtigen Kriterium des stabilen Berufsverlaufs von der Gruppe der Lehrer unterscheidet: Damit weist die Gruppe der Sannyasins die geringste Normativität der Lebenssituation aller drei Gruppen auf.

Resümierend läßt sich sagen, daß (1) die Gruppen der Lehrer und Facharbeiter auf der Dimension der formalen Bildung recht weit auseinanderliegen, daß (2) die Gruppe der Sannyasins in den meisten soziodemographischen Variablen größere Ähnlichkeiten zur

Gruppe der Lehrer als zur Gruppe der Facharbeiter aufweist (eigenes Bildungsniveau und Bildungsniveau der Väter, Vorhandensein von Kindern sowie Wohnform und Kirchenzugehörigkeit) und daß (3) ausschließlich in der Gruppe der Facharbeiter eine Mehrzahl von Personen eine normative Lebenssituation aufweist, während die Gruppen der Lehrer und der Sannyasins die hier berücksichtigten Entwicklungsaufgaben des mittleren Erwachsenenalters nur zum Teil bewältigt haben.

Nach den hier vorgestellten Analysen der soziodemographischen Merkmale läßt sich feststellen, daß die beiden im Abschnitt 2.4 vorgestellten Hypothesensätze ("Soziokultureller Wandel" vs. "Normativität der Lebenssituation") zusammenfallen, wenn man das hier berücksichtigte Kriterium akzeptiert (Kombination von "Stabilität des Berufsverlaufs", "Langfristige Beziehung" und "Elternschaft"). Die hier vorgestellten Analysen zur Normativität der Lebenssituation werden in der Diskussion der Ergebnisse berücksichtigt (s. Kapitel 5).

3.3 Instrumente

Die Untersuchungspersonen wurden mit Hilfe zweier methodisch unterschiedlicher Ansätze untersucht. Zum einen wurden alle Untersuchungspersonen in halbstandardisierten Interviews sehr ausführlich zu identitätsrelevanten Themen befragt, zum anderen wurden den Untersuchungspersonen eine Reihe standardisierter Skalen vorgelegt, um die oben beschriebenen Hypothesen auf methodisch unterschiedlichen Wegen überprüfen zu können.

3.3.1 Interviews

Für den Interview-Teil der Untersuchung wurde eine Kombination von standardisierten und narrativen Methoden verwendet. Das Kernstück der Untersuchung bildet ein halbstrukturiertes Interview, das auf einem Interviewleitfaden aufbaut, der sicherstellt, daß in dem jeweiligen Interview die unterschiedlichsten, identitätsrelevanten Lebensbereiche angesprochen werden. (Der Interviewleitfaden findet sich im Anhang B.)

Zu Beginn des Interviews wurde darum gebeten, die eigene Lebensgeschichte, die gegenwärtige Lebenssituation sowie Zukunftspläne zu berichten (3 Fragen). Anschließend wurde zu neun Themenkomplexen sehr detailliert gefragt. Insgesamt wurden 149 Fragen an Verheiratete, 147 Fragen an nicht-verheiratete, aber in Beziehungen lebende Personen und 145 Fragen an Alleinstehende gestellt.

(a) Lebensorganisation

Hier wird nach den Lebenszielen der Person in der Vergangenheit gefragt sowie danach, ob die Person bisherige Ziele auch erreichen konnte. Zusätzlich werden die Stichwörter "Lebenstraum" und "roter Faden im Leben" gegeben. Schließlich geht es um die aktuellen und zukünfigen Herausforderungen, die die Person in ihrem Leben sieht (13 Fragen).

(b) Alter und Tod

In diesen Abschnitten geht es um Anzeichen für biologische Veränderungen im mittleren Erwachsenenalter. Besonderes Gewicht wird auf Fragen nach der Zufriedenheit mit dem eigenen Körper gelegt. Anschließend werden Fragen zu Erfahrungen mit dem Sterben anderer Personen sowie nach der Beschäftigung mit dem eigenen Tod gestellt (13 Fragen).

(c) Lebenssinn

In diesen Abschnitten wird nach Sinnlosigkeitserfahrungen ("versäumtes Leben") sowie explizit nach dem Lebenssinn der Person gefragt. Die Bedeutung von Glaube und Religion bei der Bewältigung von Lebens- und Sinnproblemen wird thematisiert (22 Fragen).

(d) Veränderung

In diesen Abschnitten geht es um wahrgenommene Veränderungen der eigenen Person in der Vergangenheit sowie um die Frage, ob die Person in der Zukunft etwas an sich selbst verändern möchte (7 Fragen).

(e) Selbstverwirklichung und Selbstpräsentation

Hier wird die Frage gestellt, wie wichtig der Person persönliche Entfaltung und Selbstverwirklichung in ihrem Leben ist. Dabei wird nach der Bedeutung des Begriffs Selbstverwirklichung gefragt sowie nach den Lebensbereichen, in denen die Person sich selbst verwirklichen kann. Schließlich sind auch Fragen zum Bereich persönlicher Beziehungen vorgesehen, insbesondere zum Thema Anerkennung oder Kritik durch andere Personen (16 Fragen).

(f) Beruf

Hier wird nach der Bedeutung des Berufs für die Person gefragt, wobei explizit nach dem Lebenssinn im Zusammenhang mit dem Beruf gefragt wird. Dabei geht es um die Erfahrungen der Person im Arbeitsleben, beispielsweise um Auseinandersetzungen mit Vorgesetzten, besondere Fähigkeiten im Beruf und Hilfe am Arbeitsplatz. Schließlich wird um eine Einschätzung des Arbeitslebens gebeten (22 Fragen).

(g) Familie und Kinder

In diesen Abschnitten wird nach der Bedeutung von Familie und Kindern für die Person gefragt, wobei explizit der Lebenssinn im Zusammenhang mit Familie und Kindern thematisiert wird. Zur Sprache kommt auch die Gestaltung der Ehe sowie Probleme in der Beziehung zum Ehepartner wegen eigener Aktivitäten zur Selbstverwirklichung. Schließlich wird nach der Bedeutung der eigenen Kinder für die Person gefragt. Diese Fragen unterscheiden sich in Zahl und Formulierung für die Gruppen der verheirateten, der in einer "freien" (nicht-legalisierten) Beziehung lebenden und der alleinstehenden Personen (29 Fragen für Verheiratete, 27 Fragen für Personen, die in einer Beziehung leben, 25 Fragen für Alleinstehende).

(h) Freizeit und Urlaub

In diesen Abschnitten wird nach der Bedeutung von Freizeit und Urlaub für die Person gefragt. Es geht dabei um Freizeitaktivitäten und um Erfahrungen mit Alkohol und Drogen. Schließlich wird nach der Bedeutung von Urlaub für die Person gefragt. Dabei geht es auch um die Frage, ob die Person besondere Vorkehrungen trifft (Halbtagsstelle, "jobben"), um genügend Zeit für Freizeit und Urlaub zu haben (18 Fragen).

(i) Zukunftserwartungen

Im letzten Abschnitt geht es um die Zukunftserwartungen der Person. Dabei wird nach Erwartungen sowohl für das hohe Alter und als auch für die Zeit zehn Jahre nach dem Zeitpunkt des Interviews gefragt (6 Fragen).

Nach dem Interview wurden der Untersuchungsperson zwei kurze Beschreibungen von Dilemma-Situationen vorgelegt. In den beschriebenen Situationen geht es jeweils um eine Person, die zwischen zwei Handlungsalternativen zu wählen hat. Der Konflikt begründet sich in den gegensätzlichen Werten, die durch die beiden Alternativen angesprochen wurden:

Verantwortlichkeit für andere Personen auf der einen Seite, Selbstverwirklichung auf der anderen Seite. Die Analyse dieser Dilemma-Situationen ist nicht Gegenstand der vorliegenden Arbeit.

3.3.2 Standardisierte Meßinstrumente

Zusätzlich zu den Interviews wurden den Untersuchungspersonen standardisierte Meßinstrumente vorgelegt, die zum Teil aus der Literatur entnommen wurden und zum Teil neu konstruiert wurden. Insgesamt wurden den Untersuchungspersonen 18 standardisierte Meßinstrumente (mit insgesamt 244 Items) vorgelegt. Da zu einigen Items nicht von allen Untersuchungspersonen Antworten vorlagen, wurden Items, die von weniger als 25 Untersuchungspersonen beantwortet wurden, sowie Meßinstrumente, in denen mindestens 50% der Items von weniger als 25 Personen beanwortet wurden, aus der Analyse ausgeschieden. In die statistischen Analysen gingen damit 14 Meßinstrumente (mit 196 Items) ein. In Anhang C finden sich alle Meßinstrumente, die den Versuchspersonen vorgelegt wurden. Im folgenden sollen nur die Meßinstrumente beschrieben werden, die in die statistischen Analysen eingehen.

Die 14 zur statistischen Analyse herangezogenen Meßinstrumente wurden anhand konzeptueller Überlegungen in vier Kategorien geordnet: Selbstbeschreibung (hier wird nach der Zustimmung zu faktischen selbstbezogenen Propositionen gefragt), Werte (hier wird nach zentralen Werten gefragt), Anomie/Alienation (hier wird nach der Entfremdung von herkömmlichen, traditionellen Werten gefragt) und Kontrollüberzeugung (hier wird nach sehr allgemeinen Ursachenkategorien für Erfolg und Mißerfolg des eigenen Lebens gefragt). In Tabelle 3.2 findet sich eine Übersicht der in dieser Studie verwendeten Meßinstrumente. (Die Reliabilitäten der Meßinstrumente werden in Abschnitt 4.2 berichtet.)

(a) Selbstbeschreibung

1. Aspekte der Identität (Aspects of Identity, Hogan & Cheek, 1983, 21 Items): In dieser Skala wird nach Identitätsreferenten gefragt, die für das eigene Selbstverständnis wichtig sind. Nach Hogan & Cheek ist diese Skala zweidimensional. Die erste Dimension betrifft die "Soziale Identität" und wird durch folgende Markiervariablen bestimmt: Soziale Herkunft, Beliebtheit bei anderen Menschen, Zugehörigkeit zu Gruppen sowie der Stolz, Bürger eines bestimmten Staates zu sein.

Abbildung 3.2: Übersicht der standardisierten Meßinstrumente, die in die statistischen Analysen eingehen. (In Klammern sind die Zahlen der Items pro Meßinstrument angegeben).

	Neukonstruierte Meßinstrumente	Aus der Literatur übernommene Meßinstrumente	
		Keine Information zu Reliabilität oder Dimensionalität	Information zu Reliabilität oder Dimensionalität
Selbstbeschreibung	Selbstdefinition (9) Wer bin ich? (1) Wege der Selbsterfahrung (6)		Aspekte der Identität (21)
Werthaltungen		Social Compassion (9)	Terminal Values (18)
Anomie/Alienation	Resignative Gegenwarts-orientierung (30)	Anomie (3) Alienation (17) Alienation (10)	Counter-Cultural Attitudes (47)
Kontroll-überzeugung	Verantwortlichkeit für Erfolg (9) Verantwortlichkeit für Mißerfolg (9) Verantwortlichkeit für Leiden (7)		

Die zweite Dimension betrifft die "Personale Identität" und wird durch die folgenden Variablen definiert: Persönliche Wertüberzeugungen, Träume und Phantasien, persönliche Ziele sowie das Gefühl, ein einzigartiger Mensch zu sein. Es handelt sich bei dieser Skala um eine 5-Punkte-Skala mit den Markierpunkten "Nicht wichtig für mein Selbstverständnis" (1), "Ziemlich wichtig für mein Selbstverständnis" (3) und "Ausgesprochen wichtig für mein Selbstverständnis" (5). Für die Analysen in der vorliegenden Studie wird der Aufteilung von Hogan & Cheek (1983) in jeweils eine Subskala der "Sozialen Identität" (11 Items) und der "Personalen Identität" (10 Items) gefolgt (s. Anhang C). Diese beiden Skalen werden in den nachfolgenden Analysen verwendet. Die Punktsumme der Items wird durch die Zahl der Items geteilt (die theoretischen Endpunkte der beiden Skalen sind damit "1"=geringe Ausprägung und "5"=hohe Ausprägung").

2. Selbstdefinition (Neuentwicklung, 9 Items): Hier werden selbstbezogene Aussagen vorgegeben, denen die Untersuchungsperson zustimmen kann. Ziel dieses Meßinstruments ist es, unterschiedliche Bereiche zentraler Selbstbeschreibungen ausfindig zu machen. Diese Bereiche umfassen persönliche und familiäre Beziehungen sowie religiöse und moralische Überzeugungen. Beispiele: "Ich bemühe mich, Gottes Willen zu tun" und "Ich habe ein sehr enges Verhältnis zu meinen Kindern". Es wird eine 4-Punkte-Skala mit den Einteilungen "stimmt genau" (+2), "stimmt in etwa" (+1), "eher unzutreffend" (-1) und "völlig falsch" (-2) vorgegeben. Für die statistischen Analysen werden die Skalenpunkte umkodiert ("+2"=4, "+1"=3, "-1"=2, "-2"=1).

3. Häufigkeit der Frage "Wer bin ich?": (Neuentwicklung, 1 Item): In diesem Item wird danach gefragt, wie häufig sich Personen die Frage stellen, wer sie in Wirklichkeit eigentlich seien. Ziel dieses Items ist es, die Häufigkeit selbstbezogener Reflexion zu erfassen. Es wird eine 4-Punkte-Skala mit den Einteilungen "oft" (+2), "manchmal"(+1), "selten"(-1) und "nie" (-2) vorgegeben. Für die statistischen Analysen werden die Skalenpunkte umkodiert ("oft" = 4, "manchmal" = 3, "selten" = 2, "nie" = 1).

4. Wege der Selbsterfahrung (Neuentwicklung, 6 Items): In diesen Items wird danach gefragt, auf welche Weise man am besten herausfinden kann, wer man selbst wirklich ist. Ziel dieser Items ist es, die Bedeutung von Selbsterfahrung für die Person sowie den Modus der Selbsterfahrung zu ermitteln. Beispiel: "Der beste Weg herauszufinden, wer man wirklich ist, besteht darin, an einer schwierigen und herausfordernden Aufgabe mit vollem Einsatz zu arbeiten." Es werden 4-Punkte-Skalen mit den Einteilungen "stimmt genau" (+2), "stimmt in etwa" (+1), "eher unzutreffend" (-1) und "völlig falsch" (-2) vorgegeben. Für die statistischen Analysen werden die Skalenpunkte umkodiert ("+2"=4, "+1"=3, "-1"=2, "-2"=1).

Für die statistischen Analysen werden die 19 Items der drei neukonstruierten Meßinstrumente zu zwei Skalen zusammengefaßt (s. Anhang C). In der ersten Skala ("Selbstbezug", 6 Items) wird nach Selbstbeschreibungen gefragt, in denen persönliche Wertüberzeugungen, Gefühle und Persönlichkeitseigenschaften im Mittelpunkt stehen. In der zweiten Skala ("Sozialbezug", 10 Items) werden Selbstbeschreibungen vorgegeben, in denen Beziehungen zu anderen Personen wie Eltern, Freunde, Partner oder Kinder von Bedeutung sind. Um die Vergleichbarkeit der Skalen zu gewährleisten, wird die Punktsumme der Items durch die Zahl der Items geteilt (die theoretischen Endpunkte der Skalen sind damit "1"=geringe Ausprägung und "4"=hohe Ausprägung").

(b) Werte

1. Terminal Values (Rokeach, 1973, 18 Items): In dieser Skala werden der Person Wertbegriffe vorgelegt, die durch kurze Definitionen erläutert sind (beispielsweise: "Frieden in der Welt: eine Welt frei von Kriegen und Konflikten" oder "Soziale Anerkennung: Respekt, Bewunderung"). Die Untersuchungsperson wird darum gebeten, diese Werte in eine Reihenfolge zu bringen, die die Wichtigkeit der Werte für sie selbst wiedergibt. Rokeach (1973) unterscheidet dabei zwischen jenen Werten, in denen es um die Erwünschtheit eines Endzustandes geht ("terminal values"), und solchen Werten, in denen es um die Erwünschtheit der Mittel geht, mit denen man Endzustände erreichen kann ("instrumental values"). In der vorliegenden Studie wurden den Untersuchungspersonen ausschließlich die Liste von 18 "terminal values" vorgelegt. Rokeach (1973) berichtet über die Test-Retest-Reliabilitäten der "terminal values" (diese liegen in einer Stichprobe von 250 Personen zwischen .51 und .88, Median: .65) sowie über die Faktorstruktur aller 36 Werte (7 Faktoren klären etwa 40,8% der Gesamtvarianz auf). Obwohl die Skalierung der Werte ipsativ ist (jeder Wert wird in seiner Bedeutung relativ zur Bedeutung aller anderen Werte eingeschätzt; bei Kenntnis der Rangplätze der ersten 17 Werte ist der Rangplatz des 18. Wertes festgelegt), argumentiert Rokeach für eine normative Verwendung der Wertskala, da die mittlere Interkorrelation der Items nur sehr gering ist (-.06), und resümiert: "The value survey can be employed to yield what Cattell calls normative ipsative data." (p.42) Rokeach verwendet alle 18 Items in den verschiedensten Untersuchungen, in denen Gruppenvergleiche durchgeführt werden (z.B. Vergleiche zwischen Geschlechtern, sozioökonomischen Schichten und Kohorten). Trotz der Abhängigkeit der Items wird diesem Vorgehen Rokeachs in den zu berichtenden Analysen gefolgt. Die ursprüngliche Rangplatzfolge ("1"=wichtigster Wert; "18"=unwichtigster Wert) wird in der vorliegenden Untersuchung vertauscht (neue Rangplatzfolge: "18"=wichtigster Wert; "1"=unwichtigster Wert). Jedes Item geht in die nachfolgenden Analysen separat ein.

2. Social Compassion (Rokeach, 1969, 9 Items): In einer Studie zur Beziehung zwischen religiösen Werten und sozialem Mitgefühl ("social compassion") legte Rokeach (1969) erwachsenen US-Amerikanern (N=1.400) sowohl die "terminal value survey" als auch eine Reihe von Aussagen vor, in denen unter anderem Stellung genommen wurde zur Ermordung Martin Luther Kings, zur Bürgerrechtsbewegung in den USA und zu Studentenprotesten. Hohe persönliche Bedeutung der Ziele "Erlösung" und "Vergebung" und Häufigkeit des Kirchenbesuchs korrelierten negativ mit sozialem Mitgefühl. Über die Reliabilität des "social compassion"-Meßinstruments macht Rokeach (1969) keine Angaben. Aus den von Rokeach verwendeten Items wurden hier die neun Items ausgewählt, die auch Nordquist (1978) verwendete (eine zehnte von Nordquist verwendete Frage wurde ausgeschieden). In diesen

Fragen geht es um die Behandlung straffällig gewordener Menschen, um Chancengleichheit, die Behandlung Drogenabhängiger sowie die Beurteilung von Armut. Das Antwortformat ist eine 4-Punkte-Skala mit den Ausprägungen "stimmt genau" (+2), "stimmt in etwa" (+1), "eher unzutreffend" (-1) und "ist völlig falsch" (-2). Für die statistischen Analysen werden die Skalenpunkte umkodiert ("+2"=4, "+1"=3, "-1"=2, "-2"=1). In die nachfolgenden Analysen geht eine aus allen Items gebildete Skala ein (s. Anhang C). Um die Vergleichbarkeit der Skalen zu gewährleisten, wird die Punktsumme der Items durch die Zahl der Items geteilt (die theoretischen Endpunkte der Skala sind damit "1"=geringe Ausprägung und "4"=hohe Ausprägung").

(c) Anomie/Alienation

1. Counter-Cultural Attitude Scale (Musgrove, 1974, 47 Items): Musgrove (1974) konstruierte diese Skala, um zu messen, ob Personen Werte vertreten, die als Werte einer "Gegenkultur" angesehen werden können. Musgrove definiert "counter culture" folgendermaßen: "The counter culture is a revolt of the unoppressed. It is a response not to constraint, but to openness. It is a search for the new interactional norms in the widening, more diffuse margins of postindustrial societies." (p.19) Musgrove (1974) konzipierte eine Skala mit 48 Items (split-half-reliability: .96, N=150), die sich durch eine fünffaktorielle Struktur beschreiben läßt. Die beiden Faktoren mit der höchsten Varianzaufklärung betreffen zum einen die resignative Besorgnis wegen einer zunehmenden Technisierung der Welt und zum anderen die opponierende Einstellung zu Gesetzen sowie gesellschaftlichen Einrichtungen, die Regeln durchsetzen und Macht verkörpern. Die drei restlichen Faktoren stehen für Hedonismus, Wunsch nach einfachem und natürlichem Leben und Wunsch nach gemeinschaftlichem Leben. Mit dieser Skala führt Musgrove unter anderem Kohortenvergleiche durch, in denen sich hohe Ausprägungen von "counter-cultural attitudes" bei 30jährigen zeigen, die sich von den geringen Ausprägungen bei 50jährigen signifikant unterscheiden. Die Items bestehen aus 4-Punkte-Skalen mit den Einteilungen "stimmt genau" (+2), "stimmt in etwa" (+1), "eher unzutreffend" (-1) und "völlig falsch" (-2). Für die statistischen Analysen werden die Skalenpunkte umkodiert ("+2"=4, "+1"=3, "-1"=2, "-2"=1). Da ein Item der Originalskala ausgeschieden wurde, beträgt die Zahl der Items 47. In die nachfolgenden Analysen geht eine aus allen Items gebildete Skala ein (s. Anhang C). Um die Vergleichbarkeit der Skalen zu gewährleisten, wird die Punktsumme der Items durch die Zahl der Items geteilt (die theoretischen Endpunkte der Skala sind damit "1"=geringe Ausprägung und "4"=hohe Ausprägung).

2. Anomie (Musgrove, 1974, 3 Items): In seiner Studie zu Werthaltungen der Gegenkultur konstruierte Musgrove (1974) eine 3-Item-Skala, die den Grad individueller Anomie messen

soll, und bemerkt dazu: "A short scale was constructed which indicated pessimism, distrust of people, and a sense of purposelessness of life. The items appeared to encompass the very general sense of anomie expressed by Aron (1972, p.177), 'the absence of a system of values or of behaviour patterns which would at once impose itself with self-evident authority'." (p.105) Nach Musgrove korreliert Anomie positiv mit "counter-cultural attitudes" (r=.30). In der vorliegenden Studie werden diese Items als 4-Punkte-Skalen mit den Einteilungen "stimmt genau" (+2), "stimmt in etwa" (+1), "eher unzutreffend" (-1) und "völlig falsch" (-2) verwendet. Für die statistischen Analysen werden die Skalenpunkte umkodiert ("+2"=4, "+1"=3, "-1"=2, "-2"=1). In die nachfolgenden Analysen geht eine aus allen Items gebildete Skala ein (s. Anhang C). Um die Vergleichbarkeit der Skalen zu gewährleisten, wird die Punktsumme der Items durch die Zahl der Items geteilt (die theoretischen Endpunkte der Skala sind damit "1"=geringe Ausprägung und "4"=hohe Ausprägung).

3. <u>Alienation</u> (Keniston, 1960, 17 Items): In seiner Studie "The uncommitted" beschreibt Keniston die Entfremdung von gesellschaftlichen Werten als moderne Form des jugendlichen Opponierens. Auf diesen Überlegungen aufbauend wird in dieser Studie eine Skala verwendet, mit deren Hilfe die Alienation einer Person (Entfremdung von hergebrachten Werten) gemessen werden soll. Angaben zur Reliabilität und zur Dimensionalität dieser Skala liegen nicht vor. Die Items bestehen aus 4-Punkte-Skalen mit den Einteilungen "stimmt genau" (+2), "stimmt in etwa" (+1), "eher unzutreffend" (-1) und "völlig falsch" (-2). Für die statistischen Analysen werden die Skalenpunkte umkodiert ("+2"=4, "+1"=3, "-1"=2, "-2"=1). In die nachfolgenden Analysen geht eine aus allen Items gebildete Skala ein (s. Anhang C). Um die Vergleichbarkeit der Skalen zu gewährleisten, wird die Punktsumme der Items durch die Zahl der Items geteilt (die theoretischen Endpunkte der Skala sind damit "1"=geringe Ausprägung und "4"=hoheAusprägung).

4. <u>Alienation</u> (Nordquist, 1978, 10 Items): In Anlenhung an Rigby (1974) konstruierte Nordquist eine Skala, mit deren Hilfe die Alienation von Mitgliedern einer neoreligiösen Gruppe untersucht werden sollte. Nordquist berichtet, daß die Zustimmung zu einigen der Items in der Gruppe recht hoch ist (beispielsweise zu den Aussagen "Der Mensch ist in erster Linie ein schöpferisches Wesen" und "Heutzutage scheint den meisten Menschen das Gefühl zu fehlen, irgendwo dazu zu gehören"), erwähnt aber weder die Reliabität noch die Dimensionalität dieser Skala. Die Items bestehen aus 4-Punkte-Skalen mit den Einteilungen "stimmt genau" (+2), "stimmt in etwa" (+1), "eher unzutreffend" (-1) und "völlig falsch" (-2). Für die statistischen Analysen werden die Skalenpunkte umkodiert ("+2"=4, "+1"=3, "-1"=2, "-2"=1). In die nachfolgenden Analysen geht eine aus allen Items gebildete Skala ein (s. Anhang C). Um die Vergleichbarkeit der Skalen zu gewährleisten, wird die Punktsumme

der Items durch die Zahl der Items geteilt (die theoretischen Endpunkte der Skala sind damit "1"=geringe Ausprägung und "4"=hohe Ausprägung).

5. Resignative Gegenwartsorientierung (Neuentwicklung, 30 Items): In dieser Skala wird nach Sinnlosigkeitserfahrungen, Mißtrauen gegen andere Personen, Resignation gegenüber unkontrollierbaren Ereignissen und Egoismus gefragt. Beispiele: "Man kann eigentlich gar nichts planen, das Leben ist viel zu unbestimmt" und "Es ist viel sinnvoller, sich mit dem abzufinden, was man hat, als ständig Illusionen nachzulaufen", "Das Wichtigste im Leben ist doch, daß man sein Auskommen hat". Es werden 4-Punkte-Skalen mit den Einteilungen "stimmt genau" (+2), "stimmt in etwa" (+1), "eher unzutreffend" (-1) und "völlig falsch" (-2) vorgegeben. Für die statistischen Analysen werden die Skalenpunkte umkodiert ("+2"=4, "+1"=3, "-1"=2, "-2"=1). In die nachfolgenden Analysen geht eine aus allen Items gebildete Skala ein (s. Anhang C). Um die Vergleichbarkeit der Skalen zu gewährleisten, wird die Punktsumme der Items durch die Zahl der Items geteilt (die theoretischen Endpunkte der Skala sind damit "1"=geringe Ausprägung und "4"=hohe Ausprägung).

(d) Kontrollüberzeugung

1. Verantwortlichkeit für Erfolg im Leben (Neuentwicklung, 9 Items): In dieser Skala wird nach verschiedenen Ursachen für allgemeinen Lebenserfolg gefragt. Ziel dieser Skala ist es, eine Verantwortlichkeitszuschreibung für verschiedene externe und interne Ursachen vorzunehmen. Beispiele: "Wenn sich in meinem Leben alles so entwickelt, wie ich es mir vorstelle, so liegt das daran, daß ich mich wirklich angestrengt habe" und "Wenn sich in meinem Leben alles so entwickelt, wie ich es mir vorstelle, so verdanke ich das meiner Familie". Es werden 4-Punkte-Skalen mit den Einteilungen "stimmt genau" (+2), "stimmt in etwa" (+1), "eher unzutreffend" (-1) und "völlig falsch" (-2) vorgegeben. Für die statistischen Analysen werden die Skalenpunkte umkodiert ("+2"=4, "+1"=3, "-1"=2, "-2"=1).

2. Verantwortlichkeit für Mißerfolg im Leben (Neuentwicklung, 9 Items): In dieser Skala wird (komplementär zu der vorangegangenen) danach gefragt, welche externen und internen Faktoren für Mißerfolg im Leben verantwortlich sind. Auch hier ist das Ziel, eine Verantwortlichkeitszuschreibung für verschiedene externe und interne Ursachen vorzunehmen. Beispiele: "Wenn in meinem Leben etwas schiefgeht, so liegt das daran, daß ich mich nicht genügend angestrengt habe" und "Wenn in meinem Leben etwas schiefgeht, so liegt das an meiner Familie". Es werden 4-Punkte-Skalen mit den Einteilungen "stimmt genau" (+2), "stimmt in etwa" (+1), "eher unzutreffend" (-1) und "völlig falsch" (-2) vorgegeben. Für die statistischen Analysen werden die Skalenpunkte umkodiert ("+2"=4, "+1"=3, "-1"=2, "-2"=1).

3. Ursache von menschlichem Leid (Neuentwicklung, 7 Items): In dieser Skala wird danach gefragt, worin die Gründe und Ursachen für menschliches Leiden (oder Leiden in der Welt) bestehen. Ziel ist es, Aufschluß über verschiedene Zuschreibungen allgemeinen Mißerfolgs zu erlangen. Beispiele: "In der Regel sind die Menschen selbst der Grund für ihr eigenes Leiden" und "Der größte Teil des Leidens wird durch ungerechte soziale Verhältnisse verursacht". Es werden 4-Punkte-Skalen mit den Einteilungen "stimmt genau" (+2), "stimmt in etwa" (+1), "eher unzutreffend" (-1) und "völlig falsch" (-2) vorgegeben. Für die statistischen Analysen werden die Skalenpunkte umkodiert ("+2"=4, "+1"=3, "-1"=2, "-2"=1).

Aus den 25 Items dieser drei neukonstruierten Meßinstumente wurden zwei Skalen gebildet (s. Anhang C). In der ersten Skala ("Externale Kontrollüberzeugung", 15 Items) sind diejenigen Items zusammengefaßt, in denen die Verursachung von Erfolg oder Mißerfolg im Leben sowie menschliches Leiden auf äußere Umstände (wie andere Personen oder soziale Verhältnisse) zurückgeführt werden. In der zweiten Skala ("Internale Kontrollüberzeugung", 10 Items) sind diejenigen Items zusammengefaßt, in denen als Ursachen für Erfolg oder Mißerfolg im Leben sowie menschliches Leiden in der Person liegende Faktoren genannt werden (wie "Anstrengung" oder "Verbindung zum eigenen Selbst haben"). Um die Vergleichbarkeit der Skalen zu gewährleisten, wird die Punktsumme der Items durch die Zahl der Items geteilt (die theoretischen Endpunkte der Skalen sind damit "1"=geringe Ausprägung und "4"=hohe Ausprägung).

(e) Zusammenfassung

In dieser Studie wurden den Untersuchungspersonen insgesamt 18 standardisierte Meßinstrumente mit 244 Items vorgelegt. Sieben Meßinstrumente wurden der Literatur entnommen, 11 Meßinstrumente wurden neu konstruiert. Da 4 der neuentwickelten Meßinstrumente nicht von allen Untersuchungspersonen bearbeitet wurden, gingen in die statistischen Analysen insgesamt 14 Meßinstrumente mit 196 Items ein. Nach inhaltlicher Ähnlichkeit wurden 4 thematische Bereiche unterschieden: Selbstbeschreibung, Werte, Anomie/Alienation und Kontrollüberzeugung.

Die aus der Literatur übernommenen Meßinstrumente wurden nach den in der Literatur enthaltenen Angaben zu Skalen zusammengefaßt. Die neukonstruierten Meßinstrumente wurden nach konzeptuellen Überlegungen zu Skalen zusammengefaßt (s. Anhang C). Es liegen damit 12 Skalen und 18 Items vor (Selbstbeschreibung: 4 Skalen; Werte: 1 Skala und 18 Items; Anomie/Alienation: 5 Skalen; Kontrollüberzeugung: 2 Skalen). Für 3 der 7 aus der Literatur entnommenen Meßinstrumente liegen Informationen über Reliabilität und/oder Dimensionalität vor (Hogan & Cheek, 1983; Musgrove, 1974; Rokeach, 1973). Die auf den

Daten der vorliegenden Studie basierenden Reliabilitäten (interne Konsistenzen) für alle 12 Skalen werden im Ergebnisteil (Abschnitt 4.2) berichtet.

3.4 Erhebung

Alle Untersuchungspartner, die an dieser Studie teilnahmen, wurden im persönlichen Kontakt um die Teilnahme an der Studie gebeten. Eine zufällige Stichprobenziehung schien insbesondere im Fall der Mitglieder der neoreligiös-therapeutischen Gemeinschaft nicht durchführbar.

Die Erhebung wurde von vier verschiedenen Interviewern durchgeführt. Interviews wurden an drei Untersuchungsterminen entweder in der Wohnung der Untersuchungsperson oder in Laborräumen des Max-Planck-Instituts für Bildungsforschung in Berlin durchgeführt. Die Interviews dauerten insgesamt zwischen zweieinhalb und fünf Stunden. Eine vierte Sitzung diente der Bearbeitung der standardisierten Meßinstrumente. Die Erhebungsphase begann im Herbst 1985 und endete im Frühjahr 1986. Die Untersuchungspersonen erhielten als Honorar für ihre Teilnahme 100,- DM.

Alle Interviews wurden auf Tonband aufgezeichnet und anschließend verschriftet. Die Verschriftungen folgten der Regel, umgangssprachliche gesprochene Wörter (wie die Berliner Wörter "ick" oder "det") als hochdeutsch geschriebene Wörter wiederzugeben (also als "ich" und "das"). Satzzeichen (insbesondere Satzendzeichen) wurden dort eingefügt, wo es der Sinn des Zusammenhangs erforderte. Ansonsten wurden die Verschriftungen wortgetreu durchgeführt. Insgesamt sechs Personen führten die Verschriftungen durch. Bei sechs Interviews (jeweils ein Interview pro verschriftende Person) wurde die Tonbandaufzeichnung mit der Verschriftung verglichen. Die überprüften Verschriftungen zeigten nur unwesentliche, den Sinn nicht entstellende Abweichungen von der Tonbandaufzeichnung.

3.5 Inhaltsanalytisches Vorgehen

Die Auswertung der Interviews geschah in zwei Schritten, um der Materialfülle gerecht zu werden (die durchschnittliche Seitenzahl der transkribierten Interviews betrug 124, mit einem Range von 57 bis 276 Seiten). Der erste Schritt diente der explorativen Analyse der Interviews. In einem zweiten Schritt wurden die Interviewprotokolle von Ratern hinsichtlich der in ihnen berichteten Identitätsprojekte und Identitätstransformationen eingeschätzt.

3.5.1 Explorative Analyse

In einem ersten Schritt ging es darum, die Existenz eines Phänomens nachzuweisen. Aus diesem Grund wurden alle Interviews nach zentralen Lebenszielen und wahrgenommenen Veränderungen von Lebenszielen fallweise analysiert. Vier Analysen wurden dazu durchgeführt: Erstellung eines Lebenslaufschemas, Zitataufstellung, Inventarisierung nach Fragen und Auflistung der berichteten kritischen Lebensereignisse.

(a) Lebenslaufschema

Für jedes Interview wurde von zwei Codierern ein Lebenslaufschema angefertigt. (Diese Codierer werden im folgenden "Rater 1" [CTR] und "Rater 3" genannt.) Dieses Lebenslaufschema enthält neben Jahreszahlen das Alter der jeweiligen Untersuchungsperson. Jedes wichtige Lebensereignis, das die Person im Interview unter Angabe eines Datums oder ihres Lebensalters erwähnt oder bei dem das Datum (Jahr) oder das Alter der Person eindeutig erschlossen werden kann, wurde in dieses Lebenslaufschema eingetragen. Die beiden Codierer kamen im Konsensverfahren zu einem gemeinsamen Lebenslaufschema. Damit wird es möglich, den Zeitablauf des bisherigen Lebens der Person abzubilden.

(b) Zitatsammlung

Für die Bereiche persönliche Beziehungen, Arbeit, Freizeit, Person und Veränderung wurde pro Interview eine Zitataufstellung von selbstbezogenen Äußerungen angefertigt. Diese Zitataufstellung war ein Nebenprodukt des Ratingprozesses (s.u., vgl. Anhang E). Die Rater wurden darüber informiert, daß mit dem Begriff "Äußerung" ein in sich verständlicher Ausschnitt des Interviews und mit dem Begriff "selbstbezogene Äußerung" jene Aussagen gemeint sind, in denen es um Eigenschaften, Verhaltensweisen, Handlungen, Wünsche, Ziele, Träume, Beziehungen, Arbeitstätigkeit und Freizeitaktivitäten der Person geht. Alle selbstbezogenen Äußerungen wurden von den Ratern mit eigenen Worten zusammengefaßt und auf vorbereiteten Bögen mit der Seitenzahl, der die jeweilige Äußerung entstammte, niedergeschrieben. Damit ist die Möglichkeit gegeben, relevante selbstbezogene Äußerungen fallweise zusammenzustellen.

(c) Inventarisierung der Fragen

Die Fragen, die in jedem Interview gestellt wurden, wurden inventarisiert, das heißt für jedes Interview wurde aufgelistet, auf welcher Seite des Interviewprotokolls die verschiedenen

Fragen des Interviewleitfadens zu finden sind. Die Inventarisierung der Interviews erlaubt ein rasches und effektives Auffinden relevanten Interviewmaterials.

(d) Berichtete kritische Lebensereignisse

Die berichteten kritischen Lebensereignisse pro Interview wurde von zwei Codern ermittelt ("Rater 3" und "Rater 4"). Kritische Lebensereignisse wurden definiert als zeitlich lokalisierbare, wichtige Vorfälle im Leben einer Person, die von der Person im Interview erwähnt werden und die sich in der Zeit zwischen dem 21. Lebensjahr und dem Zeitpunkt des Interviews abgespielt haben. Für die Wichtigkeit eines Ereignisses wurden zwei Kriterien angegeben: (1) Zum einen sollten alle Ereignisse, die in einer Liste kritischer Lebensereignisse aufgeführt wurden, als kritisches Lebensereignis aufgenommen werden. Hierzu wurde ein Kategoriensystem mit 21 Klassen kritischer Lebensereignisse erstellt (in Anlehnung an Gräser, Esser & Saile, 1981, Mummendey & Sturm, 1981). (2) Als kritische Lebensereignisse sollten daneben auch solche Ereignisse gescort werden, die von der Person selbst als sehr bedeutsam beurteilt wurden. Für die vorliegenden Analysen wird die Summe der kritischen Lebensereignisse verwendet. (Die Codieranweisungen sind in Anhang D zu finden.)

(e) Zusammenfassung

Resultat der explorativen Analysen ist die Aufstellung von Interviewmaterial, mit dem Lebensziele (Identitätsprojekte), Veränderungen von Lebenszielen (Identitätstransformationen) und kritische Lebensereignisse illustriert werden können.

3.5.2 Ratings

In einem zweiten Analyseschritt wurden alle Interviews anhand von vorgegebenen Ratingskalen inhaltsanalysiert. Dazu wurden die oben beschriebenen sechs Typen von Identitätsprojekten sowie sechs korrespondierende Identitätstransformationen (jeweils eine pro Identitätsprojekt) herangezogen. Die Identitätsprojekte und Identitätstransformationen wurden als voneinander unabhängige, kontinuierliche Dimensionen konzeptualisiert. In Anhang E finden sich die Anweisungen, anhand derer dieser Ratingprozeß durchgeführt wurde. Die Definitionen für die Typen von Identitätsprojekten und für die Identitätstransformationen lauteten wörtlich folgendermaßen:

(a) Rollenstatus aufrechterhalten

Die Person schildert, eine konkrete soziale Position (soziale Rolle oder Status) einzunehmen. Beispiele für einen Rollenstatus (eine soziale Position) sind berufliche Stellung, Familienstand, Stellung in Parteien oder Vereinen, sozial anerkannte Eigenschaften und/oder Besitz von Dingen. Die Person schildert, mit ihrer sozialen Position zufrieden zu sein und sich darum zu bemühen, sie aufrechtzuerhalten. Eine Veränderung ihres Rollenstatus ist von der Person nicht erwünscht. Die Person bezieht sich in der Verwirklichung ihres Lebensziels auf andere Menschen oder soziale Institutionen. Die Person bezieht sich in der Verwirklichung ihres Lebensziels auf die Gegenwart.

(b) Statusziele realisieren

Die Person schildert, in der Zukunft eine konkrete soziale Position (Rolle oder Status) erreichen zu wollen. Beispiele für einen Rollenstatus (eine soziale Position) sind berufliche Stellung, Familienstand, Stellung in Parteien oder Vereinen, sozial anerkannte Eigenschaften und/oder Besitz von Dingen. Die Person schildert, daß sie versucht, die angestrebte soziale Position zu erreichen. Die Person bezieht sich in der Verwirklichung ihres Lebensziels auf andere Menschen oder soziale Institutionen. Die Person bezieht sich in der Verwirklichung ihres Lebensziels auf die eigene Zukunft (personale Zukunft).

(c) Sozialrelationale Generativität

Die Person schildert, konkrete Beziehungen zu Mitgliedern jüngerer Generationen aufbauen, erhalten oder pflegen zu wollen. Dabei kann es sich um eigene Kinder, um Schüler oder Auszubildende oder um Jugendliche handeln, mit denen sich die Person im Freizeitbereich beschäftigt (z.B. Jugendgruppen). Die Person schildert, sich darum zu bemühen, Beziehungen zu Mitgliedern jüngerer Generationen aufzubauen, zu erhalten oder zu pflegen. Die Person bezieht sich in der Verwirklichung ihres Lebensziels auf andere Menschen oder soziale Institutionen. Die Person bezieht sich in der Verwirklichung ihres Lebensziels auf eine apersonale (nicht die eigene Person betreffende) Zukunft.

(d) Reflexive Rekonstruktion des eigenen Lebens

Die Person schildert, sich mit ihrer eigenen Vergangenheit zu beschäftigen. Die Person überprüft ihr Leben, indem sie es sich vor Augen führt und eventuell anders bewertet. Beispiele für eine Lebensüberprüfung sind Teilnahme an Therapie- oder Selbsterfahrungsgruppen mit dem Ziel, die eigene Vergangenheit aufzuarbeiten, oder Nachdenken über die eigene Vergangenheit. Die Person berichtet von konkreten Situationen, in denen sie über sich selbst nachgedacht hat und in denen sie eventuell die Bewertung ihres eigenen Lebens geändert hat. Die Person bezieht sich in der Verwirklichung ihres Lebensziels auf sich selbst. Die Person bezieht sich in der Verwirklichung ihres Lebensziels auf die (eigene) Vergangenheit.

(e) Selbstverwirklichung

Die Person schildert, daß sie versucht, die eigenen Fähigkeiten und Bedürfnisse zu erkennen und auszudrücken. Die Person ist daran interessiert, sich weiterzuentwickeln, sich selbst kennenzulernen und die eigenen Talente um ihrer selbst willen zu verwirklichen. Dabei geht es der Person nicht in erster Linie darum, eine soziale Position zu erreichen (etwa indem sie sich im Leistungsvergleich von Fähigkeiten als Beste qualifiziert), sondern darum, das "eigene Potential" zu realisieren. Beispiele für Selbstverwirklichung sind Teilnahme an Selbsterfahrungsgruppen (mit dem Ziel, das eigene Selbst kennenzulernen) sowie die ausschließliche Bedeutung des eigenen Erlebens und Fühlens in verschiedenen Lebensbereichen (Arbeit, Freizeit, Beziehungen). Die Person schildert, daß sie sich darum bemüht, ihre Fähigkeiten, Talente oder Bedürfnisse zu erkennen und auszudrücken, und versucht, danach zu leben. Die Person bezieht sich in der Verwirklichung ihres Lebensziels auf sich selbst. Die Person bezieht sich in der Verwirklichung ihres Lebensziels auf Gegenwart und Zukunft.

(f) Generative Selbstaktualisierung

Die Person schildert, ihre Fähigkeiten, Talente oder Bedürfnisse auszudrücken, um damit nachfolgenden Generationen im allgemeinen nützlich zu sein. Dabei geht es der Person nicht darum, Beziehungen zu konkreten Mitgliedern nachfolgender Generationen aufzubauen, sondern in der Realisierung eigenen Potentials (etwa durch die Beschäftigung mit Kunst, Wissenschaft oder Politik) später lebenden Menschen, der zukünftigen Gesellschaft oder der Menschheit im allgemeinen dienlich zu sein. Die Person schildert, daß sie sich darum bemüht, ihre Fähigkeiten, Talente und Bedürfnisse zu erkennen und auszudrücken, und versucht, danach zu leben. Die Person bezieht sich in der Verwirklichung ihres Lebensziels auf sich selbst. Die Person bezieht sich in der Verwirklichung ihres Lebensziels auf eine apersonale (nicht die eigene Person betreffende) Zukunft.

(g) Identitätstransformation

Für jedes der sechs Typen von Lebenszielen soll eingeschätzt werden, ob sich die wahrgenommene (im Interview geäußerte) Zentralität von Lebenszielen in der Vergangenheit der erwachsenen Person verändert hat oder gleich geblieben ist. Die Vergangenheit der erwachsenen Person soll hier definiert werden als der Lebensabschnitt vom 21. Geburtstag der Person (Volljährigkeit) bis zum Zeitpunkt des Interviews. Werden mehrere Veränderungen beschrieben, so handelt es sich dabei um eine Person, die stärkere Veränderungen erfahren hat, als eine Person, die nur eine Veränderung erlebt hat. Die Zentralität (Wichtigkeit) eines Lebensziels soll hier definiert werden als die Bedeutung, die dieses Ziel im Denken und Handeln der Person einnimmt (so wie es im Interview berichtet wird). Ein wichtiges Lebensziel (höchste Ausprägung) bestimmt den Lebenssinn der Person. Ein unwichtiges Lebensziel (geringste Ausprägung) wird entweder als für die Person bedeutungslos beurteilt oder nicht erwähnt. Auf einer Skala, die von 1 bis 7 reicht, soll eingeschätzt werden, wie stark sich die Zentralität eines Lebensziels verändert hat. Veränderung eines Lebensziels liegt dann vor (höchste Ausprägung auf der Skala), wenn sich die Zentralität dieses Lebensziels in der erwachsenen Vergangenheit der Person stark verschoben hat (unbedeutend oder zentral geworden ist). Konstanz eines Lebensziels (geringste Ausprägung auf der Skala) liegt dann vor, wenn sich die Zentralität eines Lebensziels in der erwachsenen Vergangenheit einer Person nicht verschoben hat (gleich geblieben ist). Beispiele für eine hohe Ausprägung der Veränderung eines Lebensziels: Eine Person hat ein Lebensziel zugunsten eines anderen Lebensziels völlig aufgegeben. Das erste Lebensziel hatte zuvor eine hohe Zentralität für die Person, das zweite Lebensziel war zuvor bedeutungslos. Der Wechsel von einem Lebensziel zum anderen hat im Erwachsenenalter der Person stattgefunden. Beispiele für eine geringe Ausprägung der Veränderung eines Lebensziels (Konstanz): Die Person schildert, daß sie ein und dasselbe Lebensziel verfolgt, seitdem sie erwachsen (21 Jahre alt) ist. Die Person beschreibt sich als konstant in Wahrnehmung und Verhalten. Die Person erwähnt in dem gesamten Interview keine Veränderung in ihren Lebenszielen.

(h) Beurteilungsprozess

Drei Beurteiler schätzten die Interviews auf 12 siebenstufigen Ratingskalen ein, deren Endpunkte für Identitätsprojekte "geringe Zentralität" (1) und "hohe Zentralität" (7) sowie für Identitätstransformationen "Stabilität" (1) oder "maximale Veränderung" (7) bedeuteten. Für die richtungsunspezifischen Skalen zu den Identitätstransformationen wurden in einem zweiten Schritt von allen Ratern Richtungsangaben vorgenommen, so daß eine 13stufige Skala entstand, die sich durch die Punkte -6 (bzw. 1) "geringere Zentralität", 0 (bzw. 7) "konstante Zentralität" sowie +6 (bzw. 13) "höhere Zentralität des jeweiligen Identitätsprojekts bezogen auf die Vergangenheit der erwachsenen Person" beschreiben läßt.

Zwei der drei Rater kannten die theoretischen Ziele der Studie nicht (Rater A und B). Diese Rater wurden vor dem Ratingprozess weder über die Hypothesen aufgeklärt noch wurden sie auf die Existenz von drei Gruppen hingewiesen (beide Rater gaben während des "debriefing" allerdings an, in der Gruppe der Sannyasins das zentrale Interesse der Studie vermutet zu haben). Die Reihenfolge der Einschätzung der Interviewprotokolle war zufällig. Die "blinden" Rater schätzten nicht alle Interviews ein, sondern nur ein Subset von n=23. Die Verteilung der Interviewprotokolle auf die beiden "blinden Rater" erfolgte zufällig, wobei die Nebenbedingung berücksichtigt wurde, jeweils drei der sechs längsten Protokolle (Seitenzahl größer als 200 Seiten) an beide Rater zu verteilen. Die Werte der "blinden" Rater A und B wurden zu einem Gesamtwert agglomeriert, indem für jene Analyseeinheiten, für die zwei Werte vorlagen, ein Mittelwert gebildet wurde (n=17), sowie für jene Analyseeinheiten, für die nur der Wert eines Raters vorlag, dieser Wert herangezogen wurde (n=12). Die Reliabilitätsschätzungen wurden mit den Werten des ersten Raters ("Rater 1") und den agglomerierten Werten der beiden anderen Rater ("Rater 2") vorgenommen (Zahl der Rater: k=2).

Um eine möglichst reliable Einschätzung der Interviews zu gewährleisten, wurde eine aufwendige Ratingprozedur durchgeführt, die schematisch in Abbildung 3.3 dargestellt ist. Die Rater waren gehalten, die standardisierte Inhaltsanalyse in drei Schritten zu vollziehen. In einem ersten Schritt wurden die Interviews von den Ratern gründlich gelesen; alle selbstbezogenen Äußerungen wurden mit einem Leuchtstift markiert (Definitionen von "Äußerung" und "selbstbezogen" s. Anhang E). In einem zweiten Schritt wurden alle selbstbezogenen (markierten) Äußerungen von den Ratern schriftlich zusammengefaßt und in den so entstandenen Zusammenfassungen die theoretisch relevanten, auf Lebensentwürfe bezogenen Äußerungen mit einem Leuchtstift hervorgehoben (Definition von "auf Lebensentwürfe bezogen" s. Anhang E). Erst in einem dritten und letzten Schritt wurden die Einschätzungen der Interviews (Ratings) vorgenommen.

Abbildung 3.3: Einschätzung der Interviews hinsichtlich der Identitätsprojekt- und der Identitätstransformation-Skalen

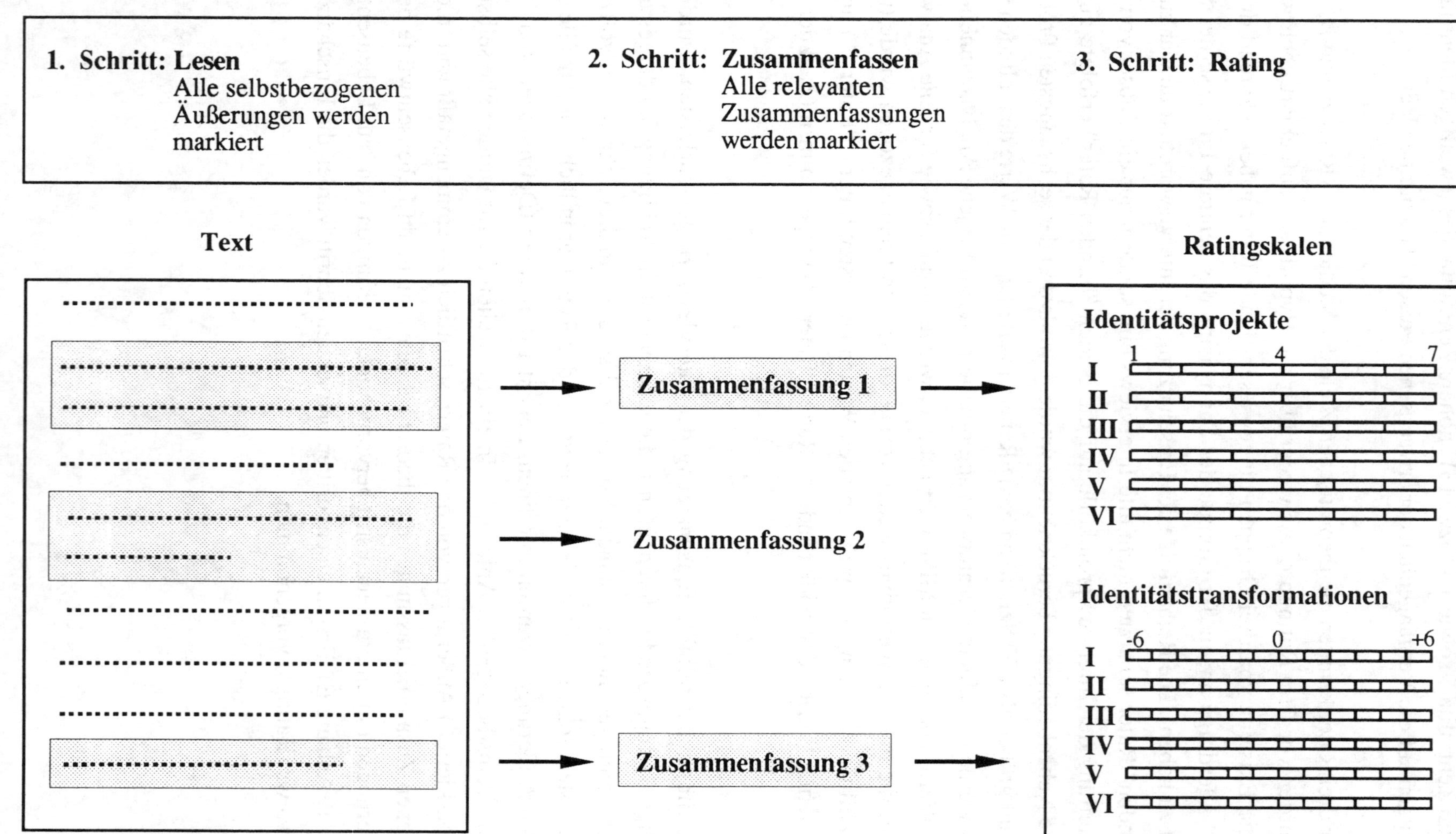

Ein allgemeines Problem bei explorativen Interviewverfahren liegt darin, daß nicht jede Untersuchungsperson alle im Interviewleitfaden vorgesehenen Fragen beantwortet. In Anlehnung an die Überlegungen Blocks (1971) soll hier dafür argumentiert werden, daß alle in dieser Studie verwendeten Interviewprotokolle genügend Informationen enthalten, um die geforderten Beurteilungen vorzunehmen. Block (1971) berichtet von der Reanalyse zweier großer Längsschnittstudien ("Oakland Growth Study" und "Berkeley Guidance Study"), für die sehr unterschiedliche, nur teilweise überlappende Variablen erhoben worden waren. Das Datenmaterial wies zudem noch verschiedene Lücken auf. Die Rater in der Studie von Block erhielten eine Auswahl des zur Verfügung stehenden Materials und führten anhand dieser Auswahl klinische Q-Sorts durch. Auf diese Weise gelangte Block zu einer vollständigen Datenmatrix (identische Variablen für alle Untersuchungspersonen). Block (1971) ging dabei von der Überlegung aus, daß trotz (teilweise) unterschiedlichen Datenmaterials für jede Untersuchungsperson genügend Informationen vorhanden waren, um die geforderten Q-Sorts durchzuführen.

3.6 Zusammenfassung

Drei Gruppen von Personen wurden in dieser Studie untersucht: Facharbeiter (n=11), Lehrer (n=9) und Mitglieder einer neoreligiös-therapeutischen Gemeinschaft (Sannyasins, n=9). Die drei Gruppen unterscheiden sich nicht hinsichtlich des Alters. Unterschiede finden sich hinsichtlich anderer Variablen: Der soziale Status der Herkunftsfamilie ist in der Gruppe der Sannyasins höher als in der Gruppe der Facharbeiter; es finden sich keine Unterschiede zwischen Lehrern und Sannyasins. Das aktuelle Einkommen der Sannyasins ist niedriger als das der Lehrer; zwischen Facharbeitern und Sannyasins finden sich keine Unterschiede. Die Ausbildungsdauer der Lehrer ist höher als die der Sannyasins; die Ausbildungsdauer der Sannyasins ist höher als die der Facharbeiter. Hinsichtlich der Zahl der Kinder und der Wohnform ähneln sich Lehrer und Sannyasins (keine Unterschiede); dagegen zeigen sich Unterschiede zwischen den Facharbeitern und den Sannyasins (die Facharbeiter haben mehr Kinder und wohnen weniger häufig in Wohngemeinschaften). Definiert man die "Normativität der Lebenssituation" als die Kombination einer stabilen Berufskarriere, einer langfristigen persönlichen Beziehung sowie Elternschaft, so läßt sich für die Mehrzahl der Facharbeiter eine normative Lebenssituation konstatieren; nur wenige Sannyasins und Lehrer weisen nach diesem Kriterium eine normative Lebenssituation auf. Die Gruppe der Sannyasins unterscheidet sich von den Gruppen der Facharbeiter und Lehrer hinsichtlich der Stabilität der Berufskarriere: In der Gruppe der Sannyasins weist nur der geringste Teil der Personen eine stabile Berufskarriere auf, während es in den beiden anderen Gruppen die Mehrzahl der Personen ist. Resümierend kann man sagen, daß sich die Gruppen der

Sannyasins und der Lehrer hinsichtlich sozialer Herkunft, Bildung und Normativität der Lebenssituation recht ähnlich sind, während sich die Gruppe der Facharbeiter darin von den beiden anderen Gruppen unterscheidet.

Die Untersuchungspersonen wurden in halbstandardisierten Tiefeninterviews sehr ausführlich zu identitätsrelevanten Themen befragt. Zusätzlich wurde ihnen ein Fragebogen zu soziodemographischen Daten sowie eine Reihe standardisierter Meßinstrumente vorgelegt. Das Interviewmaterial wurde in einem aufwendigen Verfahren inhaltsanalysiert. Damit steht das folgende Datenmaterial zur Verfügung:

(1) Qualitatives Material: Es können anhand von Zitaten exemplarische Belege für Identitätsprojekte und Identitätstransformationen gegeben werden. Zusätzlich ist anhand von Lebenslaufschema und Inventarisierung der Fragen die Möglichkeit gegeben, spezifische Analysen durchzuführen.

(2) Ratingskalen und Zahl kritischer Lebensereignisse: 6 Ratings zur Zentralität von Identitätsprojekten und 6 Ratings zum Ausmaß von Identitätstransformationen stehen zur Verfügung. Zusätzlich wurde die Zahl berichteter kritischer Lebensereignisse erhoben.

(3) Standardisierte Meßinstrumente: Insgesamt gehen 18 Items und 12 Skalen in die Analysen ein. (Für 3 Skalen und 18 Items sind testtheoretische Informationen wie Angaben zur Reliabilität und/oder zur Dimensionalität in der Literatur angegeben.)

4. Ergebnisse

In diesem Kapitel sollen empirische Ergebnisse vorgestellt werden, die Antworten auf die Untersuchungsfragen (Identitätsprojekte und Identitätstransformationen im mittleren Erwachsenenalter sowie Verhältnis zwischen soziokulturellem Wandel und Identität) zu geben versuchen. Es werden die Ergebnisse von drei Analyseschritten berichtet. In einem ersten Abschnitt sollen die in den Inhaltsanalysen gewonnenen Fallbeispiele für die oben beschriebenen Typen von Lebenszielen sowie für Stabilität und Transformation von Lebenszielen dargestellt werden. In einem zweiten Abschnitt werden die Gruppenvergleiche hinsichtlich der Identitätsprojekt- und Identitätstransformation-Ratings beschrieben. In einem dritten Abschnitt schließlich werden die statistischen Analysen der standardisierten Meßinstrumente berichtet.

4.1 Fallbeispiele

Das Kernstück der vorliegenden Studie sind ausführliche, halbstrukturierte Interviews, in denen die an der Studie beteiligten Untersuchungspersonen zu ihren Lebenszielen und zu der Stabilität dieser Ziele befragt werden. Die Interviewprotokolle sind einer theoriegeleiteten Ratingprozedur unterzogen worden, deren Ergebnisse im Anschluß an diesen Abschnitt berichtet werden (s. Abschnitt 4.2). Der Vorteil einer standardisierten Ratingprozedur liegt in der Möglichkeit, die Reliabilität eines Interpretationsvorgangs zu bestimmen. Dieser Vorteil wird allerdings beeinträchtigt durch eine erhebliche Informationsreduktion: Das zuvor reichlich vorhandene Material der Interviewprotokolle wird auf eine Matrix von numerischen Daten reduziert.

In der vorliegenden Arbeit soll diese Problematik in der folgenden Weise behandelt werden: Die oben beschriebenen sechs Typen von Identitätsprojekten sowie die Stabilität und die Veränderung (Transformation) von Lebenszielen sollen anhand von Fallbeispielen dargestellt werden, bevor die quantifizierten Ratinganalysen behandelt werden. Damit ist die Möglichkeit gegeben, anhand ausführlicher Fallbeispiele die Brauchbarkeit des oben erläuterten Schemas von Lebenszielen und Transformationen von Lebenszielen zu belegen. Bei der Präsentation von Fallbeispielen tritt allerdings die Gefahr der Beliebigkeit zutage: Die Entscheidung, welche Zitate zu präsentieren sind, fällt der Forscher. Um die Gefahr der Beliebigkeit möglichst gering zu halten, werden im folgenden nur die Interviewprotokolle von Untersuchungspersonen vorgestellt, die von den an den Einschätzungen beteiligten Ratern als typische Beispiele für die jeweiligen Lebensziele und Lebenszieländerungen angesehen werden. Die hier vorgestellten Interviewzitate sind selbstbezogene, theoretisch relevante, von den Ratern im Text markierte Äußerungen, die im ersten Schritt der standardisierten Ratingprozedur identifiziert worden sind (s. Abschnitt 3.5). Es soll hier angemerkt werden, daß die Zitatauswahl sich auf jeweils ein Identitätsprojekt beschränkt; nichtsdestotrotz ist es möglich, daß eine Person mehr als nur das eine Identitätsprojekt verfolgt, das in diesem Zusammenhang dargestellt wird.

Um die Falldarstellung flüssiger zu gestalten, werden statt Code-Nummern Pseudonyme verwendet, wie Horst Flamme, Eva Laub, Robert Salz (die Anfangsbuchstaben des fiktiven Nachnamens verweisen auf die Gruppenzugehörigkeit: F*** für Facharbeiter/in, L*** für Lehrer/in und S*** für Sannyasin). Zitate aus den Interviewprotokollen sind durch *Kursivschrift* und Einrückung im Text hervorgehoben. Äußerungen der Interviewerin/des Interviewers sind unterstrichen. Auslassungen durch den Autor (CTR) sind durch drei Punkte markiert. Durch den Autor vorgenommene sinngemäße Zusammenfassungen, Ersetzungen, die notwendig sind, um die Anonymität einer Untersuchungsperson zu gewährleisten, sowie Ergänzungen, die der Verständlichkeit halber dazugefügt sind, werden (in Klammern) gesetzt.

4.1.1 Fallbeispiele für Identitätsprojekte

Oben wurde dargelegt, daß die Handlungsorientierung (mit den Polen Sozialbezug und Selbstbezug) eine zentrale Dimension der Lebensziele einer Person im mittleren Erwachsenenalter darstellt. Berücksichtigt man auch die Lebenszeitperspektive (mit den Ausprägungen Vergangenheit, Gegenwart, personale Zukunft, nicht-personale Zukunft), so kann man eine Typologie von Identitätsprojekten bilden, die die Lebensentwürfe von Mitgliedern einer wertpluralistischen Gesellschaft einzuordnen erlaubt. Die sechs hier vorgeschlagenen Identitätsprojekte lauten: "Rollenstatus aufrechterhalten", "Statusziele realisieren", "Sozialrelationale Generativität", "Reflexive Rekonstruktion des eigenen Lebens", "Selbstverwirklichung" und "Generative Selbstaktualisierung". Diese Typologie soll in den nächsten Abschnitten anhand von Interviewzitaten illustriert werden.

(a) Rollenstatus aufrechterhalten

Eine Person, die das Identitätsprojekt "Rollenstatus aufrechterhalten" verfolgt, versucht, eine soziale Rolle (wie berufliche Position oder Familienstand), die sie in Vergangenheit und Gegenwart innehat, auch in der Zukunft zu bewahren.

Horst Flamme ist zum Zeitpunkt des Interviews 46 Jahre alt. Die Eltern arbeiteten als einfacher Beamter (Vater) und einfache Angestellte (Mutter). Flamme erlernt einen metallverarbeitenden Beruf und wird drei Jahre nach der Berufsausbildung (mit 21 Jahren) Beamter des einfachen Dienstes. Seither arbeitet er ohne Unterbrechung oder Veränderung der Stellung als Beamter. Mit 23 Jahren heiratet er und bekommt zwei Kinder (Geburt des ersten Kindes mit 25 Jahren, Geburt des zweiten Kindes mit 29 Jahren). Mit 35 Jahren wird Flamme geschieden. Seitdem lebt er allein. Zwei Versuche, nach der Scheidung mit anderen Personen zusammenzuleben, sind fehlgeschlagen.

Das zentrale Identitätsprojekt Flammes ist es, die vergangene und gegenwärtige Arbeitssituation aufrechtzuerhalten. Dies soll mit einigen Interviewzitaten belegt werden. So antwortet Flamme auf die Frage, ob er ein Zentrum in seinem Leben habe:

> *Das Zentrum ist eigentlich die (Arbeit) und das Zuhause. Also der Beruf und mein Zuhause* (p.9).

Auf die Frage, welche Bedeutung der Beruf in seinem Leben habe, antwortet er:

> *Eine große Bedeutung. Da würd ich nach 25 Jahren nicht noch so begeistert sein* (p.45).

Auf den Lebenssinn angesprochen, antwortet er mit dem Hinweis auf Beruf und Freunde:

> *Ja, lebenswert, (ich) komm immer wieder drauf, der Beruf, daß man einen Beruf hat, an dem man Freude hat, ist ein Lebenssinn. Daß man auch irgendwohin gehen kann, wo man Freunde finden kann* (p.21).

Und auf die Frage, ob er für etwas im Leben dankbar sei, antwortet Flamme:

> *Das wäre jetzt für mich die Tatsache, daß ich aus dem Heim gekommen bin, also meinen Eltern dankbar bin. Und für mich innerlich dankbar bin, daß ich das geschafft habe, daß ich diesen Beruf jetzt habe, daß ich soweit innerlich imstande war, diesen Beruf zu ergreifen, den ich gerne haben wollte* (p.25).

Besonders deutlich wird die Zentralität des Berufs in der Lebenszeitperspektive (Flamme muß noch mindestens 14 Jahre in seinem Beruf arbeiten, bevor er günstigstenfalls mit einer Verrentung rechnen kann):

> *Was bedeutet das, wenn Sie daran denken? Vierzehn Jahre noch arbeiten? Herrlich! Ja. Ich find das herrlich, bis zum letzten Tropfen* (p.46).

In einer Krise nach seiner Scheidung, in der Flamme sein Leben sinnlos erschien, hatte er ein Gespräch mit einem Arzt, in dem dieser die Bedeutung einer Arbeit und einer eigenen Wohnung betonte:

> *Und denn haben wir uns dann unterhalten über die ganzen Dinge und dann hat er zu mir einen Satz gesagt: Sie brauchen sich nicht zu schämen. Sie haben doch alles, Sie haben eine Wohnung, Sie haben Ihren Beruf, leben Sie so weiter, wie Sie sind, bleiben Sie so, wie Sie sind, und die andern können Ihnen denn den Buckel runterrutschen. Und das war irgendwie ein Tonfall, wo ich gesagt habe, recht hat er* (p.27).

Aber nicht nur die Arbeitssituation hat einen großen Stellenwert für Flamme, auch die Beziehungen zu Freunden und Bekannten sind ihm sehr wichtig. Nach einer Situation oder Gelegenheit gefragt, in der er sich "voll eingebracht" habe, beschreibt Flamme eine Freizeitsituation:

> *Das wäre jetzt eine Situation, wenn es in einer Gruppe wäre, die die gleichen Interessen hat wie ich, wo man sich mitteilen kann, wo man geachtet wird, wo man Anerkennung findet, wo man den andern auch herausfordert. Ja, das wäre das. Können Sie ein Beispiel dafür sagen? Eine Situation schildern? Zum Beispiel diese (handwerklich tätige Gruppe). Da sind wir so eine Gruppe, die so künstlerisch angehaucht ist* (p.37).

Die Bedeutung einer intimen persönlichen Beziehung dagegen ist ambivalent:

> *Also, es gibt Zeiten, wo man sagt, Mensch jetzt hast du aber die Schnauze voll, immer allein zu sein. Und denn gibt es wieder Zeiten, wo man sagt, Gott sei Dank bist du alleine* (p.56).

Faßt man diese Interviewzitate zusammen, so zeigt sich die große Bedeutung, die die Arbeitssituation mit ihrer Berufsrolle und ihrem Status für Horst Flamme hat. Die gegenwärtige Arbeitssituation aufrechtzuerhalten, aber auch die Beziehungen zu Freunden und Bekannten zu pflegen, ist ein wiederkehrendes Thema in den Antworten. Flamme ist stolz darauf, die berufliche Position erreicht zu haben, die er innehat, und wünscht sich auch, so lange wie möglich in seiner beruflichen Position zu bleiben. Zusammenfassend läßt sich sagen, daß

Horst Flamme versucht, seinen gegenwärtigen Rollenstatus auch in der Zukunft aufrechtzuerhalten.

(b) Statusziele realisieren

Eine Person, die das Identitätsprojekt "Statusziele realisieren" verfolgt, versucht, eine soziale Rolle (wie berufliche Position oder Familienstand), die sie noch nicht erreicht hat, in der Zukunft zu erlangen.

Eva Laub ist zum Zeitpunkt des Interviews 36 Jahre alt. Die Eltern waren als leitender Angestellter (Vater) und einfache Angestellte (Mutter) tätig. Laub hat zwei Geschwister (5 bzw. 6 Jahre älter). Sie hat das Abitur abgeschlossen und anschließend für das Lehramt studiert. Mit 26 Jahren schließt sie das erste Staatsexamen ab und arbeitet anschließend für zwei Jahre im Ausland. Mit 28 Jahren tritt sie das Referendariat an und wird nach dem zweiten Staatsexamen Beamtin. Mit 32 Jahren geht sie für zwei Jahre als Austauschlehrerin ins Ausland und schreibt dort neben ihrer Tätigkeit als Lehrerin eine Magisterarbeit. Laub hat mit 31 Jahren geheiratet. Einige Monate vor dem Interviewtermin ist ihr erstes Kind geboren worden.

Immer wiederkehrende Themen in dem Interviewprotokoll von Eva Laub sind Pläne, die sie sich in der Vergangenheit gesetzt und verwirklicht hat. Sobald Laub einen Plan verwirklicht hat, arbeitet sie einen neuen Plan aus, um nun diesen zu verwirklichen. Dies soll anhand einiger Interviewzitate belegt werden. Nach Plänen und Vorstellungen gefragt, die sie durchgängig verfolge ("roter Faden, der sich durch das Leben zieht"), antwortet Laub mit dem Hinweis auf ihre Auslandsaufenthalte:

> *Schwierig. Was ich also immer gern gemacht habe, immer wieder ins Ausland gegangen, ne? Und das möchte ich jetzt auch wieder machen. Also das ist vielleicht so, das fand ich schon immer toll, ne? Und zwar nicht jetzt Ausland als Tourist, sondern mehr so versuchen, da zu arbeiten* (p.16/17).

Wie stark das Bestreben Laubs ist, ein gesetztes Ziel auch zu verwirklichen, ersieht man aus der Anwort auf die Frage, welche Wünsche aus ihrer Jugendzeit sie aufgeben mußte. Laub antwortet mit dem Hinweis auf einen Wunsch, den sie in die Tat umgesetzt hat:

> *Einer meiner größten Wünsche war, Lektor zu werden im Ausland. Das habe ich dann gemacht* (p.18).

Da Laub gegenwärtig wegen ihrer Tochter von der Lehrerstelle beurlaubt ist, arbeitet sie zur Zeit nicht an der Verwirklichung von Plänen, denkt aber an die Zeit nach dem Mutterschaftsurlaub:

> *Ich genieße (den Mutterschaftsurlaub) jetzt auch noch bis zum (Dezember), aber wenn das noch bis zum (Juni) gehen würde, dann müßte ich mir was ausdenken, weil ursprünglich war es nicht sicher, ob ich im (Dezember) anfangen kann. Und wenn ich jetzt noch bis zum (Juni) nicht arbeiten würde, dann müßte ich mir ein Ziel setzen. Und da wüßte ich im Moment nicht gerade, was. Aber irgendwas müßte ich machen, daß ich auch unter Leute komme, ne? Also irgendwo mitarbeiten, ne?* (p.26/27)

Nach den Zielen und Vorstellungen in der gegenwärtigen Lebenssituation gefragt, antwortet Laub unter anderem mit einer Aufzählung von möglichen Zielen in ganz unterschiedlichen Lebensbereichen (Auslandsaufenthalt, Studium, Familie und Wohnung):

> *Das Projekt mit dem Ausland hatten wir schon vorher (vor der Geburt des Kindes). Also die Schwangerschaft und dann hatte ich die Magisterarbeit noch am Laufen und da hatte ich eben ganz viele Sachen ... Dann hatten wir noch Projekte mit (dem Ausland). Ich war jetzt (im Ausland) drei Wochen. Und dann wollten wir ein Haus kaufen und so was alles. Naja, jetzt will ich, wie gesagt, wenn es nicht klappt mit der Stelle im Ausland, dann muß man sich was anderes überlegen. Auch in der Beziehung. Auch mit dem Zusammenleben* (p.24).

Ähnlich wie im Identitätsprojekt des "Rollenstatus aufrechterhalten" ist die Orientierung auf einen sozialen Status erkennbar. Der (sozial anerkannte) Abschluß eines Studiums, der Auslandsaufenthalt (als Veränderung der beruflichen Position) und der Kauf eines Hauses (und die damit einhergehende Veränderung zur Hausbesitzerin) sind Beispiele für - in der Zukunft zu erreichende - soziale Statusziele. Schließlich wird auch die Neuordnung ihrer persönlichen Beziehung (zu ihrem Mann und dem Vater ihres Kindes) als ein mögliches, in der Zukunft liegendes Projekt genannt (unter der Bedingung allerdings, daß der Plan einer Stelle im Ausland nicht realisiert werden kann). Zusammenfassend läßt sich sagen, daß Eva Laub zukunftsorientiert mit der Verwirklichung sozialbezogener Lebensziele beschäftigt ist.

(c) Sozialrelationale Generativität

Eine Person, die das Identitätsprojekt "Sozialrelationale Generativität" verfolgt, bezieht sich auf die Zukunft von realen Mitgliedern der nachfolgenden Generation (wie z.B. die Zukunft der eigenen Kinder).

Ernst Fischer ist zum Zeitpunkt des Interviews 45 Jahre alt. Die Mutter arbeitete als einfache Angestellte; Angaben zum Vater fehlen (Fischer ist ohne Vater aufgewachsen). Fischer hat keine Geschwister. Fischer hat eine Berufsausbildung in einem metallverabeitenden Beruf. Nach der Ausbildung hat er in verschiedenen anderen Berufen gearbeitet, ist aber seit 21 Jahren in seinem erlernten Beruf tätig. Einen Fernkurs für die Meisterprüfung hat Fischer erfolglos abgebrochen. Mit 21 Jahren heiratet Fischer und wird mit 43 geschieden. Mit 40 lernt Fischer seine jetzige Partnerin kennen. Fischer hat vier Kinder. Drei Kinder hat Fischer mit seiner ersten Frau (Fischer war 22, 23 und 30 Jahre alt, als diese Kinder geboren wurden). Mit seiner jetzigen Partnerin hat Fischer eine Tochter (dieses Kind wurde geboren, als Fischer 42 Jahre alt war).

Die jüngste Tochter hat eine zentrale Bedeutung für Fischer. Das Wohlergehen dieser Tochter (aber auch das seiner anderen Kinder) ist ein wiederkehrendes Thema in dem Interview. Dies soll anhand von Interviewzitaten belegt werden. Auf die Frage, worin er den Sinn seines Lebens sehe, antwortet Fischer:

> *Naja, wie schon gesagt: das Sonnenscheinchen, das wird abgöttisch geliebt.* Ihre Tochter? *Ja. Dafür lohnt es sich eben auch, die Last auf sich zu nehmen und arbeiten zu gehen. Und dadurch die Verpflichtung eben, von der ich gesprochen habe. Wenn die mich dann anstrahlt und lebt und ist glücklich mit ihren Kulleraugen und allem Drum und Dran, dann sage ich mir, dann weißt du, wofür du lebst und wofür du da ackern gehst* (p.38/39).

Auch an anderen Stellen im Interview wird die besondere Beziehung zu seiner Tochter hervorgehoben. So begründet Fischer die Überlegung, mit seiner jetzigen Partnerin in eine gemeinsame Wohnung zu ziehen oder sie zu heiraten, mit dem Hinweis auf seine Tochter:

> *Warum soll man es denn nicht wagen, nochmal zusammenzuziehen, vielleicht auch zu heiraten demnächst wieder. Denn ich bin der Meinung, wenn das Kind so sechs ist, ist es doch schöner, wenn es auch sagt: Das ist mein Papa* (p.16).

Das Verantwortungsgefühl für seine Tochter äußert sich auch in finanzieller Hinsicht. So antwortet Fischer auf die Frage, ob er Zwänge und Verplichtungen in der Beziehung sieht:

> *Naja, die gehören einfach dazu. Ich kann doch nicht verantwortungslos sein, wenn ich ein Kind habe, kann doch nicht sagen: So, ich habe zwar jetzt ein Kind, aber ich mache so weiter wie bisher, mein Geld kriegst du nicht, oder so ... Und die Einstellung dazu muß so sein, daß man nachher sagt: Doch, kann sein, ich wollte das ja, das bin ich* (p.86).

Auf die Frage, in welchen Situationen oder zu welchen Gelegenheiten er sich voll eingebracht habe, antwortet Fischer mit dem Hinweis auf seine älteren Kinder:

> *Ja, wie schon gesagt, das war während der Ausbildung meiner Kinder, daß ich da eben sehr darauf bedacht war, daß sie eben ihre Prüfungsergebnisse auch wirklich duchexerziert haben. Und auch im schulischen Leben, also wo sie in die Schule gegangen sind und (ich) in den letzten Klassen so dahinter gestanden habe, mit meinem ganzen persönlichen Einsatz, wie Elternvertreter und so weiter und so fort. Da bin ich auch heute noch stolz drauf, ne?* (p.56)

Ernst Fischer nennt als Sinn seines Lebens sein (jüngstes) Kind. Diesem Kind (aber auch seinen anderen Kindern) fühlt sich Fischer verpflichtet. Die Existenz des Jüngsten macht die Mühe der täglichen Arbeit sinnvoll. Aber auch auf seinen Einsatz bei der Ausbildung seiner drei ältesten Kinder ist Fischer stolz. Für Fischer steht nicht in erster Linie die eigene, personale Zukunft im Mittelpunkt seines Lebensentwurfs, sondern die Zukunft der ihm nachfolgenden Generation in Gestalt seiner Kinder.

(d) Reflexive Rekonstruktion des eigenen Lebens

Eine Person, die das Identitätsprojekt "Reflexive Rekonstruktion des eigenen Lebens" verfolgt, versucht, die eigene Lebensgeschichte und persönliche Vergangenheit zu verarbeiten.

Robert Salz ist zum Zeitpunkt des Interviews 34 Jahre alt. Der Vater war als mittlerer Angestellter, die Mutter als einfache Angestellte tätig. Salz hat keine Geschwister. Nach dem Realschulabschluß und dem Besuch einer Fachschule tritt Salz mit 18 Jahren eine Verwaltungsausbildung an. Nach der Ausbildung wird Salz in den Verwaltungsdienst übernommen. Mit 26 Jahren kündigt Salz seine Position, um über den Zweiten Bildungsweg das Abitur zu machen; er bricht die weiterführende Schule jedoch erfolglos ab. Seither verdient er Geld mit kurzfristigen Jobs. Salz ist ledig, hat aber zwischen dem 24. und dem 27. Lebensjahr mit einer Partnerin gemeinsam in einer Wohnung gelebt. Seit dem Ende dieser Beziehung hat Salz keine langfristige Beziehung mehr gehabt. Salz hat keine Kinder. Mit 27 Jahren ist Salz in die Sannyasin-Gruppe eingetreten.

Neben den Versuchen, sich selbst zu verwirklichen, ist der Lebensrückblick ein zentrales Thema für Salz (hier sollen nur Interviewzitate aufgeführt werden, mit denen die Bedeutung des Lebensrückblicks für Salz belegt werden können). Salz beschäftigt sich mit der eigenen Vergangenheit, indem er sich planvoll in eine ruhige Umgebung zurückzieht und über sein vergangenes Leben nachdenkt. Dies soll mit einigen Interviewzitaten belegt werden.

Auf die Frage des Interviewers, wie es dazu komme, daß er sein Leben so präsent habe, daß er es auf die biographische Eingangsfrage zusammenhängend habe erzählen können, antwortet Salz:

> *Ja, ich sagte Dir doch gestern schon, daß der Prozeß des Zusehens, wenn mir irgendwas hochkommt, permanent läuft. Also das passiert mir öfter, daß ich mich einfach mal so hinsetze, eine Kanne Tee trinke und einfach mal so kommen lasse, was auch immer kommt. Und dann dreht sich das auch immer um die letzten zehn Jahre hauptsächlich. Und es verwundert mich dann eigentlich, wenn mal alte Sachen hochkommen. Mal plötzlich so ein Bild aus der 6. Klasse oder so. Und ich denke: Was ist denn nun? Was soll denn dir das jetzt sagen? Kommst du jetzt hier wieder auf die Primär-Masche oder so? Auf die Kind-Dinger?* (p.42)

Auf die Frage des Interviewers, was er unter Selbstverwirklichung verstehe, schildert Salz den reflexiven Umgang mit der eigenen Geschichte durch das Führen eines Tagebuchs:

> *Also wenn ich zum Beispiel so ein altes Tagebuch lese meinetwegen, das ist ein Jahr her oder zwei oder auch nur ein halbes, ich lach mich manchmal tot, was da steht, was da für Identifikationen mit Augenblicksverfassungen oder mit äußeren Entwicklungen noch sind, ne? Und das ist schon sehr interessant, über sich selber sehr, sehr lachen zu können. Wie lange führst du schon Tagebuch? Ich habe angefangen vor zweieinhalb Jahren ... und daraus entwickelte sich dann mehr und mehr so eine Rückkopplung für mich* (p.117/118).

Die geplante Beschäftigung mit der eigenen Vergangenheit wird auch bei der Beschreibung von konkreten Tagesabläufen deutlich. So schildert Salz einen Tag, an dem er nur sehr wenig unternommen habe. Salz beschreibt, das in dem "Vakuum des Nichtstuns" eine Menge stattgefunden habe, obwohl "äußerlich" nicht sehr viel geschehen sei:

> *Es ist sehr viel passiert. Es ist sehr viel passiert. Das was einen bewegt, was noch nicht gelöst ist, das, was ansteht oder gerade die kürzeste Vergangenheit ist, das steigt ja alles so auf in diesem Vakuum. Das kommt alles hoch. Und irgendwie gehe ich dann damit um. Oder wohin will mein Verstand etwas hinforcieren oder einsortieren oder nicht mehr wahrhaben? Diese ganzen Sachen, ne? Und das ist unheimlich interessant. Ich sitze dann da so eine ganze Weile. Und dann schreibe ich ab und zu mal was auf* (p.205).

Aber auch in weniger geplanten Situationen kommt es zur Beschäftigung mit der eigenen Vergangenheit. So beschreibt Salz, wie er mit schlechten Stimmungen umzugehen pflegt:

> *Und um aus dem mind (der schlechten Stimmung) rauszukommen, ist es gut, sich manuell zu betätigen, daß also die Aufmerksamkeit in Körperbewegungen gehen muß, meinetwegen abwaschen ... Und dann steigen auch oftmals so Eingebungsfetzen auf, also Erinnerungen zum Beispiel an Momente, wo es toll war, wo ich alles ganz wunderbar fand. Und schon relativiert sich das dann alles* (p.141).

An diesen Äußerungen läßt sich erkennen, daß sich Salz mit der eigenen Geschichte befaßt und im Gegensatz zu Personen, die sozialbezogene Identitätsprojekte verfolgen, einen deutlichen Selbstbezug aufweist. Salz schildert, daß er von Zeit zu Zeit Situationen schafft, in denen Bilder und Erinnerungen der eigenen Vergangenheit vor ihm auftauchen. Dabei läßt er diese Erinnerungen nicht nur an sich vorbeiziehen, sondern unternimmt den Versuch, die Erinnerungen kritisch zu reflektieren (beispielsweise durch seine Tagebuchaufzeichnungen) und zu Neudeutungen zu kommen.

(e) Selbstverwirklichung

Eine Person, die das Identitätsprojekt "Selbstverwirklichung" verfolgt, ist auf die Realisierung der Fähigkeiten und Bedürfnisse der eigenen Person ausgerichtet.

Claudia Schnee ist zum Zeitpunkt des Interviews 34 Jahre alt. Der Vater arbeitete als einfacher Beamter, die Mutter als Hausfrau. Schnee hat vier Geschwister (9 Jahre, 6 Jahre und 4 Jahre älter sowie 12 Jahre jünger). Schnee hat nach dem Hauptschulabschluß eine Lehre in einem Pflegeberuf absolviert. Nach dem Abschluß der Lehre arbeitet sie für drei Jahre als Sachbearbeiterin in einem Unternehmen des Finanzwesens. Anschließend wechselt sie wieder in ihren erlernten Beruf. Der Arbeitgeber kündigt Schnee nach vier Jahren. Seitdem hat Schnee in sehr vielen kurzfristigen Jobs bei verschiedenen Arbeitgebern vor allem in ihrem erlernten Beruf gearbeitet. Zur Zeit des Interviews arbeitet Schnee als Bürokraft. Mit 31 Jahren tritt Schnee der Sannyasin-Gruppe bei. Nach dem Eintritt in die Sannyasin-Gruppe trennt sich Schnee von ihrem damaligen Freund. Seitdem hat sie keine persönliche Beziehung. Schnee hat keine Kinder.

Auf die Frage, welche Lebensbereiche wichtig für sie sind, antwortet Schnee gleich zu Beginn des Interviews mit dem Hinweis auf die Bedeutung von Selbsterfahrung:

> *Die Frage ist einfach so, daß ich auf der Suche danach bin, wer ich bin. Und dazu kann ich sagen, versuche ich alles, was mir möglich ist oder was mir gegeben ist auszuprobieren, mit anderen auszuprobieren* (p.2).

Dieses Experimentieren realisiert Schnee in verschiedenen Lebensbereichen. Auf die Frage des Interviewers, ob Schnee daran gedacht habe, im Anschluß an ihre Lehre ein verwandtes Studium durchzuführen und zuvor den notwendigen Schulabschluß zu machen, antwortet sie:

> *Nee, (daran habe ich nie gedacht), also habe ich mir mal überlegt, aber da komme ich nicht an die Sachen ran, die ich wirklich, wo ich wirklich so einen Sinn drin sehe einfach, weißt du. Versuch mir das bitte mal klarzumachen. Das versuch ich dir klarzumachen, indem ich sage ... daß du, wenn du bestimmte Sachen machst und wenn du sie wirklich total machst, dann ist es wirklich egal. Also du meinst damit, es ist ganz gleich, was man arbeitet? Ja ... es geht darum für mich, daß ich die Sachen, die ich mache, daß ich die mit einer totalen Aufmerksamkeit mache und, ja, mit Freude, Spaß, Liebe oder einfach was, ja, irgendwie so meine, meine ganze Person mit einbringe* (p.22/23).

In dieser Anwort erkennt man die Bedeutung, die die Erfahrung des eigenen Selbst für Claudia Schnee hat. Es geht ihr (im Bereich der Arbeit) nicht um eine Karriere, sondern um die persönlichen Erfahrungen, die sie im Arbeitsbereich machen kann. Ähnlich läßt sich die

Antwort interpretieren, die Schnee auf die Frage gibt, ob sie das ehemalige Zentrum der Sannyasin-Gruppe in Poona besucht habe, bevor der Leiter der Gruppe (Bhagwan) Indien verlassen hat.

> *Nee, ich bin froh, daß Bhagwan Poona verlassen hat. Wie kommt das? Weil ich nie nach Indien wollte. Weil diese ganzen Geschichten, die ich also gehört habe von den Indern, oder die Inder, denen ich hier begegnet bin, das hat mich nicht interessiert. Ich wollte ja was über mich erfahren und nicht über die indische Kultur. Und erfahren kann ich mich auch überall* (p.37/38).

Auch im Bereich persönlicher Beziehungen ist es für Claudia Schnee wichtig, mit sich selbst Erfahrungen zu machen. Auf die Frage des Interviewers, wie sie mit schwerwiegenden Problemen umgeht, berichtet Schnee vor allem von der Trennung von ihrem letzten Freund.

> *Als ich mich von meinem letzten Freund getrennt hatte, da war ... abends, nachts allein im Bett, ja also plötzlich war er, ja war der andere nicht mehr da, und das hatte ich wirklich als Entzug erlebt die erste Zeit. Was hilft dir da so über die Verlustphase hinweg? Daß einfach das Gefühl, was da entsteht, ja das einfach auch zuzulassen, und als was ganz irgendwie Natürliches so erlebt habe, daß es auch zum Leben dazugehört, einfach zeigen, wo man traurig ist* (p.140).

Claudia Schnee spricht über das Gefühl der Trauer im Zusammenhang mit dieser Trennung als eine Gelegenheit, das eigene Selbst zu erfahren; es geht nicht in erster Linie um den Verlust einer geliebten Person. Auch in den Antworten auf allgemeinere Fragen kann die Tendenz Schnees beobachtet werden, Erlebnisse als Selbsterfahrungen zu interpretieren. So antwortet sie auf die Frage des Interviewers, was ihrem Leben Sinn und Halt gebe:

> *Daß ich existiere ... darin schon ein Sinn ist einfach, daß ich existiere. Aber nicht unbedingt so, wie ich das früher oft versucht habe, wenn ich über den Sinn des Lebens nachgedacht habe, diesen Sinn irgendwo gesucht habe, außen wahrscheinlich immer: Sinn in Dingen, Sinn in Handeln, Sinn in Beziehung, ja immer Sinn in, so ja. Und wenn ich gute Momente habe ... ja mich fühle, dann ist das eigentlich schon unheimlich viel, ja erstmal* (p.115).

Auf die Frage, ob sie sich zur Zeit anders wahrnehme als früher, antwortet Schnee mit dem Hinweis auf die Reduzierung von Ansprüchen.

> *(Zur Zeit ist es so), daß ja also ich mit Freuden hier Kohlen hoch hole, ja, wir uns ein echtes Vergnügen aus dem Kohlen holen machen können, ja wirklich ein Vergnügen, oder ich hätte vor Jahren nie gekocht, ja. Also das sind so Dinge, die sich wirklich, daß ich nicht mehr nach diesen großen Dingen schaue, sondern daß ich mehr wirklich so im Moment gucken kann, was kann ich da machen, wo ich gerade im Moment bin, was kann ich, also das Beste aus der Situation herausholen* (p.156).

Bemerkenswert ist hier, daß Schnee auch scheinbar unbedeutende Situationen dazu benutzt, das eigene Selbst zu erfahren. Selbsterfahrung und Selbstverwirklichung sind die zentralen Bezugspunkte in Claudia Schnees Leben. Es geht Schnee weniger darum, einer beruflichen Karriere nachzugehen oder eine persönliche Beziehung aufzubauen, als vielmehr darum, die Erfahrungen bewußt zu erleben, die sie in den verschiedenen Lebensbereichen machen kann. Es ist der Selbstbezug in Gegenwart und (persönlicher) Zukunft, der Schnees Lebensziele auszeichnet.

(f) Generative Selbstaktualisierung

Eine Person, die das Identitätsprojekt "Generativer Selbstaktualisierung" verfolgt, bezieht sich in der Realisierung eigener Fähigkeiten und Wünsche auf die Menschheit und die Nachwelt im allgemeinen.

Martin Linde ist zum Zeitpunkt des Interviews 38 Jahre alt. Der Vater arbeitete als leitender Angestellter, die Mutter als Hausfrau. Linde hat drei ältere Geschwister (11 und 10 Jahre älter). Nach dem Abitur hat Linde studiert und ist seit zehn Lahren Lehrer. Mit 20 Jahren ist Linde eine langfristige Beziehung zu einer Frau eingegangen, von der er sich mit 35 Jahren getrennt hat. Ein Jahr nach der Trennung von dieser Partnerin geht Linde eine neue Partnerschaft ein. Zur Zeit lebt Linde mit seiner jetzigen Partnerin gemeinsam in einer Wohnung. Linde hat keine Kinder.

Martin Linde verfolgt eine Reihe von Lebenszielen. Wiederkehrende Themen sind der Versuch, seine aktuelle soziale Situation, seine Arbeitssituation und seine persönlichen Beziehungen aufrechtzuerhalten, sowie die Beschäftigung mit gesellschaftlicher Veränderung und der Sorge um nachfolgende Generationen im allgemeinen. Das Identitätsprojekt der "Generativen Selbstaktualisierung" soll im folgenden anhand verschiedener Interviewzitate illustriert werden. So antwortet Linde auf die Frage, ob es einen roten Faden in seinem Leben gebe:

> *Ja, gut, also wenn der Begriff nachgesehen wird, ist es irgendwie aber der missionarische Drang, sozusagen aufklärerisch wirken zu können. Durch das, was man weiß, zum einen, aber auch durch die Persönlichkeit irgendwie so ... Also soweit ich mir bewußt bin über gesellschaftliche Realitäten wie aber auch politische Dinge im allgemeinen, scheint mir daran irgendwie der Auftrag gebunden zu sein, daß es nach vorne hin eine Entwicklung gibt, die durch handelnde Personen entsteht ... Irgendwie ist es mir nach wie vor, also war und ist mir, ein Bedürfnis* (p.17/18).

Dieser "missionarische Drang" äußert sich auch in der Berufswahl Lindes. Befragt, welcher Umstand den Anstoß zu seiner Berufswahl gegeben hat, antwortet er:

> *Es war im Grunde genommen eine Unzufriedenheit mit der Welt, indem ich die Realität des Faschismus, die mir erzählt worden ist, als Anstoß sozusagen auch, also (Lehrer) zu machen ... Und die Zuversicht daran ist eigentlich noch erhalten: Etwas darin weitergeben zu können, das für sinnvoll zu halten, also so Denktraditionen weiterzugeben etwa* (p.11).

Auf die Frage, ob der Beruf dem eigenen Leben Sinn und Halt gibt, antwortet Linde unter anderem:

> *Also etwa bestimmte Traditionen der Gesellschaft durch mein persönliches Wirken weiterzugeben, das ist mein Beruf. So sehe ich den. Und von daher denke ich, ist es Sinn* (p.150).

Dabei ist es Linde besonders wichtig, eine Wiederholung des Faschismus zu vermeiden. So antwortet Linde auf die Frage, ob historische Umbrüche eine Bedeutung für ihn hatten:

> *Das Zusammenbrechen des Faschismus' des Zusammenbrechens aller Werte, ist eine Wahrheit gewesen, die ich nicht konkret erfahren habe, aber in meiner Familie etwa oder in meinem näheren Umfeld. Also das Allerwichtigste, was ich kenne von der Welt ...: Das darf nie wieder geschehen* (p.73).

Auf eine Nachfrage des Interviewers antwortet Linde mit dem Hinweis auf die Möglichkeit, die eigene Existenz durch politische Tätigkeit zu verlängern:

> *Wenn ich es schaffe, die Weltrevolution zu befördern, habe ich mich über mein Leben hinaus verlängert als jemand, der gestaltend gewirkt hat für das, was nach mir noch Realität ist oder sein wird. Aber bitte sehr, das darf man nicht als persönlichen Trost nehmen. Dann führt es in die Irre* (p.80).

In diesen Zitaten zeigt sich, daß Martin Linde daran interessiert ist, eigene Erfahrungen und eigenes Wissen an zukünftige Generationen weiterzugeben. Linde betont den Selbstbezug seines Handelns ("Ich habe mich über mein Leben hinaus verlängert") und verweist gleichzeitig darauf, daß er durch sein Handeln Einfluß genommen hat auf eine nach ihm liegende Zukunft ("die Weltrevolution zu befördern", "den Faschismus verhindern"). In diesem Doppelsinn des Selbstbezugs und der Orientierung auf eine apersonale Zukunft ist das Identitätsprojekt der generativen Selbstaktualisierung zu verstehen.

4.1.2 Fallbeispiele für Veränderung und Stabilität der Identität

In diesem Abschnitt soll die Idee einer Identitätstransformation im mittleren Erwachsenenalter vorgestellt und anhand von Interviewäußerungen empirisch belegt werden. Der Begriff der Identitätstransformation soll hier definiert werden als die extreme Veränderung der Zentralität von Lebenszielen, sei es in negativer Richtung (ein zuvor zentrales Lebensziel wird im Lauf der Zeit peripher) oder in positiver Richtung (ein zuvor bedeutungsloses Lebensziel wird zentral). Der zeitliche Rahmen für solche Veränderungen soll das Erwachsenenalter darstellen, dessen Beginn hier mit dem 21. Lebensjahr festgesetzt wird. Im folgenden sollen zwei Fallbeispiele für die Veränderung von Lebenszielen (Identitätstransformation) und ein Fallbeispiel für die Stabilität von Lebenszielen vorgestellt werden. Die zwei Fallbeispiele zur Identitätstransformation unterscheiden sich hinsichtlich der Rolle von kritischen Lebensereignissen sowie der Zeitdauer des Transformationsprozesses: Der Fall von Friedrich Stift zeigt eine allmähliche Veränderung der Lebensziele ohne ein klar erkennbares antezedentes kritisches Lebensereignis, während der Fall von Anna Strom ein Beispiel für die plötzliche Veränderung der Lebensziele als Konsequenz eines gravierenden kritischen Lebensereignisses ist.

(a) Fallbeispiele für Identitätstransformationen

Fallbeispiel 1: Selbstinitiierte Identitätstransformation. Friedrich Stift ist zum Zeitpunkt des Interviews 42 Jahre alt. Der Vater war als höherer Beamter tätig (Angaben zum Beruf der Mutter fehlen). Stift hat zwei Geschwister (12 und 7 Jahre älter). Nach dem Abitur besucht Stift die Universität. Er beendet sein Studium mit 26 Jahren und ist in den folgenden elf Jahren wissenschaftlicher Mitarbeiter einer Universität, an der er auch promoviert. Mit dem Ende seines letzten Vertrages wird Stift arbeitslos (er ist 38 Jahre). Nach verschiedenen kurzfristigen Jobs tritt Stift im 42. Lebensjahr das Referendariat zum Lehramt an. Stift war für kurze Zeit verheiratet (Heirat im 26. Lebensjahr, Scheidung im 28. Lebensjahr); er hat keine Kinder. Mit 35 Jahren schließt sich Stift der Sannyasin-Gruppe an.

In diesem Abschnitt soll die Identitätstransformation Stifts beschrieben werden, die sich zwischen seinem 24. und 35. Lebensjahr vollzogen hat. Während der Jahre zwischen 20 und 30 ist Stift politisch interessiert und hat klare Vorstellungen von der beruflichen und familiären Situation, die er in der Zukunft zu erreichen hofft. Auf die narrative Eingangsfrage, in der er darum gebeten wird, die letzten zehn Jahre seines Lebens zu berichten, antwortet Stift:

> *Die zehn Jahre so. Ja, das war sehr wichtig, beispielsweise die Erfahrung, ich war ja bis dahin so ziemlich auf so einem politischen Ding, ja so (Gewerkschaft) und alles irgendwie so zack-bumm, heide-witzka, Klassenkampf-in-die-Schule-rein und alles und so, ja. War für mich eine sehr wichtige Erfahrung* (p.2).

Auf die Frage, welche Vorstellungen von seinem späteren Leben er als Jugendlicher und junger Erwachsener gehabt habe, antwortet Stift mit einem Bericht über seine politische Vergangenheit:

> *(Mit 23) war ich dann so ein bißchen, nicht total, aber so in der Peripherie in der Studentenbewegung mit drin, (habe) so an verschiedenen Demos ... teilgenommen, und mich dann (in einer politischen Organisation) engagiert und Fachschaftsrat und all solche Geschichten gemacht* (p.49).

Auf die Frage, welche seiner früheren Hoffnungen sich als illusionär erwiesen haben, erzählt Stift, daß er in der Vergangenheit sehr stark auf eine berufliche Karriere (und die Erringung von Statuszielen) orientiert war:

> *Als ich noch sehr politisch war irgendwie, habe ich wohl dann irgendwie gedacht, okay, die Hochschullehrerlaufbahn, das war für mich sozusagen vorprogrammiert. Und dann irgendwie als linksliberaler, oder linker Hochschullehrer hier an der (Universität). Und dann hat man seine schöne Freiheit, und kann dann irgendwie, in den Semesterferien dann nach (X), wo nun die ihre Häuser haben, ja ... Das war, sind sicherlich so irgendwie Lebensperspektiven gewesen, die ich möglicherweise irgendwie gehabt habe* (p.40).

Allerdings stellt Stift diese sozialorientierten Ziele im Laufe der Zeit in Frage. Erste Anlässe, an Beruf und politischem Engagement zu zweifeln, sind die Wahrnehmung von angepaßten Studenten, von Sparmaßnahmen und Berufsverboten (p.2). Über die Zeit vor zehn Jahren sagt Stift:

> *Jetzt komm ich eigentlich so zu der Zeit ab vor zehn Jahren. Weil das gerade eine Zäsur war, wo man heute sagen würde, mid-life crisis oder early-life crisis oder early-mid-life crisis oder sonst irgendwas, einfach so eine Zäsur, so eine, wie soll ich sagen, Identitätsunklarheit einfach, wer bin ich, ja, was ist jetzt eigentlich, nichts stimmt mehr, ne. Und das war die Zeit denn, wo ich mich so weg von der Politik, mehr so auf die Humanistische Psychologie verlagert habe* (p.3).

Eine längere Reise, in deren Verlauf Stift verschiedene Kommunen und alternative Lehrstätten besucht, hat das Gefühl eines vollkommenen Umbruchs zur Folge:

> *Kurz und klein, jedenfalls als ich dann (von einer Reise) zurück war, da war ich irgendwie vollends aus der Bahn geworfen und nichts stimmte mehr. Also meine Polit-Vergangenheit war irgendwie over und vorbei, vergangen und vergessen, das wußte ich, das war es nicht mehr, aber irgendwie war die Suche, ein wahnsinniger Durst nach etwas Neuem* (p.7/8).

Im Verlauf dieser Suche fährt Stift auch nach Poona, dem damaligen Sitz der Sannyasin-Gruppe (er ist 34 Jahre alt). Allerdings wird die erste Reise noch mit dem Ziel unternommen, anschließend lebendigere Seminare halten zu können:

> *Ich bin irgendwie gar nicht so sehr nach Poona gefahren, wie ich das eben sagte, um Sannyasin (zu werden) ... Ich wollte eigentlich, der Grund war*

> *wahrscheinlich eher, daß ich so dann ähnlich wie vorher dachte, Mensch, dann mach ich irgendwie wieder um so flottere Seminare, ja und dann kommen die Leute: Volles Haus, befriedigt mich ja auch sehr* (p.11/12).

Allerdings wird der Entschluß, auf der zweiten Reise Sannyas zu nehmen (Stift ist 35 Jahre alt), als eine entscheidende Lebensveränderung angesehen:

> *Sannyas zu nehmen, das war eigentlich so der eigentliche Schritt, wo, das war im Grunde so wie umstellen, wo du vorher schwarz-weiß Fernsehen gehabt hast und plötzlich hast du einen Farbfernseher, so ungefähr irgendwie, ja* (p.14).

In der darauffolgenden Zeit unternimmt Stift verschiedene Versuche, das eigene Selbst zu erkunden, die eigenen Gefühle bewußt wahrzunehmen, das eigene Potential zu verwirklichen. Über die Mitarbeit an einem Projekt der Sannyasin-Gruppe berichtet Stift folgendes:

> *Das war mit eine der intensivsten Erfahrungen in meinem Leben gewesen, auch wenn ich sehr leidvolle Erfahrungen, so auf der persönlichen Ebene damit verbinde ... Aber was dann auch zum Teil der Sinn eigentlich von, wenn ich Bhagwan richtig verstehe, der Sinn von solchen Wachstumsprozessen ist, weil du durch solche Dinge, durch solche Erfahrungen, wenn du durch solche Erfahrungen durchgehst, innerhalb kurzer Zeit auch natürlich wahnsinnig intensive Erfahrungen mit dir selber machst* (p.29).

Das Referendariat zum Lehramt, das er zur Zeit absolviert, beurteilt Stift ebenfalls mit dem Verweis auf die persönlichen Erfahrungen, die er dort macht (auch wenn es sich dabei um leidvolle Erfahrungen handelt). Auf die Frage der Interviewerin, ob er das "Zentrum seines Lebens" gefunden habe, antwortet Stift:

> *Ich bin auf dem Wege. Ja, das ist eher eine Reise ... Die letzten Monate waren manchmal wie ein Schlammbad, wo ich irgendwo abgetaucht bin irgendwie ... Das ist auch durch diesen Schulstreß gekommen, ja, wo ich Alpträume hatte manchmal und so irgendwie träumte, irgendwie ich, so wie früher Klassenarbeiten, so ungefähr, ja. Und insofern ist dieses Referendariat wirklich eine bezahlte Primärtherapie* (p.48).

Faßt man diese Interviewäußerungen zusammen, so zeigt sich ein Wandel in den Identitätsprojekten "Statusziele realisieren", das im Lauf des Erwachsenenalters an Zentralität verloren hat, und "Selbstverwirklichung", das in den Erwachsenenjahren Friedrich Stifts an Bedeutung stark zugenommen hat. Nach einer Zeit der Krise in den späten zwanziger Jahren kann Stift die Frage nach dem Sinn des Lebens in dieser Zeit nicht mehr fraglos im Blick auf die berufliche Karriere, politische Tätigkeit und den Besitz eines Ferienhauses beantworten. Statt dessen konzentriert er sich zunehmend auf Selbsterfahrungsgruppen, Meditation und das theoretische Studium der "Humanistischen Psychologie", Ziele, die im vorliegenden Schema vor allem dem Identitätsprojekt "Selbstverwirklichung" zugeordnet werden. Auch das Referendariat wird nicht so sehr unter dem Aspekt einer Weiterqualifizierung gesehen als vielmehr unter dem Aspekt der Selbst-Erfahrung. Resümierend läßt sich die Entwicklung Friedrich Stifts charakterisieren als eine selbstinitiierte Transformation von Lebenszielen, die mit Zweifeln an der Bedeutung der beruflichen Tätigkeit begann und sich in einer lang andauernden Sinnkrise vollzog.

Fallbeispiel 2: Identitätstransformation als Folge eines kritischen Lebensereignisses. Anna Strom ist zum Zeitpunkt des Interviews 35 Jahre alt. Der Vater arbeitete als leitender Angestellter, die Mutter als Hausfrau. Strom hat drei ältere Geschwister (17, 9 und 4 Jahre älter). Strom hat nach der mittleren Reife eine Berufsausbildung in einem Labor-Beruf absolviert, danach aber in verschiedenen Stellen der Verlagsbranche gearbeitet. Sie macht das Abitur über den Zweiten Bildungsweg und beginnt mit 29 Jahren ein Studium. Eine wichtige Zwischenprüfung hat sie vor kurzem abgeschlossen. Sie ist seit etwa sechs Monaten schwer erkrankt und plant, ein Praktikum nach Heilung der Krankheit anzutreten. Als sie von ihrer schweren Krankheit erfährt, tritt sie der Sannyasin-Gruppe bei. Strom war verheiratet (mit 28 Jahren wurde sie von ihrem Mann geschieden). Kurz nach der Scheidung lernt sie ihren jetzigen Partner kennen, von dem zu trennen sie zur Zeit im Begriff steht. Strom hat keine Kinder.

Mit den folgenden Interviewzitaten soll die Identitätstransformation Anna Stroms illustriert werden, die sich innerhalb kurzer Zeit nach Bekanntwerden einer schweren Krankheit (in ihrem 35. Lebensjahr) vollzieht. Anna Strom hat seit ihrer Jugend verschiedene Berufsvorstellungen entwickelt und in die Tat umgesetzt. Auf die Frage, welche Bedeutung ihr Beruf für sie hat, beschreibt Strom unter anderem die verschiedenen Berufe, die sie bislang ausgeübt hat.

> *Ich habe so drei Traumberufe in meinem Leben gehabt. Und zwei Traumberufe habe ich jetzt quasi schon gemacht. Und vielleicht mache ich auch nochmal - Welches war der erste? Der erste war (das jetzige Studienfach). Es gab wirklich drei. Das zweite war, ich wollte (zum Verlag) und (im Verlagswesen) arbeiten. Und das dritte ist Theater, also*

> *Schauspielerei oder so was. Und das ist mir gestern so bewußt geworden, daß ich eigentlich zwei von diesen Traumberufen gemacht habe, obwohl die beide zu der Zeit, als ich sie hatte, unerreichbar schienen* (p.82).

Diese früheren Berufspläne zu realisieren, verlangte aus Stroms Sicht Beständigkeit und Kontrolle über die eigene Lebenssituation. Diese Beständigkeit war vor dem Ausbruch der Krankheit für Strom ein zentrales Merkmal ihrer Person. Auf die Frage, ob es einen roten Faden gäbe, der sich durch ihr Leben zieht, antwortet Strom:

> *Ja, der große rote Faden, kann ich immer wieder nur sagen, ist das Funktionieren. Das hat mein ganzes Leben so bestimmt. Und auch nicht irgendwo so dahinzuplätschern, sondern, wenn mir mal irgendwas gestunken hat, dann habe ich eigentlich immer nur gesagt: Na gut, dann mußt du es eben ändern. Dann mußt du was dafür tun, daß sich das ändert* (p.9).

Und in einer Bemerkung zu einer versäumten Interviewsitzung vergleicht Strom ihr jetziges Verhalten mit ihrer früheren Zuverlässigkeit:

> *Das wäre wirklich vor einem halben Jahr nicht möglich gewesen, daß ich am Montagabend sage: Morgen fahre ich nach (X) und lasse also den Termin mit Dir sausen. Das hätte ich nie fertiggebracht. Ich hätte mir alles mögliche verkniffen, weil ich gesagt hätte: Nein, das kannst du nicht machen, du mußt da bleiben, du hast einen Termin mit dem, und den mußt du einhalten, egal wie* (p.3).

Die (ein halbes Jahr vor dem Interviewtermin diagnostizierte) schwere Krankheit bedeutete für Strom ein tiefgreifendes Ereignis, das sie zum Nachdenken über sich selbst gebracht hat:

> *Der große Einschnitt war die Krankheit dann. Das hat mir so den größten Einschnitt verursacht oder wie man das so nennen will, wo ich so das Gefühl hatte, Mensch, was hast du eigentlich so die ganze Zeit gemacht, ne? (p.2).Wenn ich nicht krank geworden wäre, wäre ich sicherlich nicht so zur Besinnung gekommen. Ich sage ja, daß das wirklich das einschneidendste Erlebnis war, was mit mir passiert ist* (p.12).

Auf die Frage, in welcher Weise die Krankheit ihr Leben verändert hat, antwortet Anna Strom:

Ja, meine Einstellung zu bestimmten Sachen hat sich geändert. Ich sage ja, die Wertigkeiten haben sich total verschoben ... Für viele sieht das eben jetzt so aus, daß ich vorher Mutter Teresa war und jetzt also der totale Egoist bin, ne? (p.13/14).

Auf die Frage des Interviewers, wie der Vergleich "Mutter Teresa vs. Egoist" zu verstehen sei, antwortet Strom:

Das ist von Bhagwan so ein, na, weil Mutter Teresa ist auch für mich so der Inbegriff von Aufopferung und Nur-für-andere-da-Sein und so weiter. Die Gegenposition ist der Egoist. Das hast Du vorhin gesagt. *Bei mir jedenfalls, ja. Also bei mir ist es so zu verstehen, daß ich wirklich jetzt das mache, was ich will. Und wenn das noch so unverständlich für andere ist* (p.19).

Stroms jetziges Lebensziel, sich selbst zu verwirklichen, soll anhand einiger Interviewzitate dargestellt werden. So antwortet Strom auf die Frage nach dem Sinn des Lebens:

Für mich ist der Sinn des Lebens, wenn man das überhaupt als Sinn des Lebens bezeichnen kann so, daß ich mich gut fühle, daß es mir gut geht. Und daß ich Spaß daran habe zu leben und nicht jeden Tag da sitze und denke: Mein Gott, wofür eigentlich? Für wen eigentlich? Für mich (p.43).

Arbeit wird von Strom in erster Linie als Möglichkeit der Selbstverwirklichung gesehen:

Mein höchster Lebenszweck ist, daß ich gut arbeite. Der Zweck ist eigentlich, daß ich gut leben kann und daß ich Spaß daran habe. Und wenn man das miteinander, wenn du so weit bist, daß du das machen kannst, daß du Spaß an deiner Arbeit hast, gut davon leben kannst und gut damit leben kannst, das ist doch eine fabelhafte Sache (p.83).

Auch an einem weiteren Zitat läßt sich erkennen, daß Strom Berufsarbeit in diesem selbstbezogenen Sinn interpretiert:

Ich denke wohl schon irgendwie, was ich mit meinem Studium anfangen könnte, daß meine Arbeit nicht mehr Arbeit ist, sondern, tja, daß es eigentlich mein Spaß ist, ne? (p.121)

An diesen Interviewausschnitten wird deutlich, daß Anna Strom eine deutliche Veränderung ihrer zentralen Lebensziele erlebt hat. Während sie vor dem Ausbruch ihrer Krankheit die Realisierung von Plänen angestrebt hat (vor allem im beruflichen Bereich), hat die schwere Krankheit Anna Strom veranlaßt, innerhalb sehr kurzer Zeit (etwa ein halbes Jahr) frühere Lebensziele in Frage zu stellen und größeres Gewicht auf das eigene Wohlergehen und eigene Wünsche zu legen. Im Gegensatz zu den früher verfolgten Identitätsprojekten, in denen der Bezug auf andere Menschen und/oder soziale Institutionen die zentrale Handlungsorientierung darstellt, ist zur Zeit des Interviews das eigene Selbst der zentrale Bezugspunkt Anna Stroms. Resümierend läßt sich die Entwicklung von Anna Strom charakterisieren als eine Reaktion auf das einschneidende Lebensereignis der schweren Krankheit.

(b) Fallbeispiel für die Stabilität von Lebenszielen

Lore Feder ist zum Zeitpunkt des Interviews 42 Jahre alt. Die Eltern haben als Facharbeiter (Vater) und einfache Angestellte (Mutter) gearbeitet. Feder hat zwei leibliche und zwei Stiefgeschwister. Alle Geschwister sind jünger als sie (leibliche Geschwister: 6 und 1 Jahr jünger, Stiefgeschwister: 13 und 12 Jahre jünger). Nach dem Abschluß der Volksschule besucht Feder für kurze Zeit eine Fachschule (ohne Abschluß). Von ihrem 28. Lebensjahr an arbeitet sie sieben Jahre lang als angelernte Kraft in einer sozialen Einrichtung. Anschließend - zwischen ihrem 35. und ihrem 37. Lebensjahr - absolviert Feder eine Ausbildung in einem sozialen Beruf. Von einem Jahr der Arbeitslosigkeit unterbrochen arbeitet sie seitdem in diesem Beruf. Mit 17 Jahren heiratet Feder den Vater ihres ersten Kindes, das bald nach der Eheschließung geboren wird. Ein zweites Kind wird geboren, als Feder 22 Jahre alt ist. Kurz darauf wird die erste Ehe geschieden und sie heiratet ihren zweiten Ehemann, mit dem sie ebenfalls zwei Kinder hat (sie ist beim dritten Kind 24 Jahre und beim vierten 29 Jahre alt).

Trotz ihres ereignisreichen Lebens (zwei Ehen, vier Kinder und eine Berufsausbildung im vierten Lebensjahrzehnt) erscheinen die zentralen Lebensziele Lore Feders während ihrer Erwachsenenzeit weitgehend unverändert. Das zentrale Lebensthema ist das Erreichen selbstgesteckter, sozialbezogener Ziele, insbesondere in den Bereichen von Beruf und Familie. Dies soll mit einigen Interviewzitaten belegt werden.

Im beruflichen Bereich wird deutlich, daß Lore Feder über einen sehr langen Zeitraum den Plan einer Ausbildung in einem sozialen Beruf verfolgt hat. Auf die Frage, ob sie sich wünschen würde, etwas in ihrem Leben anders gemacht zu haben, antwortet sie:

> *Mit Sicherheit nicht. Denn dazu habe ich mir das zu lange gewünscht. Ich kriege eigentlich immer alles, was ich mir wünsche. Bloß dazu gleich: Ich wünsche mir keine abartigen Sachen, ja? Daß ich mir jetzt solche Fantasie oder Hirngespinste, ich wünsche mir wirklich effektiv solche Sachen, die man auch Tatsache bekommen kann. So hoch schraube ich also meine Wünsche nicht. Da bleibe ich mit beiden Füßen auf der Erde. Ich habe mir unheimlich lange gewünscht, (in meinem Beruf zu arbeiten). Und ich mußte annähernd 20 Jahre warten, bis ich das werden konnte* (p.6).

Aber auch im familiären Bereich zeigt sich, daß Feder langfristige Pläne verfolgt:

> *Ich habe aus der ersten Ehe zwei (Kinder) und aus der zweiten Ehe. Ja, so ist die Sache. Nee, also um des lieben Friedens willen. Denn damals, 1960, da war also uneheliches Kind: Nein, gibt es nicht. So, schön. Dann habe ich eben geheiratet. Und dann wurde man geschieden. Und dann habe ich den geheiratet, den ich ursprünglich haben wollte ... Und dann kam eine Frau daher, die wollte mir (meinen zweiten Mann) eines schönen Tages abnehmen, aber was mir gehört, das lasse ich mir nicht wegnehmen. Ist wieder alles in Ordnung* (p.16).

Auf die Interviewfragen nach Veränderungen oder Kontinuität in ihrem Leben antwortet Feder mit dem Hinweis auf noch nicht erreichte Ziele. So antwortet sie auf die Frage, was sie für die nächsten zehn Jahre erhofft:

> *Also ich hoffe doch ganz stark, daß ich es noch schaffe, was ich mir vorgenommen habe, daß ich eben diese Ausbildung noch machen kann (zur Kursleiterin)* (p.82).

Die Bedeutung ihrer Ehebeziehung zu ihrem zweiten Mann ist in der Vergangenheit wichtiger geworden, aber hat sich nicht vollkommen verändert:

> *Also (die Ehebeziehung) ist mir schon wichtiger geworden. Und wieso? Woran liegt das? Weil wir gemeinsam älter geworden sind und uns auch langsam vorbereiten müssen, langsam noch älter zu werden. Und dann mehr Zeit miteinander zu verbringen* (p.64).

Über die Zukunft ihrer Ehebeziehung hat sich Feder Gedanken gemacht und sie geplant. Auf die Frage, ob ihr der Gedanke unangenehm sei, den Rest ihres Lebens mit ihrem Mann zu verbringen, antwortet sie:

> *Der ist mir nicht unangenehm. Wir haben uns schon eine ganze Menge vorgenommen. Wir könnten nächtelang Karten spielen, was wir jetzt nicht schaffen* (p.65).

Und auf die Frage, ob sie in ihrem vergangenen Leben Veränderungen wahrgenommen habe, berichtet Feder von Stabilität oder nur geringfügigen Veränderungen. So antwortet sie auf die Frage, ob sich bestimmte Vorstellungen und Hoffnungen in den letzten Jahren als illusionär erwiesen haben:

> *Nee, eigentlich, so gesehen nicht. Ich bin im großen und ganzen unheimlich zufrieden* (p.8).

Auf die Frage, welche Verhaltensweisen sie in den letzten Jahren aufgegeben habe, antwortet Feder:

> *Welche Verhaltensweisen? Also Vorurteile abzubauen.* <u>Welche?</u> *Daß der äußere Eindruck eines Menschen nicht unbedingt entscheidend ist für seine inneren Werte. Und eben auch Vorurteile über Ausländer. Das ist eigentlich auch ganz wichtig gewesen* (p.45/46).

Und auf die Frage, ob sie in den vergangenen Jahren eine veränderte Selbst- oder Weltsicht bemerkt habe, verweist Feder auf eine unveränderte Selbstwahrnehmung sowie auf eine bewußtere Wahrnehmung ihrer Umwelt seit der Geburt ihres jüngsten Sohnes:

> *Also mich selbst (nehme ich) eigentlich nicht (anders wahr), weil ich ja immer unheimlich viel unterwegs bin und nicht so viel Zeit habe. Und ich mache mir auch nicht so viel daraus, bilde ich mir jedenfalls ein. Bloß daß man jetzt so Sachen bewußter sieht, das ist uns aufgefallen, und zwar bei der Geburt unseres jüngsten Sohnes* (p.46).

Faßt man alle diese Äußerungen zusammen, so zeigt sich, daß das zentrale Lebensziel Lore Feders, nämlich berufliche und familiäre Pläne zu verwirklichen, eine hohe Stabilität aufweist. In dem vorliegenden Interview berichtet Feder, daß sie schon sehr lange sozialbezogene Pläne verfolgt und auch zur Zeit bestimmte, vor allem berufliche Pläne vorbereitet. Damit ist dieses Interviewprotokoll ein Beispiel für die hohe Kontinuität zentraler Lebensziele im mittleren Erwachsenenalter.

4.1.3 Zusammenfassung (Fallbeispiele)

In diesem Abschnitt wurden einige Fallbeispiele vorgestellt, um die oben erläuterte Typologie von Identitätsprojekten sowie das Konzept der Identitätstransformation zu illustrieren. Es wurden Äußerungen aufgenommen, die im Zuge der standardisierten Einschätzung des Interviews von den beteiligten Ratern als typische Äußerungen für ein bestimmtes Identitätsprojekt oder eine Identitätstransformation (bzw. für die Stabilität von Lebenszielen) angesehen wurden.

Mit dem hier vorgestellten Material können (und sollen) weder die Identitätsprojekte noch die Entwicklungsverläufe der vorgestellten Personen vollständig beschrieben werden. Allerdings ist es möglich, die Existenz eines Phänomens zu illustrieren. Für jedes der sechs postulierten Identitätsprojekte konnten Äußerungen angeführt werden, die zeigen, daß die jeweilige Untersuchungsperson ein entsprechendes Lebensziel verfolgt. Es konnte anhand von Interviewzitaten gezeigt werden, daß es im mittleren Erwachsenenalter Personen gibt, die eine große Kontinuität in bezug auf ihre Lebensziele wahrnehmen. Schließlich konnte anhand von Interviewzitaten gezeigt werden, daß es im mittleren Erwachsenenalter auch Personen gibt, die in ihrem Erwachsenenleben Transformationen ihrer zentralen Lebensziele erfahren haben und sukzessiv verschiedene zentrale Lebensziele verfolgt haben.

4.2 Analyse der Interviewratings

In diesem Abschnitt sollen die Ergebnisse der Inhaltsanalysen der Interviews in bezug auf Identitätsprojekte und Identitätstransformationen in drei Abschnitten dargestellt werden. Erstens werden die Reliabilitätsschätzungen der Ratings vorgestellt. Zweitens werden die inhaltlichen Analysen der Ratings zu Identitätsprojekten und drittens die Ergebnisse der Analysen zu Identitätstransformationen und kritischen Lebensereignissen beschrieben. Alle statistischen Analysen, die in dieser Arbeit beschrieben werden, wurden mit den Statistikprogramm-Paketen SPSS-X und SAS durchgeführt.

4.2.1 Reliabilität der Ratings

Um eine Schätzung der Rating-Reliabilität für die Ratingskalen hinsichtlich Identitätsprojekten und Identitätstransformationen zu erhalten, werden die Werte der Rater, die nur ein Subset (n=23) der Interviews einschätzten (Rater A und Rater B), zu einem Gesamtwert agglomeriert (d.h. es werden die individuellen Werte der Rater herangezogen, wenn nur ein Wert zur Verfügung steht, n=12; dagegen wird der Mittelwert der individuellen Werte der Rater herangezogen, wenn beide Werte zur Verfügung stehen, n=17). Für die Schätzung der Inter-Rater-Übereinstimmungen werden die Werte eines weiteren Raters (Autor, Rater 1) mit den agglomerierten Werten dieser zwei Rater ("Rater 2") verglichen. Die Zahl der Rater für die Identitätsprojekt- und Transformation-Ratings beträgt somit k=2. (Im folgenden werden die Bezeichnungen Identitätsprojekt-Skala und Lebensziel-Skala sowie Transformation-Skala und Veränderung-Skala synonym verwendet.)

Um eine Schätzung für die Reliabilität der Zahl berichteter kritischer Lebensereignisse zu erhalten, werden die Werte zweier Rater (Rater 3 und 4) miteinander verglichen. Die Rater, die die Zahl berichteter kritischer Lebensereignisse ermittelten, sind nicht dieselben Rater, die die Identitätsprojekte und Identitätstransformationen einschätzen. Die Zahl der Rater, die die Zahl der berichteten kritischen Lebensereignisse ermittelten, beträgt k=2.

Die Inter-Rater-Reliabilitäten sind in Tabelle 4.2.1 dargestellt. Es werden drei verschiedene Maße der Reliabilitätsschätzung herangezogen: Cronbachs Alpha (Cronbach, 1951), Pearsons Korrelationskoeffizient sowie der nichtparametrische Konkordanzkoeffizient Kendalls W (nach Lienert, 1978, korrigiert für Ties). Für die Ratings der Identitätsprojekte sind die Reliabilitätsschätzungen zufriedenstellend: Cronbachs Alpha rangiert zwischen .80 und .93, Kendalls W zwischen .78 und .95. Für Pearsons Korrelationskoeffizient liegen die Werte etwas niedriger (zwischen .67 und .87).

Die Reliabilitäten der Veränderungsskalen sind weniger gut als die Ratings der Identitätsprojekte: Cronbachs Alpha rangiert zwischen .02 und .78 (nur die Skala "Selbstverwirklichung" weist mit .78 ein Alpha größer als .70 auf); die Korrelationskoeffizienten liegen zwischen .01 und .65. Da Kendalls Koeffizient W die Zahl der Ties berücksichtigt, liegen die Werte von W zwischen .59 und .86 (die Zahl der Ties ist bei den Veränderungsskalen sehr hoch und damit die Varianz pro Skala gering). Wegen der nicht überzeugenden Reliabilität der einzelnen Veränderungsskalen wird eine Gesamttransformation-Skala gebildet. Diese Skala entsteht durch Agglomeration der siebenstufigen, absoluten Veränderungseinschätzungen (die Summe der sechs Veränderung-Skalen wird durch die Zahl der Skalen dividiert; damit lauten die theoretischen Endpunkte der Gesamttransformation-Skala

Minimum=1 und Maximum=7, das theoretische Mittel beträgt 4). Diese Skala weist eine zufriedenstellende Reliabilität auf (Alpha .75, Korrelation .60, Kendalls W .80). Die Reliabilität der Zahl berichteter kritischer Lebensereignisse weist gute Werte auf (Alpha .88, Korrelation .79, Kendalls W .91). Für die folgenden Analysen werden nur die Skalen verwendet, die einen Reliabilitätskoeffizienten Alpha größer .70 aufweisen. In die Analysen gehen somit die sechs Ratings zu Lebenszielen sowie das Gesamttransformation-Rating und die Zahl berichteter kritischer Lebensereignisse ein. Die Analysen der Lebensziel- und Veränderungsratings basieren auf den Werten des Raters 1 (Autor), die Analysen der Zahl berichteter kritischer Lebensereignisse basieren auf den Werten des Raters 3 (studentische Hilfskraft im Projekt). Alle Analysen werden an den Werten der anderen Rater wiederholt (für die Lebensziel- und Veränderungsratings die Werte des Raters 2; für die Zahl berichteter kritischer Lebensereignisse die Werte des Raters 4).

Tabelle 4.2.1: Reliabilitäten für Identitätsprojekt- und Identitätstransformation-Ratings sowie für die Zahl der berichteten kritischen Lebensereignisse (Zahl der Rater, k=2)

Variable	Cronbach Alpha	Pearson r	Kendall W
Rollenstatus aufrechterhalten	.93	.87	.95
Statusziele realisieren	.88	.79	.93
Sozialrelationale Generativität	.93	.87	.95
Reflexive Rekonstruktion	.80	.67	.78
Selbstverwirklichung	.91	.85	.82
Generative Selbstaktualisierung	.91	.83	.80
Veränderung Rollenstatus	.53	.37	.74
Veränderung Statusziele	.62	.50	.76
Veränderung Generativität	.67	.57	.79
Veränderung Reflexive Rekonstruktion	.46	.35	.67
Veränderung Selbstverwirklichung	.78	.65	.86
Veränderung Generative Selbstaktualisierung	.02	.01	.59
Gesamttransformation	.75	.60	.80
Zahl kritischer Lebensereignisse[1]	.88	.79	.91

[1]Die Rater, die die Zahl kritischer Lebensereignisse ermittelten, sind nicht identisch mit den Ratern, die die Einschätzungen der Interviews hinsichtlich Identitätsprojekten und Identitätstransformationen durchführten.

4.2.2 *Identitätsprojekte*

(a) Zusammenhänge zwischen Identitätsprojekt-Skalen

Bevor Gruppenunterschiede für die Ratingskalen dargestellt werden, soll die interne Struktur der Skalen untersucht werden. Dazu sind in Tabelle 4.2.2 die Interkorrelationen der sechs Ratingskalen der Identitätsprojekte aufgeführt. (Im Anhang F1 sind zusätzlich die Interkorrelationen der Lebensziel-Ratings pro Gruppe dargestellt.)

Die Ratingskalen sind als voneinander unabhängige Dimensionen konzipiert (es besteht also die Möglichkeit, daß ein Interviewprotokoll in allen Skalen hohe Werte erreicht, ein anderes dagegen in nur einer Skala einen hohen Wert und in allen anderen niedrige Werte verzeichnet usw.). Es zeigt sich, daß die sechs Skalen moderat miteinander korrelieren, wobei auffällt, daß die drei Korrelationen zwischen den Skalen 1 bis 3 (sozialbezogene Lebensziele) sowie zwei der drei Korrelationen zwischen den Skalen 4 bis 6 (selbstbezogene Lebensziele) positiv ausfallen, und daß sieben der neun Korrelationen zwischen Skalen der beiden Variablengruppen negative Vorzeichen tragen. Von den insgesamt 15 Korrelationen weisen 5 Koeffizienten signifikante Werte auf dem α-Niveau von 5% auf (Zufallsquote: 0.25 Korrelationen).

Tabelle 4.2.2: Interkorrelationen der sechs Identitätsprojekt-Ratings

	1	2	3	4	5	6
1. Rollenstatus aufrechterhalten	1.0	.20	.40	-.44*	-.75***	.25
2. Statusziele realisieren		1.0	.21	-.02	-.37	-.12
3. Sozialrelationale Generativität			1.0	-.26	-.52**	.37*
4. Reflexive Rekonstruktion				1.0	.65**	.09
5. Selbstverwirklichung					1.0	-.20
6. Generative Selbstaktualisierung						1.0

* p < .05
** p < .01
*** p < .001

Da die Skalen untereinander moderat korrelieren, ist es sinnvoll, nach der Dimensionalität der Identitätsprojekt-Skalen zu fragen. Unterzieht man die sechs Skalen einer Hauptkomponentenanalyse, so genügt ein einziger Faktor, um 47,3% der Gesamtvarianz aufzuklären. Die Variablen laden auf diesem (unrotierten) Faktor in einer theoretisch sinnvollen Weise: Während die drei Skalen "Rollenstatus" (a=.73), "Statusziele" (a=.62) und "Generativität" (a=.75) hoch positiv laden und damit den Pol "Sozialorientierung" bilden, laden die Skalen "Reflexive Rekonstruktion" (a=-.77) und "Selbstverwirklichung" (a=-.87) auf diesem Faktor hoch negativ und bilden damit den Pol "Selbstorientierung". Die Ergebnisse der dimensionsreduzierenden Analyse sprechen also für ein eindimensionales Meßinstrument.

(b) Gruppenvergleiche

Im nächsten Analyseschritt soll untersucht werden, ob sich die drei Gruppen (Facharbeiter, Lehrer und Sannyasins) hinsichtlich ihrer Ausprägungen auf den sechs Identitätsprojekt-Skalen unterscheiden. Zu diesem Zweck soll eine multivariate Varianzanalyse mit einem unabhängigen Faktor (Gruppe, mit drei Stufen) sowie sechs abhängigen Variablen (Ratings) durchgeführt werden. Diese multivariate Analyse soll durch zwei orthogonale, multivariate Kontraste ("Sannyasins vs. Facharbeiter und Lehrer" und "Facharbeiter vs. Lehrer"), Diskriminanzanalysen sowie durch univariate Scheffé-Tests pro Skala ergänzt werden.

Tabelle 4.2.3: Mittelwerte (M) und Standardabweichungen (SD) für die Identitätsprojekt-Ratings der drei Gruppen

	Facharbeiter		Lehrer		Sannyasins	
	M	SD	M	SD	M	SD
Rollenstatus aufrechterhalten	5.36	(0.92)	5.22	(1.48)	2.44	(1.33)
Statusziele realisieren	5.00	(1.61)	4.44	(1.51)	3.00	(1.32)
Sozialrelationale Generativität	4.46	(2.21)	3.67	(1.23)	1.11	(0.33)
Reflexive Rekonstruktion	1.91	(1.14)	2.00	(1.58)	3.33	(2.18)
Selbstverwirklichung	2.82	(1.17)	3.33	(1.58)	6.67	(0.71)
Generative Selbstaktualisierung	1.64	(1.03)	2.11	(1.62)	1.11	(0.33)

Die theoretischen Endpunkte der Skalen betragen "1" (Minimum) und "7" (Maximum), der theoretische Skalenmittelpunkt beträgt "4".

Der multivariate Vergleich zwischen den drei Gruppen hinsichtlich der sechs Ratingskalen als abhängiger Variablen ergibt einen hochsignifikanten Unterschied zwischen den Gruppen (Pillai's Trace=.9635, $F(12,44)=3.41$, $p<.001$). In Abbildung 4.2.1 ist dieser Profilvergleich graphisch dargestellt. Mittelwerte und Standardabweichungen der Identitätsprojekt-Skalen sind in Tabelle 4.2.3 aufgeführt.

Zwei orthogonale multivariate Kontraste werden durchgeführt, um diesen Haupteffekt genauer zu analysieren. In einem ersten Schritt wird die Gruppe der Sannyasins mit den beiden anderen Gruppen (Facharbeiter und Lehrer) verglichen. Dieser erste multivariate Kontrast zeigt einen hochsignifikanten Unterschied (Pillai's Trace=.872, $F(6,21)=23.93$, $p<.0001$). In einem zweiten Schritt wird die Gruppe der Facharbeiter mit der Gruppe der Lehrer verglichen. Dieser zweite multivariate Kontrast wird nicht signifikant (Pillai's Trace=.209, $F(6,21)=.926$, n.s.).

Abbildung 4.2.1: Profilvergleich der drei Gruppen von Untersuchungspersonen hinsichtlich der sechs Identitätsprojekt-Skalen

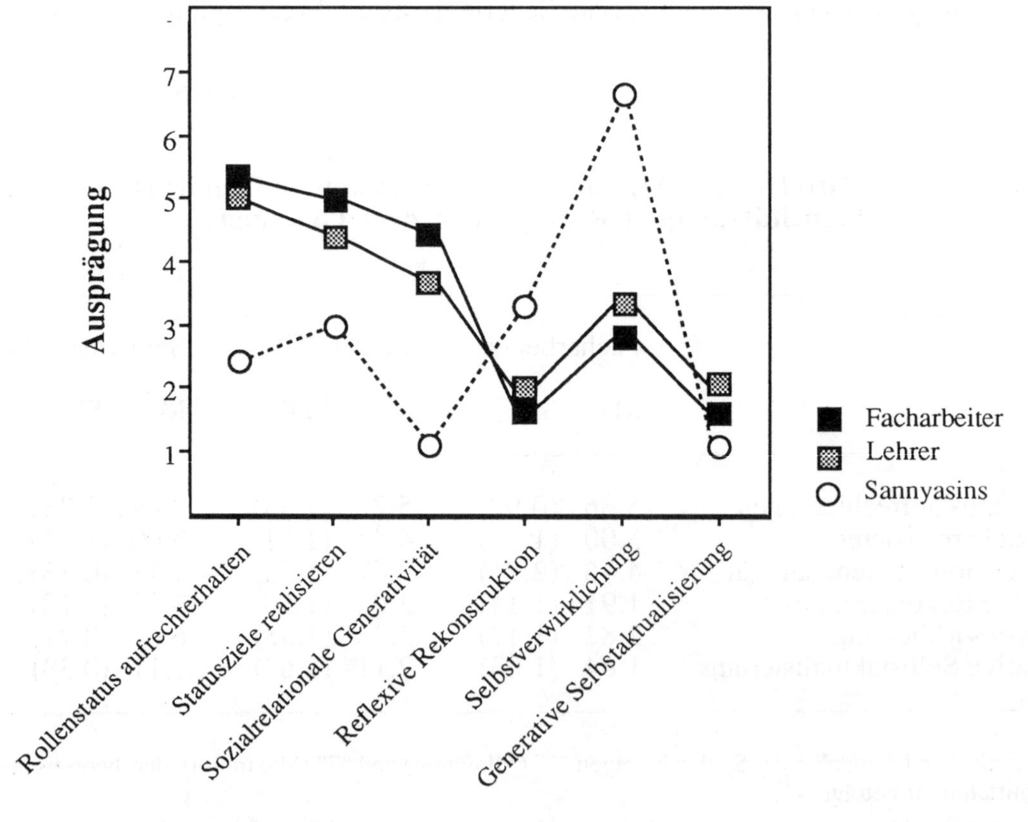

Im Anschluß an eine multivariate Varianzanalyse läßt sich fragen, welche der sechs abhängigen Variablen dazu beigetragen haben, signifikant zwischen den drei Gruppen zu diskrimieren. Die Ergebnisse der diese Frage beantwortenden Diskrimanzanalyse sind in Tabelle 4.2.4 aufgeführt.

Es reicht eine kanonische Diskriminanzfunktion aus, um zwischen den drei Gruppen hinsichtlich der sechs Identitätsprojekt-Ratings zu diskriminieren. (Dieses Ergebnis stimmt mit dem Resultat der Hauptkomponentenanalyse der sechs Skalen überein.) Die univariaten F-Tests zeigen in vier der sechs Ratings signifikante Unterschiede ("Rollenstatus aufrechterhalten", "Statusziele realisieren", "Sozialrelationale Generativität" und "Selbstverwirklichung"). Entsprechend sind die standardisierten Diskriminanzfunktions-Koeffizienten sowie die Korrelationen zwischen den Ratings und der kanonischen Diskriminanzfunktion für diese vier Ratings am höchsten (für diese vier Skalen sind die absoluten Werte der standardisierten Diskriminanzfunktions-Koeffizienten >.50 und die absoluten Werte der Korrelationen zwischen Variable und Diskriminanzfunktion >.20).

Berücksichtigt man nur die vier Skalen, die zwischen den drei Gruppen signifikante univariate Unterschiede zeigen, so läßt sich das Ergebnis der Analysen als "gekippte" Darstellung der Abbildung 4.2.1 unter Elimination der Skalen "Reflexive Rekonstruktion des eigenen Lebens" und "Generative Selbstaktualisierung" darstellen (Abbildung 4.2.2).

Tabelle 4.2.4: Diskriminanzanalyse des Haupteffekts "Gruppe" für die sechs Identitätsprojekt-Ratings. Dargestellt sind die Ergebnisse der univariaten Varianzanalysen, die standardisierten Diskriminanzfunktionskoeffizienten (SDFK) und die Korrelationen zwischen Variablen und Diskriminanzfunktion.

	F (2,26)	p	SDFK	Korrelation
Rollenstatus aufrechterhalten	16.35	.0001	.61	.42
Statusziele realisieren	4.59	.05	.59	.22
Sozialrelationale Generativität	12.35	.0001	.74	.36
Reflexive Rekonstruktion	2.19	n.s.	.35	-.15
Selbstverwirklichung	28.50	.0001	-.73	-.55
Generative Selbstaktualisierung	1.81	n.s.	.01	.11

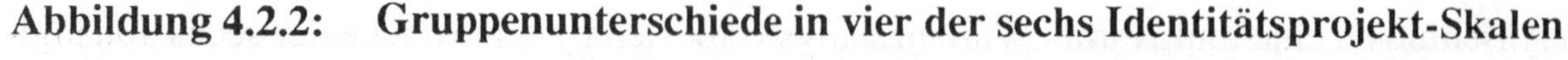

Abbildung 4.2.2: Gruppenunterschiede in vier der sechs Identitätsprojekt-Skalen

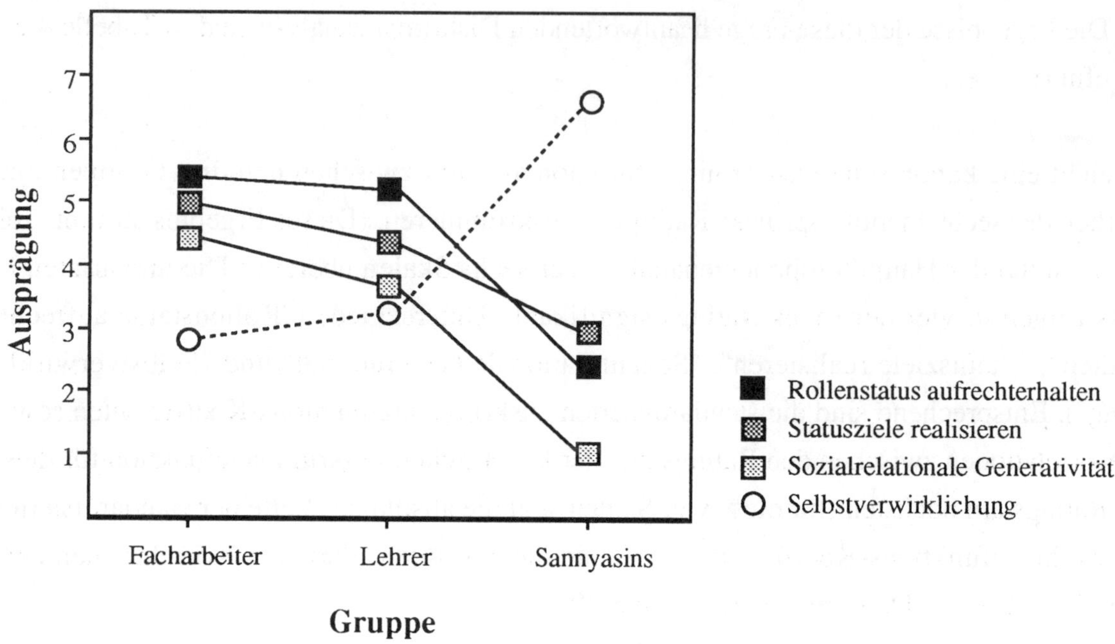

Die Diskriminanzanalyse für den signifikanten multivariaten Kontrast (Vergleich der Sannyasin-Gruppe mit den Gruppen der Facharbeiter und der Lehrer) zeigt, daß ebenfalls eine kanonische Diskrimanzfunktion ausreicht, um diesen Kontrast aufzuklären. Tabelle 4.2.5 zeigt das Ergebnis dieser Analyse. Die univariaten F-Tests zeigen in fünf der sechs Ratings signifikante Unterschiede (nur die Variable "Generative Selbstaktualisierung" zeigt keinen signifikanten F-Wert). Dementsprechend sind auch die Werte der standardisierten Diskriminanzfunktions-Koeffizienten sowie der Korrelation mit der kanonischen Diskriminanzfunktion recht hoch (für diese Skalen sind die absoluten Werte der standardisierten Diskriminanzfunktions-Koeffizienten >.50 und die absoluten Werte der Korrelationen zwischen Variable und Diskriminanzfunktion >.20).

Univariate post-hoc-Vergleiche zwischen den Gruppen pro Ratingskala (Scheffé-Tests) konvergieren mit den multivariaten Analysen. In keiner Skala zeigen sich signifikante Unterschiede zwischen der Gruppe der Facharbeiter und der Gruppe der Lehrer. Die Vergleiche zwischen der Gruppe der Facharbeiter und der Gruppe der Sannyasins zeigen dagegen in allen der vier diskriminierenden Ratings signifikante Unterschiede ("Rollenstatus aufrechterhalten", "Statusziele realisieren", "Sozialrelationale Generativität" und "Selbstverwirklichung"). Zwischen der Gruppe der Lehrer und der Gruppe der Sannyasins unterscheiden sich drei der vier diskriminierenden Skalen in signifikanter Weise ("Rollenstatus aufrechterhalten", "Sozialrelationale Generativität" und "Selbstverwirklichung").

(c) Zusätzliche Analysen

Weitere Analysen werden durchgeführt, um die oben dargestellten Ergebnisse abzusichern: (1) Verwendet man nicht die Werte des Raters 1, sondern die agglomerierten Daten der "theoretisch blinden" Rater A und B ("Rater 2"), so werden die oben dargestellten Analysen repliziert (Ergebnisse der multivariaten Varianzanalyse: Haupteffekt "Gruppe": Pillai's Trace=.950, F(12,44)=3.32, p<.01; Kontrast "Facharbeiter und Lehrer vs. Sannyasins": Pillai's Trace=.877, F(6,21)= 24.95, p<.0001; Kontrast "Facharbeiter vs. Lehrer": n.s.). In univariaten Vergleichen und der Diskrimanzanalyse trägt zusätzlich die Skala "Reflexive Rekonstruktion des eigenen Lebens" zur Unterscheidung zwischen den Gruppen bei. Im Anhang F2 sind die Mittelwerte, im Anhang F3 die Ergebnisse der Diskrimanzanalyse für den Haupteffekt sowie im Anhang F4 die Ergebnisse der Diskriminanzanalyse für den signifikanten Kontrast dargestellt.

(2) Nicht-parametrische Verfahren (Kruskal-Wallis-Rangvarianzanalysen) zeigen für die univariaten Vergleiche konvergente Ergebnisse. Für Rater 1 zeigen sich zwischen den Gruppen signifikante Unterschiede für die vier Identitätsprojekt-Ratings, die in Abbildung 4.2.2 dargestellt sind. Für Rater 2 ergibt sich darüberhinaus für die Ratingskala "Reflexive Rekonstruktion" ein signifikanter Unterschied zwischen den Gruppen.

Tabelle 4.2.5: Diskriminanzanalyse des Kontrasts "Facharbeiter und Lehrer vs. Sannyasins" des Haupteffekts "Gruppe" für die sechs Identitätsprojekt-Ratings. Dargestellt sind die Ergebnisse der univariaten Varianzanalysen, die standardisierten Diskriminanzfunktionskoeffizienten (SDFK) und die Korrelationen zwischen Variablen und Diskriminanzfunktion.

	F (1,26)	p	SDFK	Korrelation
Rollenstatus aufrechterhalten	32.37	.0001	.61	.43
Statusziele realisieren	8.20	.01	.59	.21
Sozialrelationale Generativität	22.71	.0001	.73	.36
Reflexive Rekonstruktion	4.31	n.s.	.34	-.16
Selbstverwirklichung	55.12	.0001	-.72	-.56
Generative Selbstaktualisierung	2.89	n.s.	.04	.13

(3) Nimmt man den Faktor "Geschlecht" in eine multivariate Varianzanalyse auf, so zeigen sich weder Geschlechtsunterschiede noch Interaktionen zwischen den Faktoren "Geschlecht" und "Gruppe", sondern ausschließlich signifikante Gruppeneffekte. Auch diese Analysen gelten für die Werte beider Rater. (In den Anhängen F5 und F6 sind die Ergebnisse dieser Analysen für die Werte der Rater 1 und 2 aufgeführt.) Es soll hier darauf hingewiesen werden, daß die Zahl der Versuchspersonen pro Zelle bei dieser Analyse sehr klein ist ($n_{min}=4$, $n_{max}=6$).

4.2.3 Identitätstransformation und kritische Lebensereignisse

(a) Gesamttransformation-Skala

Wie oben berichtet, ist nur die Skala "Gesamttransformation" (agglomeriert aus den sechs absoluten Veränderungsskalen) hinreichend reliabel, um in den weiteren statistischen Analysen Verwendung zu finden. Aus diesem Grund sollen Ergebnisse in erster Linie für die Gesamttransformation-Skala berichtet werden.

Der univariate Vergleich zwischen den drei Gruppen hinsichtlich der Gesamttransformation von Lebenszielen ist hochsignifikant ($F(2,26)=6.66$, $p<.01$). In Abbildung 4.2.3 ist der Gruppenvergleich graphisch dargestellt. In Tabelle 4.2.6 finden sich die Mittelwerte und Standardabweichungen der Skalen. (Es sei noch einmal daran erinnert, daß hohe Werte eine Veränderung in der Zentralität, geringe Werte dagegen eine konstante Zentralität anzeigen.) Post-hoc Analysen mit Scheffé-Tests zeigen, daß sich die Gruppen der Facharbeiter und Lehrer voneinander nicht reliabel unterscheiden und daß beide Gruppen signifikante Unterschiede zu der Gruppe der Sannyasins aufweisen.

Diese Ergebnisse werden repliziert, wenn man die Daten des "theoretisch blinden" Raters 2 heranzieht. Der Haupteffekt "Gruppe" ist hochsignifikant ($F(2,26)=7.78$, $p<.01$). Auch hier unterscheiden sich in Scheffé-Tests die Gruppen der Facharbeiter und Lehrer nicht reliabel voneinander, beide Gruppen unterscheiden sich jedoch signifikant von der Gruppe der Sannyasins.

Abbildung 4.2.3: Gruppenunterschied hinsichtlich der Gesamttransformation-Skala

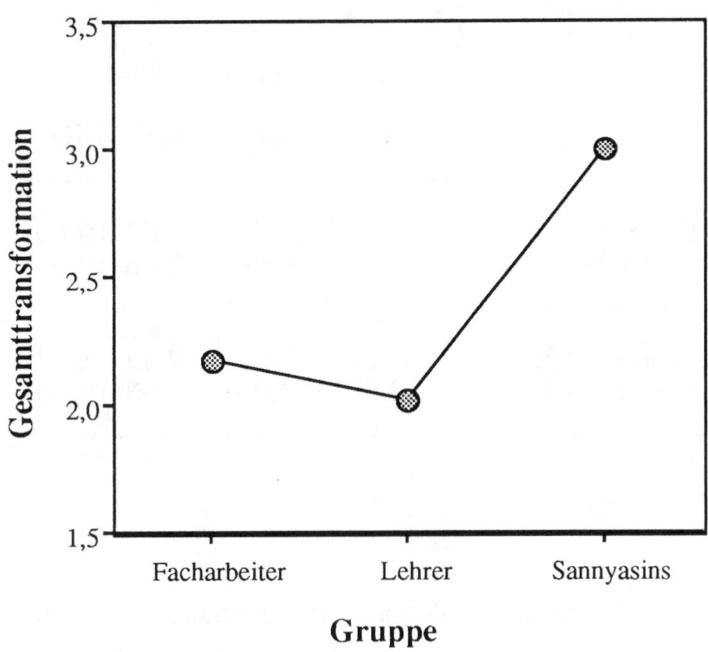

Um die oben berichteten Analysen weiter abzusichern, werden zusätzliche Analysen durchgeführt: (1) Es werden zusätzliche multivariate Analysen durchgeführt, die die sechs gerichteten Veränderungsskalen einbeziehen. Der multivariate Vergleich zwischen den drei Gruppen hinsichtlich der sechs Veränderung-Ratings ist signifikant (für die Werte des Raters 1 lautet das Ergebnis: Pillai's Trace=.733, F(12,44)=2.12, p<.05; für die agglomerierten Werte des Raters 2 lautet das Ergebnis: Pillai's Trace=.676, F(12,44)=1.87, p<.10). Univariate Vergleiche pro Skala und eine Diskriminanzanalyse zeigen, daß ausschließlich die Skala "Veränderung in Selbstverwirklichung" für diesen multivariaten Unterschied verantwortlich ist (für die Werte des Raters 1: F(2,26)=13.58, p<.0001; für die agglomerierten Werte des Raters 2: F(2,26)=11.79, p<.0001). Die Inspektion der gerichteten Identitätstransformation-Skalen zeigt, daß der Gruppenunterschied hinsichtlich der Gesamttransformation auf die erhöhte Zentralität des Identitätsprojekts "Selbstverwirklichung" bei der Gruppe der Sannyasins zurückzuführen ist. Orthogonale multivariate Kontraste zeigen, daß der Unterschied zwischen den drei Gruppen auf den Unterschied zwischen der Gruppe der Sannyasins und den Gruppen der Facharbeiter und Lehrer zurückgeht (für die Werte des Raters 1: Pillai's Trace=.563, F(6,21)=4.51, p<.01; für die agglomerierten Werte des Raters 2: Pillai's Trace=.579, F(6,21)=4.82, p<.01). Im Anhang F7 finden sich die Mittelwerte und Standardabweichungen der Veränderungsskalen, im Anhang F8 die Diskriminanzanalyse für den Haupteffekt "Gruppe" und im Anhang F9 die Diskriminanzanalyse für den Kontrast "Sannyasins vs. Facharbeiter und Lehrer".

Tabelle 4.2.6: Mittelwerte (M) und Standardabweichungen (SD) für die Gesamttransformation-Skala und für die Zahl berichteter kritischer Lebensereignisse der drei Gruppen

	Facharbeiter		Lehrer		Sannyasins	
	M	SD	M	SD	M	SD
Gesamttransformation (Rater 1)	2.18	(0.31)	2.02	(0.60)	3.00	(0.74)
Gesamttransformation (Rater 2)	2.15	(0.40)	2.06	(0.65)	3.06	(0.75)
Zahl kritischer Lebensereignisse (Rater 3)	30.36	(14.92)	19.89	(8.62)	27.11	(4.60)
Zahl kritischer Lebensereignisse (Rater 4)	23.09	(14.05)	15.00	(9.10)	23.44	(7.40)

(2) Nicht-parametrische Verfahren (Kruskal-Wallis-Rangvarianzanalyse) zeigen konvergente Ergebnisse. Die Gruppenunterschiede bezüglich der Gesamttransformation-Skala sind für beide Rater (1 und 2) signifikant.

(3) Nimmt man den Faktor "Geschlecht" in die univariate Varianzanalyse auf, so zeigen sich für die Gesamttransformation-Skala weder Geschlechtsunterschiede noch Interaktionen zwischen den Faktoren "Geschlecht" und "Gruppe". In den Anhängen F10 und F11 sind die Ergebnisse dieser Analysen für die Werte der Rater 1 und 2 aufgeführt. Es soll hier darauf hingewiesen werden, daß die Zahl der Versuchspersonen pro Zelle bei dieser Analyse sehr klein ist (n_{min}=4, n_{max}=6).

(b) Kritische Lebensereignisse

Die Zahl berichteter kritischer Lebensereignisse unterscheidet sich zwischen den drei Gruppen nicht (für Rater 3: $F(2,26)=2.42$, n.s; für Rater 4: $F(2,26)=1.79$, n.s.). Mittelwerte und Standardabweichungen sind in Tabelle 4.2.6 dargestellt. Entprechende Ergebnisse (Gruppenvergleich nicht signifikant) ergeben sich bei der Verwendung eines nicht-parametrischen Verfahrens (Kruskal-Wallis-Rangvarianzanalyse).

Nimmt man den Faktor "Geschlecht" in die Analyse auf, so zeigen sich für die Zahl berichteter kritischer Lebensereignisse weder signifikante Haupteffekte noch eine Wechselwirkung zwischen den Faktoren "Gruppe" und "Geschlecht". Diese Analyse läßt sich an den Werten des zweiten Raters (Rater 4) replizieren. In den Anhängen F12 und F13 sind die Ergebnisse dieser Analysen für die Werte der Rater 3 und 4 aufgeführt.

Wie oben berichtet, weist nur die Gruppe der Sannyasins erhebliche Werte in der Gesamttransformation-Skala sowie in der Skala "Veränderung in Selbstverwirklichung" auf (die Sannyasins nehmen als einzige Gruppe eine Veränderung ihrer Lebensziele im mittleren Erwachsenenalter wahr: Die Bedeutung der Selbstverwirklichung für diese Gruppe steigt in ihrer Zentralität). Geht man davon aus, daß der Eintritt in die Sannyasin-Gruppe einen Teil der im Erwachsenenalter erlebten Veränderung ausmacht, so läßt sich fragen, ob und welche kritischen Lebensereignisse vor dem Eintritt in die Sannyasin-Gruppe stattgefunden haben. In Tabelle 4.2.7 findet sich ein Überblick über die kritischen Lebensereignisse, die in den zwei Jahren vor dem Eintritt in die neoreligiös-therapeutische Gemeinschaft stattgefunden haben. Zusätzlich zu den kritischen Lebensereignissen sind das Alter der Person zum Zeitpunkt des Interviews (Alter), das Alter der Person zum Zeitpunkt des Eintritts in die Sannyasin-Gruppe (Sannyas-Alter) sowie die berufliche Tätigkeit zum Zeitpunkt des Eintritts in die Sannyasin-Gruppe dargestellt.

Wie aus der Tabelle 4.2.7 zu ersehen ist, gingen in sieben der neun Fälle (78%) vor allem selbstinitiierte berufliche Veränderungen (eigene Kündigungen, berufliche Unzufriedenheit, wechselnde Arbeitsstellen) dem Eintritt in die neoreligiös-therapeutische Gemeinschaft voraus. In fünf der neun Fälle (56%) haben die Personen eine Trennung von ihrem jeweiligen Lebenspartner vollzogen. In zwei Fällen (22%) ging die Beendigung eines politischen Engagements dem Eintritt in die Sannyas-Gemeinschaft voraus. In einem Fall war eine schwere Krankheit der (selbstwahrgenommene) Auslöser für den Eintritt in die Sannyasin-Gruppe. (Die durchschnittliche Mitgliedschaft in der Sannyas-Gemeinschaft beträgt 4.7 Jahre; der Range 0.5 bis 10 Jahre). Von den sieben Personen, die ein kritisches Lebensereignis im Beruf vor dem Eintritt in die Sannyas-Gruppe erlebten, arbeiteten nur zwei Personen in ihrem Ausbildungsberuf, als sie der Gemeinschaft beitraten. Vier Personen gingen zu dieser Zeit einer Tätigkeit nach, die ein geringeres Prestige hat als der Ausbildungsberuf. Eine Person hatte eine neue Ausbildung angefangen, die sie später jedoch erfolglos abbrach.

Tabelle 4.2.7: **Kritische Lebensereignisse in den zwei Jahren vor Eintritt in die neoreligiös-therapeutische Gemeinschaft (Sannyas-Gruppe). Dargestellt sind zusätzlich das Alter zum Zeitpunkt des Interviews sowie das Alter und die berufliche Tätigkeit zum Zeitpunkt des Eintritts in die Sannyas-Gruppe.**

Alter	**Sannyas-Alter**	**Tätigkeit zur Zeit des Eintritts in die Sannyas-Gruppe**	**Kritische Lebensereignisse in den 2 Jahren vor Eintritt in die Sannyas-Gruppe**		
			Beruf	**Beziehung**	**Sonstiges**
34	28	zweite Ausbildung	Eigene Kündigung	Trennung von Freundin	-----
34	31	Ausbildungsberuf	Entlassung, wechselnde Arbeitsstellen	-----	-----
35	27	erste Ausbildung	-----	-----	Austritt aus Partei, Auszug aus 1. Wohngemeinschaft
35	27	arbeitslos	Ende des Studiums, eigene Kündigung	Trennung von Freund	-----
35	35	zweite Ausbildung	-----	Trennung von Freund	Schwere Krankheit
37	28	geringere Tätigkeit	Eigene Kündigung	Heirat, Trennung von Ehemann	-----
42	35	Ausbildungsberuf	Berufliche Unzufriedenheit	-----	Beendigung politischer Arbeit, Reise, Therapie
42	32	geringere Tätigkeit	Eigene Kündigung	Trennung von Ehefrau	-----
44	41	geringere Tätigkeit	Eigene Kündigung	-----	-----

(c) Gesamttransformation, Identitätsprojekte und kritische Lebensereignisse

In diesem Abschnitt sollen die Zusammenhänge zwischen der Gesamttransformation-Skala und den Identitätsprojekt-Skalen sowie der Zahl kritischer Lebensereignisse berichtet werden.

Gesamttransformation und Identitätsprojekte: Von den sechs Korrelationen zwischen der Gesamttransformation-Skala und den Identitätsprojekt-Skalen weisen vier Zusammenhänge signifikante Koeffizienten auf. Negative Zusammenhänge zeigen sich mit den Skalen "Sozialrelationale Generativität" (r=-.56, p<.001) und "Rollenstatus aufrechterhalten" (r=-.48, p<.01); positive Zusammenhänge zeigen sich mit den Skalen "Selbstverwirklichung" (r=.60, p<.001) und "Sozialrelationale Generativität (r=.35, p<.05). Die Korrelationen mit den Skalen "Statusziele realisieren" (r=-.16) und "Generative Selbstaktualisierung" (r=-.05) sind nicht signifikant. (Es soll hier darauf hingewiesen werden, daß signifikante Korrelationen zwischen Skalen mit den gleichsinnigen Gruppenunterschieden in den betreffenden Skalen konfundiert sind. Dies wird in der Interpretation der Befunde zu berücksichtigen sein; s. Kapitel 5.)

Gesamttransformation und Zahl kritischer Lebensereignisse: Um zu überprüfen, ob die Veränderung in Lebenszielen, von der eine Person berichtet, mit der Zahl berichteter kritischer Lebensereignisse zusammenhängt, wird die Korrelation zwischen diesen beiden Variablen errechnet. Es zeigt sich ein positiver (für das Raterpaar 1 und 3 nicht signifikanter) Zusammenhang zwischen der Gesamttransformation und der Zahl berichteter kritischer Lebensereignisse. (Für die Rater 1 und 3 lautet die Korrelation r=.24, n.s.; für Rater 2 und 4 lautet die Korrelation r=.44, p<.05). Berechnet man die Korrelationen zwischen Gesamttransformation und Zahl kritischer Lebensereignisse pro Gruppe, so finden sich unterschiedlich hohe Zusammenhänge in den drei Gruppen. Für die Gruppe der Facharbeiter beträgt diese Korrelation (Raterpaar 1 und 3) r=.58 (p<.05), für die Gruppe der Lehrer r=.10 (n.s.) und für die Gruppe der Sannyasins ist die Korrelation schwach negativ, r=-.36 (n.s.). Der Unterschied zwischen den Korrelationen in der Gruppe der Facharbeiter und der Gruppe der Sannyasins ist signifikant (z=1.73, p<.05); der Unterschied zwischen den Korrelationen in der Gruppe der Lehrer und der Sannyasins ist nicht signifikant (zur Berechnung s. Bortz, 1977, p.263). Die entsprechenden Korrelationen für Rater 2 und 4 lauten: Facharbeiter (r=.87, p<.001), Lehrer (r=.60, p<.05) und Sannyasins (r=-.06, n.s.). Der Unterschied zwischen den Korrelationen Facharbeiter vs. Sannyasins ist hochsignifikant (z=2.41, p<.05); der Unterschied zwischen den Korrelationen Lehrer vs. Sannyasins ist nicht signifikant.

4.2.4 Zusammenfassung (Interviewratings)

Im vorliegenden Abschnitt wurden die Ergebnisse der standardisierten Inhaltsanalysen (Ratings) dargestellt. Die vorliegenden Interviewprotokolle wurden von zwei Raterpaaren hinsichtlich Identitätsprojekten und Identitätstransformationen (Rater 1 und 2) sowie hinsichtlich der Zahl berichteter kritischer Lebensereignisse (Rater 3 und 4) eingeschätzt. Die Reliabilitäten für die Identitätsprojekt-Einschätzungen sind gut (für Cronbachs Alpha liegen die Werte zwischen .80 und .91). Die Reliabilitäten für die Identitätstransformation-Einschätzungen sind weniger befriedigend (Cronbachs Alpha liegt zwischen .02 und .78); aus diesem Grund wird eine Gesamttransformation-Skala als Summe der sechs Einzelskalen gebildet (die Reliabilität dieser Skala ist mit einem Alpha von .75 zufriedenstellend). Die Reliabilität der Zahl berichteter kritischer Lebensereignisse ist gut (Cronbachs Alpha beträgt .88).

In Gruppenvergleichen zeigen sich zwischen den drei Gruppen (Facharbeiter, Lehrer und Sannyasins) Unterschiede hinsichtlich der Lebensziele (sowohl in multivariaten Tests als auch in vier der sechs univariaten Tests). Dabei zeigt es sich, daß Facharbeiter und Lehrer stärker sozialbezogene Ziele verfolgen als Sannyasins (Rollenstatus aufrechterhalten, Statusziele realisieren und Sozialrelationale Generativität), Sannyasins dagegen stärker ihre Selbstverwirklichung betreiben als die Mitglieder der beiden anderen Gruppen. Resümierend läßt sich sagen, daß sich die Gruppen der Facharbeiter und Lehrer voneinander nicht, gemeinsam jedoch von der Gruppe der Sannyasins unterscheiden.

Auch hinsichtlich der Transformation von Lebenszielen unterscheiden sich die drei Gruppen voneinander: Während Facharbeiter und Lehrer nur geringe Transformationswerte aufweisen (hohe Stabilität der Lebensziele), zeichnen sich die Sannyasins durch höhere Transformationswerte aus. Die Analyse der gerichteten Identitätstransformation-Skalen ergibt, daß dieser Unterschied auf eine im Lauf des Erwachsenenalters zugenommene Zentralität des Identitätsprojekts "Selbstverwirklichung" bei den Sannyasins zurückzuführen ist. Hinsichtlich der Zahl berichteter kritischer Lebensereignisse unterscheiden sich die drei Gruppen nicht signifikant. Der Zusammenhang zwischen der Zahl der berichteten kritischen Lebensereignisse und dem Ausmaß der Identitätstransformation ist (für alle Untersuchungspersonen) schwach positiv, unterscheidet sich jedoch für die drei Gruppen: In der Gruppe der Facharbeiter findet sich ein signifikanter positiver Zusammenhang; in der Gruppe der Sannyasins ist dieser Zusammenhang nicht signifikant von Null verschieden. Betrachtet man nur die Gruppe der Sannyasins, so findet man, daß dem Eintritt in die neoreligiös-therapeutische Gemeinschaft selbstinitiierte Veränderungen im Berufsbereich und im Bereich persönlicher Beziehungen vorangehen. (Die Ergebnisse aller inferenzstatistischen Analysen wurden an den Werten des jeweils zweiten Raters repliziert; der Faktor "Geschlecht" zeigt keine signifikante Varianzaufklärung, wenn er in das Design aufgenommen wird.)

4.3 Standardisierte Meßinstrumente

In diesem Abschnitt sollen die statistischen Analysen vorgestellt werden, die auf den Daten der standardisierten Meßinstrumente basieren. Wie oben beschrieben, gehen 14 Meßinstrumente mit 196 Items in die statistischen Analysen ein. Die Meßinstrumente werden nach konzeptuellen Überlegungen vier Gruppen zugeordnet: Selbstbeschreibungen, Werthaltungen, Anomie/Alienation und Kontrollüberzeugungen (vgl. Tabelle 3.2). Insgesamt 12 Skalen und 18 Items gehen in die statistische Analyse ein. Im folgenden sollen die Reliabilitäten (internen Konsistenzen) der standardisierten Meßinstrumente, die Interkorrelationen zwischen den standardisierten Meßinstrumenten, die Ergebnisse der Vergleiche zwischen den drei Gruppen hinsichtlich der vier Skalen-Gruppen und schließlich Zusammenhänge zwischen den Ratingskalen und den standardisierten Meßinstrumenten vorgestellt werden.

4.3.1 Reliabilitäten

In Tabelle 4.3.1 sind die Reliabilitätskoeffizienten für die in die statistischen Analysen eingehenden Skalen und Items dargestellt. Der verwendete Reliabilitätskoeffizient ist Cronbachs Alpha. Für die 12 Skalen rangiert Cronbachs Alpha zwischen .39 und .88 (Median .70). Zehn der 12 Skalen zeigen Reliabilitäten größer .60 (6 Skalen haben Werte größer .70). Der Median der Test-Retest-Reliabiliäten für die 18 Items der "Terminal Value Scale" (Rokeach, 1973) beträgt nach Rokeachs eigenen Angaben .65.

Anhand der vorliegenden Reliabilitätsschätzungen wird die Entscheidung getroffen, die Items der drei Anomie/Alienation-Skalen zu einer Skala "Anomie/Alienation" zusammenzufassen (für die zusammengefaßte Skala "Anomie/Alienation" beträgt Cronbachs Alpha=.82) und die Skala "Resignative Gegenwartsorientierung" wegen zu geringer Reliabilität aus der Analyse auszuscheiden (Cronbachs Alpha=.39). Damit verbleiben in der Analyse 9 Skalen und 18 Items (Selbstbeschreibung: 4 Skalen, Werthaltungen: 1 Skala und 18 Items, Anomie/Alienation: 2 Skalen; Kontrollüberzeugungen: 2 Skalen). Die Reliabilitätsschätzungen für die verbleibenden 9 Skalen rangieren zwischen .63 und .88 (Median .79).

Tabelle 4.3.1: Reliabilitäten der aus den standardisierten Meßinstrumenten gebildeten Skalen (aufgeführt sind die Zahl der Items, die Autoren der Skalen, die interne Konsistenz der Skalen berechnet anhand der vorliegenden Stichprobe mit N=29 sowie Reliabilitätsangaben zu einigen Skalen aus der Literatur)

Bezeichnung der Skala	Zahl	Autoren der Items	Cronbach Alpha	Andere Angaben
Selbstbeschreibung				
Personal Identity	10	Hogan & Cheek (1983)	.82	---
Social Identity	11	Hogan & Cheek (1983)	.79	---
Selbstbezug	6	Neuentwicklung	.76	---
Sozialbezug	10	Neuentwicklung	.64	---
Werthaltungen				
Terminal Values	18	Rokeach (1973)	---	.65[1]
Social Compassion	9	Rokeach (1969)	.63	---
Anomie/Alienation				
Counter-Cultural Attitudes	47	Musgrove (1974)	.88	.96[2]
Anomie	3	Musgrove (1974)	.55	---
Alienation	17	Nordquist (1978)	.61	---
Alienation	10	Keniston (1960)	.70	---
Anomie/Alienation	30	Gesamt-Skala	.82	---
Resignative Gegenwartsorientierung	30	Neuentwicklung	.39	---
Kontrollüberzeugung				
Externale Kontrollüberzeugung	15	Neuentwicklung	.69	---
Internale Kontrollüberzeugung	10	Neuentwicklung	.83	---

[1]Median der Test-Retest-Reliabilitäten für alle 18 Items der Terminal Value Scale, nach Rokeach (1973).
[2]Split-Half-Reliabilität der 48-Item-Skala, nach Musgrove (1974).

4.3.2 Interkorrelationen der aus den Meßinstrumenten gebildeten Skalen

Bevor Gruppenunterschiede für die aus den standardisierten Meßinstrumenten gebildeten Skalen dargestellt werden, sollen die Interkorrelationen dieser neun Skalen analysiert werden. In Tabelle 4.3.2 sind die Interkorrelationen der neun Skalen der standardisierten Meßinstrumente aufgeführt. (Die Items der "Terminal Value Scale" sind in dieser Tabelle nicht aufgeführt, da es sich nicht um Skalen, sondern um einzelne Items handelt. Die

Interkorrelationsmatrix aller in dieser Studie verwendeten Skalen und Items ist in Anhang F14 aufgeführt.)

Von den vier Skalen des thematischen Clusters "Selbstbeschreibung" korrelieren die Skalen "Personal Identity" and "Social Identity" signifikant miteinander (r=.52, p<.01), die beiden Skalen des thematischen Clusters "Anomie/Alienation" korrelieren positiv miteinander (r=.46, p<.01) und die Korrelation der beiden Skalen des thematischen Clusters "Kontrollüberzeugung" ist vernachlässigbar klein (r=-.08, n.s.).

Zwischen den Skalen des Clusters "Selbstbeschreibung" und der Skala "Social Compassion" zeigt sich eine signifikante Korrelation ("Personal Identity" und "Social Compassion"), r=.44, p<.05). Zwischen den Clustern "Selbstbeschreibung" und "Anomie/Alienation" zeigen sich zwei signifikante positive Korrelationen (Skala "Counter Cultural Attitudes" und Skala "Personal Identity" r=.55, p<.01; Skala "Counter Cultural Attitudes" und Skala "Selbstbezug" r=.43, p<.05) sowie eine negative Korrelation (zwischen der Gesamtskala "Anomie/Alienation" und "Sozialbezug" r=-.39, p<.05). Zwischen den thematischen Clustern "Selbstbeschreibung" und "Kontrollüberzeugung" zeigen sich zwei signifikante positive Korrelationen (Skala "Social Identity" und Skala "Externale Kontrollüberzeugung" r=.38, p<.05; Skala "Selbstbezug" und Skala "Internale Kontrollüberzeugung" r=.73, p<.001). Die Skala "Social Compassion" korreliert signifikant positiv mit der Skala "Counter Cultural Attitudes" (r=.44, p<.05). Von den insgesamt 36 Korrelationen der Korrelationsmatix weisen neun Koeffizienten signifikante Werte auf dem α-Niveau von 5% auf (Zufallsquote 1.8 Korrelationen).

Da die Skalen untereinander korrelieren, läßt sich nach der Dimensionalität der neun aus den standardisierten Meßinstrumenten gebildeten Skalen fragen. Unterzieht man die Skalen einer Hauptkomponentenanalyse, so klären zwei Faktoren 63,8% der gemeinsamen Varianz auf (Extraktionskriterium: Scree-Test). Die zwei varimax-rotierten Faktoren spiegeln die thematische Gruppierung der Skalen nur teilweise wider. Auf dem ersten Faktor laden die Skalen "Internale Kontrollüberzeugung" (a=.85), "Social Identity" (a=.78), "Externale Kontrollüberzeugung" (a=.71) und "Selbstbezug" (a=.70). Auf dem zweiten Faktor laden die Skalen "Counter-Cultural Attitude Scale" (a=.87), "Social Compassion" (a=.80), "Personal Identity" (a=.65), "Anomie/Alienation" (a=.58) und "Sozialbezug" (a=-.67).

Da die Analyse der empirischen Zusammenhänge nicht mit der konzeptuellen Gruppierung der Skalen übereinstimmt, wird über die Verwendung der Skalen in den weiteren Analysen die folgende Entscheidung getroffen: (1) Die Skalen werden nicht zusammengefaßt. (2) Da es wegen unsystematisch auftretender fehlender Werte nicht möglich ist, jeweils alle Skalen oder Items pro thematischen Bereich als abhängige Variablen in multivariate Varianzanalysen aufzunehmen, werden hier ausschließlich univariate Vergleiche mit zusätzlicher Korrektur des α-Niveaus anhand der Bonferroni-Ungleichung vorgestellt. (Das α-Niveau wird anhand der Zahl der Skalen pro thematischer Gruppe adjustiert.)

Tabelle 4.3.2: Interkorrelationen der neun aus den standardisierten Meßinstrumenten gebildeten Skalen

	1	2	3	4	5	6	7	8	9
1. Personal Identity	1.0	.52**	.16	-.32	.44*	.55**	.01	.28	.03
2. Social Identity		1.0	.12	.08	-.05	-.01	-.28	.38*	.08
3. Selbstbezug			1.0	.18	-.17	.43*	.05	-.03	.73**
4. Sozialbezug				1.0	-.26	-.34	-.39	.29	.14
5. Social Compassion					1.0	.44*	.08	.33	-.30
6. Counter-Cultural Attitudes						1.0	.46**	.03	.33
7. Anomie/Alienation							1.0	-.06	.17
8. Externale Kontrollüberzeugung								1.0	-.08
9. Internale Kontrollüberzeugung									1.0

* $p < .05$
** $p < .01$
*** $p < .001$

4.3.3 Gruppenvergleiche

Im folgenden werden die Vergleiche zwischen den Gruppen der Facharbeiter, Lehrer und Sannyasins hinsichtlich der in die statistischen Analysen aufgenommenen 9 Skalen und 18 Items für die thematischen Bereiche Selbstbeschreibung, Werte, Anomie/Alienation und Kontrollüberzeugung getrennt dargestellt.

(a) Selbstbeschreibung

Von den vier Skalen aus dem Bereich Selbstbeschreibung zeigt nur die Skala "Selbstbezug" signifikante Unterschiede zwischen den Gruppen ($F(2,25)=7.81$, $p<.002$). Berücksichtigt man das Problem der multiplen Testung mit der Bonferroni-Ungleichung, so resultiert ein $\alpha^*=.05/4=.0125$. Der Unterschied ist auch auf dem korrigierten Niveau signifikant. In Abbildung 4.3.1 ist der Gruppenunterschied hinsichtlich dieser Skala graphisch dargestellt. Mittelwerte und Standardabweichungen der Skalen sowie die Ergebnisse der univariaten Varianzanalysen sind in Tabelle 4.3.3 dargestellt. Post-hoc-Analysen (Scheffé-Tests) zeigen, daß sich die Gruppe der Sannyasins signifikant von den Gruppen der Facharbeiter und der Lehrer unterscheidet. Die Gruppen der Facharbeiter und der Lehrer unterscheiden sich nicht reliabel voneinander.

Abbildung 4.3.1: Gruppenunterschiede hinsichtlich der Skalen "Selbstbezug" und "Internale Kontrollüberzeugung"

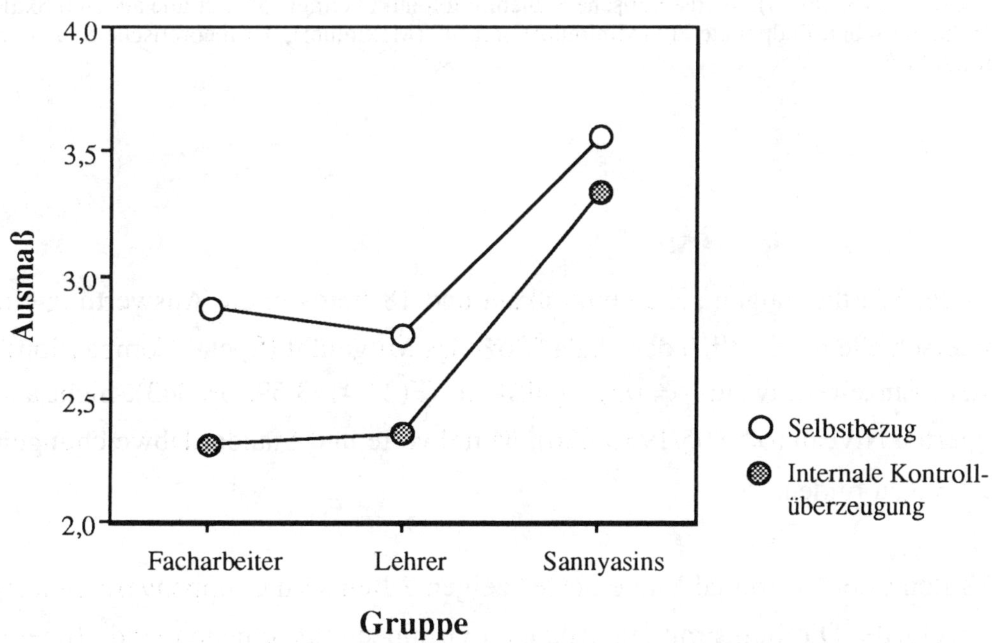

Tabelle 4.3.3: Mittelwerte (M) und Standardabweichungen (SD) der aus den standardisierten Meßinstrumenten gebildeten Skalen pro Gruppe. Dargestellt sind zusätzlich die Ergebnisse der univariaten Gruppenvergleiche.

	Facharb.		Lehrer		Sannyasins				
	M	SD	M	SD	M	SD	F	df	p
Selbstbeschreibung									
Personal Identity	3.53	(0.73)	3.82	(0.78)	3.27	(0.70)	1.11	2/24	n.s.
Social Identity	2.64	(0.76)	2.61	(0.44)	2.45	(0.97)	0.14	2/24	n.s.
Selbstbezug	2.87	(0.58)	2.76	(0.41)	3.56	(0.37)	7.81	2/25	.01
Sozialbezug	3.09	(0.58)	2.67	(0.26)	2.97	(0.37)	2.31	2/22	n.s.
Werthaltungen									
Social Compassion	3.55	(0.30)	3.78	(0.31)	3.22	(0.41)	3.59	2/24	.05
Anomie/Alienation									
Anomie/Alienation	2.41	(0.47)	2.29	(0.28)	2.54	(0.31)	1.04	2/26	n.s.
Counter-Cultural Att.	2.84	(0.13)	2.97	(0.18)	3.15	(0.33)	1.71	2/22	n.s.
Resign. Gegenwartso.	2.70	(0.13)	2.35	(0.12)	2.56	(0.19)	11.79	2/21	.001
Kontrollüberzeugung									
Extern. Kontrollüberz.	2.23	(0.44)	2.22	(0.13)	1.87	(0.37)	3.09	2/22	.10
Intern. Kontrollüberz.	2.30	(0.47)	2.36	(0.41)	3.34	(0.25)	18.41	2/24	.0001

Für die Skalen "Personal Identity" and "Social Identity" betragen die die theoretischen Endpunkte "1" (Minimum) und "5" (Maximum), der theoretische Skalenmittelpunkt beträgt "3". Für alle anderen Skalen betragen die theoretischen Endpunkte "1" (Minimum) und "4" (Maximum), der theoretische Skalenmittelpunkt beträgt "2.5".

(b) Werte

Im Bereich der Werthaltungen gehen eine Skala und 18 Items in die Auswertung ein. Die Gruppenunterschiede hinsichtlich der Skala "Soziales Mitgefühl (Social Compassion)" sind zwar auf dem Einzeltestniveau (α=.05) signifikant (F(2,24)=3.59, p<.043), nicht aber auf dem korrigierten Niveau (α*=.05/19=.0026). Mittelwerte und Standardabweichungen sind in Tabelle 4.3.3 zu finden.

Von den 18 Items der "Terminal Value Scale" zeigen 7 Items im Gruppenvergleich signifikante Unterschiede. Die Items mit signifikanten Gruppenunterschieden sind "Innere Harmonie" (F(2,26)=13.33, p<.0001), "Reife Liebe" (F(2,26)=9.48, p<.0008), "Sicherheit der

Abbildung 4.3.2: Gruppenunterschiede hinsichtlich der Wichtigkeit der Werte "Sicherheit der Familie", "Reife Liebe" und "Innere Harmonie"

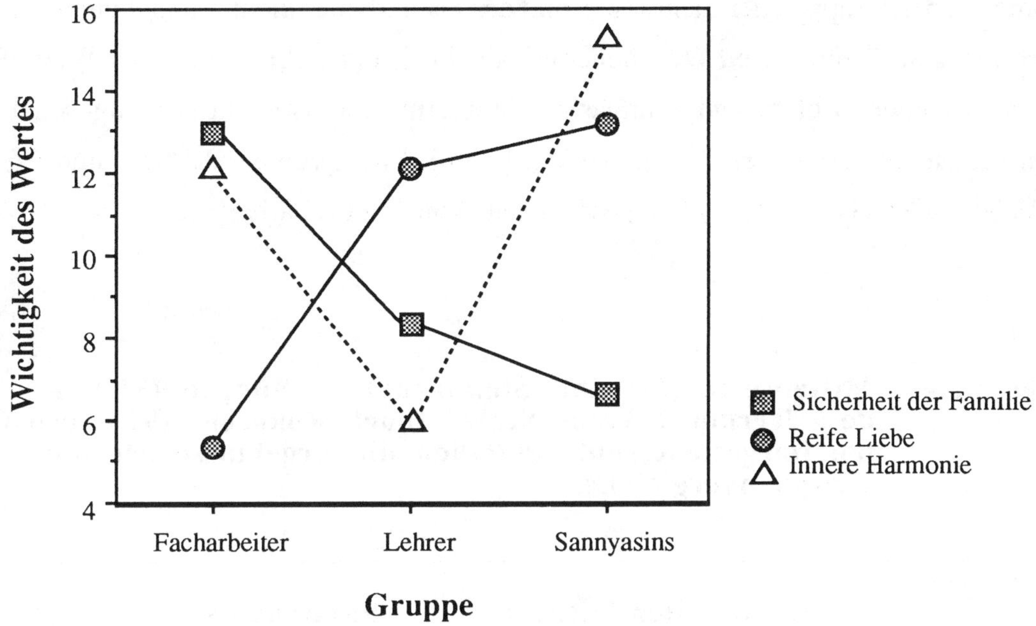

Familie" ($F(2,25)=7.67$, $p<.003$), "Anerkennung" ($F(2,25)=6.79$, $p<.004$), "Erlösung" ($F(2,26)=5.85$, $p<.008$), "Weisheit" ($F(2,26)=5.38$, $p<.011$) und "Dauerhafter Beitrag" ($F(2,24)= 5.21$, $p<.013$). Korrigiert man das α-Niveau, so sind nur die Unterschiede für die beiden Items "Innere Harmonie" und "Reife Liebe" auf dem korrigierten α-Niveau ($\alpha^*=.05/19=.0026$) signifikant; das Item "Sicherheit der Familie" ist auf dem korrigierten α-Niveau marginal signifikant. Die Gruppenunterschiede für diese Items sind in Abbildung 4.3.2 dargestellt. Mittelwerte und Standardabweichungen aller 18 Items sowie die Ergebnisse der univariaten Varianzanalysen sind in Tabelle 4.3.4 aufgeführt.

Die Unterschiede bezüglich der Items "Reife Liebe" und "Sicherheit der Familie" sind gegenläufig für die drei Gruppen: Die Gruppe der Facharbeiter schätzt die materielle Sicherheit der Familie als sehr hohen Wert ein (Mittlerer Rangplatz 13.00; hohe Zahlenwerte bedeuten große Wichtigkeit des betreffenden Wertes, die Rangplätze variieren zwischen 1 und 18). Dagegen schätzen die Gruppen der Sannyasins und der Lehrer die materielle Sicherheit der Familie als eher unwichtig ein (Mittlerer Rangplatz 6.63 bzw. 8.33). Für den Wert "Reife Liebe" gilt die umgekehrte Beziehung. Dieser Wert wird von den Facharbeitern als sehr gering eingeschätzt (Mittlerer Rangplatz 5.36), von den Sannyasins und Lehrern dagegen als sehr wichtig (Mittlerer Rangplatz 13.22 bzw. 12.11).

Der Wert "Innere Harmonie" wird dagegen sowohl von der Gruppe der Facharbeiter als auch von der Gruppe der Sannyasins als sehr wichtig eingeschätzt (Mittlerer Rangplatz 12.18 bzw. 15.33), von den Lehrern dagegen als recht unwichtig (Mittlerer Rangplatz 6.00). Post-hoc-Analysen (Scheffé-Tests) zeigen, daß sich die Einschätzung des Wertes "Innere Harmonie" in den Gruppen der Sannyasins und der Facharbeiter nicht reliabel unterscheidet; beide Gruppen schätzen diesen Wert höher ein als die Gruppe der Lehrer. Der Wert "Reife Liebe" wird von den Lehrer und Sannyasins gleichermaßen als wichtiger eingeschätzt als von den Facharbeiter; der Wert "Sicherheit der Familie" wird von den Lehrern und Sannyasins gleichermaßen als unwichtiger eingeschätzt als von den Facharbeitern.

Tabelle 4.3.4: Mittelwerte (M) und Standardabweichungen (SD) der Items der "Terminal Value Scale" (nach Rokeach, 1973) pro Gruppe. Dargestellt sind zusätzlich die Ergebnisse der univariaten Gruppenvergleiche.

	Facharbeiter		**Lehrer**		**Sannyasins**				
	M	SD	M	SD	M	SD	F	df	p
Wohlstand	6.82	(4.58)	7.67	(3.67)	8.00	(4.27)	0.21	2/26	n.s
Aufregendes Leben	11.36	(4.95)	14.22	(3.53)	9.78	(6.55)	1.73	2/26	n.s.
Dauerhafter Beitrag	9.82	(5.15)	5.22	(3.35)	4.43	(1.72)	5.21	2/24	.013
Frieden in der Welt	11.27	(4.67)	14.1	(3.10)	11.67	(3.91)	1.39	2/26	n.s.
Schöne Dinge	11.36	(3.61)	9.10	(3.10)	10.44	(2.79)	1.21	2/26	n.s.
Gleichheit	9.82	(4.64)	11.78	(4.92)	8.89	(3.02)	1.06	2/26	n.s.
Sicherheit der Familie	13.00	(4.43)	8.33	(3.24)	6.63	(3.07)	7.67	2/25	.003
Freiheit	12.55	(4.66)	12.22	(2.77)	14.44	(3.24)	0.95	2/26	n.s.
Glück	13.36	(3.72)	13.11	(4.40)	11.00	(4.36)	0.93	2/26	n.s.
Innere Harmonie	12.18	(4.19)	6.00	(4.92)	15.33	(1.87)	13.33	2/26	.0001
Reife Liebe	5.36	(4.25)	12.11	(4.54)	13.22	(4.49)	9.48	2/26	.001
Nationale Sicherheit	5.18	(3.87)	4.00	(3.64)	3.44	(2.30)	0.70	2/26	n.s.
Vergnügen	6.18	(4.77)	7.00	(2.74)	7.63	(1.92)	0.68	2/25	n.s.
Erlösung	2.36	(3.29)	1.22	(0.44)	8.00	(7.30)	5.85	2/26	.008
Selbstrespekt	11.36	(4.06)	13.56	(3.57)	11.89	(5.13)	0.68	2/26	n.s.
Anerkennung	7.73	(3.52)	5.44	(2.35)	2.88	(2.17)	6.79	2/25	.004
Freundschaft	14.09	(3.96	14.22	(2.77)	11.89	(1.90)	1.67	2/26	n.s.
Weisheit	7.18	(3.09)	11.67	(4.92)	12.89	(4.40)	5.38	2/26	.011

Anmerkung: Hohe Werte bedeuten hohe Wichtigkeit des betreffenden Werts. Die theoretischen Endpunkte der Skalen lauten "18" (Maximum) und "1" (Minimum).

Auch anhand einer Gesamtübersicht lassen sich die Unterschiede in den Werthaltungen der drei Gruppen veranschaulichen. In Tabelle 4.3.5 sind die "terminal values" in der Reihenfolge ihrer mittleren Rangplätze pro Gruppe aufgeführt. Wie man anhand der drei wichtigsten und der drei unwichtigsten Werte pro Gruppe erkennen kann, unterscheiden sich die Wertstrukturen der drei Gruppen erheblich. Während für die Gruppe der Facharbeiter die drei wichtigsten Werte "Freundschaft", "Glück" und "Sicherheit der Familie" darstellen, stehen bei den Lehrern die Werte "Aufregendes Leben", "Freundschaft" und "Frieden in der Welt" auf den ersten Rängen. Für die Sannyasins sind "Innere Harmonie", "Freiheit" und "Reife Liebe" die wichtigsten Werte. (Die unwichtigsten Werte sind für die Facharbeiter "Reife Liebe", "Nationale Sicherheit" und "Erlösung"; für die Lehrer "Dauerhafter Beitrag", "Nationale Sicherheit" und "Erlösung"; sowie für die Sannyasins "Dauerhafter Beitrag", "Nationale Sicherheit" und "Anerkennung".)

Tabelle 4.3.5: Rangreihe der Items der "Terminal Value Scale" (nach Rokeach, 1973) pro Gruppe

Facharbeiter	Lehrer	Sannyasins
Freundschaft	Aufregendes Leben	**Innere Harmonie**
Glück	Freundschaft	Freiheit
Sicherheit der Familie	Frieden in der Welt	**Reife Liebe**
Freiheit	Selbstrespekt	Weisheit
Innere Harmonie	Glück	Selbstrespekt
Aufregendes Leben	Freiheit	Freundschaft
Selbstrespekt	**Reife Liebe**	Frieden in der Welt
Schöne Dinge	Gleichheit	Glück
Frieden in der Welt	Weisheit	Schöne Dinge
Dauerhafter Beitrag	Schöne Dinge	Aufregendes Leben
Gleichheit	**Sicherheit der Familie**	Gleichheit
Anerkennung	Wohlstand	Erlösung
Weisheit	Vergnügen	Wohlstand
Wohlstand	**Innere Harmonie**	Vergnügen
Vergnügen	Anerkennung	**Sicherheit der Familie**
Reife Liebe	Dauerhafter Beitrag	Dauerhafter Beitrag
Nationale Sicherheit	Nationale Sicherheit	Nationale Sicherheit
Erlösung	Erlösung	Anerkennung

(c) Anomie und Alienation

In die Gruppenvergleiche gehen die zwei Skalen "Counter-Cultural Attitude Scale" (Musgrove, 1974) sowie "Anomie/Alienation" (als Summe der Items aus den Skalen "Anomie" von Musgrove, 1974, "Alienation" von Nordquist, 1978, und "Alienation" von Keniston, 1960). Beide Skalen zeigen keine Unterschiede zwischen den drei Gruppen. Auch für die drei einzelnen Anomie- und Alienation-Skalen zeigen sich keine Unterschiede zwischen den Gruppen. Der Vergleich für die (nicht reliable) Skala "Resignative Gegenwartsorientierung" zeigt einen hochsignifikanten Unterschied zwischen den drei Gruppen ($F(2,21)=11.79$, $p<.0004$). Die Facharbeiter weisen auf dieser Skala den höchsten Wert auf. Da diese Skala nicht reliabel ist, soll dieses Ergebnis hier zwar berichtet, aber weder in eine Abbildung noch in die Interpretation der Ergebnisse aufgenommen werden. Mittelwerte und Standardabweichungen für die Skalen sind in Tabelle 4.3.3 dargestellt.

(d) Kontrollüberzeugung

Die zwei Skalen "Internale Kontrollüberzeugung" und "Externale Kontrollüberzeugung" gehen in den Gruppenvergleich ein. Nur für die Skala "Internale Kontrollüberzeugung" zeigen sich signifikante Gruppenunterschiede ($F(2,24)=18.41$, $p<.0001$; dieser Unterschied ist auch auf dem korrigierten α^*-Niveau von $\alpha^*=.05/2=.025$ signifikant). Mittelwerte und Standardabweichungen für die Skalen sind in Tabelle 4.3.3 dargestellt; in Abbildung 4.3.1 ist der Gruppenunterschied für die Skala "Internale Kontrollüberzeugung" graphisch dargestellt. Post-hoc-Analysen (Scheffé-Tests) zeigen, daß sich die Gruppe der Sannyasins hinsichtlich der "Internalen Kontrollüberzeugung" signifikant von den Gruppen der Facharbeiter und der Lehrer unterscheidet. Die Gruppen der Facharbeiter und der Lehrer unterscheiden sich nicht reliabel voneinander.

(e) Zusätzliche Analysen

Nicht-parametrische Verfahren (Kruskal-Wallis-Rangvarianzanalysen) zeigen konvergente Ergebnisse. Ausnahmen bilden die Skala "Social Compassion", die in der nicht-parametrischen Analyse keine signifikanten Gruppenunterschiede zeigt, sowie das Wert-Item "Sicherheit der Familie", das in der nicht-parametrischen Analyse zwar auf dem nicht-korrigierten α-Level, nicht jedoch auf dem korrigierten α-Level einen signifikanten Gruppenunterschied zeigt.

4.3.4 Zusammenhänge zwischen Ratingskalen und standardisierten Meßinstrumenten

In Anhang F14 ist die Interkorrelationsmatrix der sechs Identitätsprojekt-Skalen, der Gesamttransformationsskala, der neun aus den standardisierten Meßinstrumenten gebildeten Skalen sowie der 18 Items der "Terminal Value Scale" zusammengestellt. Insgesamt sind in dieser Korrelationsmatrix 561 Koeffizienten eingetragen. (Die Tabellen 4.2.2 und 4.3.2 sind Ausschnitte dieser Interkorrelationsmatrix.) Ein konservatives Vorgehen macht die Adjustierung des α-Niveaus notwendig, um die Interpretation von Koeffizienten zu ermöglichen. Im vorliegenden Fall lautet das korrigierte α-Niveau α*=.05/561=.000089. Um eine explorative Analyse der Korrelationsmatrix zu gestatten, soll im vorliegenden Zusammenhang anstelle dieses sehr strengen Kriteriums ein α-Niveau von 0,1% herangezogen werden. Im folgenden sollen Koeffizienten vorgestellt werden, die auf einem α-Niveau von 0,1% signifikant sind.

Identitätsprojekte: Innerhalb der Identitätsprojekt-Ratings korrelieren die Skalen "Rollenstatus aufrechterhalten" und "Selbstverwirklichung" (r=-.75) sowie "Reflexive Rekonstruktion des eigenen Lebens" und "Selbstverwirklichung" (r=.65) miteinander (s.o. Abschnitt 4.2.2). Die Skala "Selbstbezug" korreliert positiv mit dem Identitätsprojekt "Selbstverwirklichung" (r=.56) und negativ mit dem Identitätsprojekt "Sozialrelationale Generativität" (r=-.56). Die Skala "Internale Kontrollüberzeugung korreliert positiv mit dem Identitätsprojekt "Selbstverwirklichung" (r=.75) und negativ mit den Identitätsprojekten "Rollenstatus aufrechterhalten" (r=-.68) und "Sozialrelationale Generativität" (r=-.58). Der Wert "Erlösung" korreliert negativ mit dem Identitätsprojekt "Rollenstatus aufrechterhalten" (r=-.60).

Identitätstransformation: Die Gesamttransformation-Skala korreliert positiv mit dem Identitätsprojekt "Selbstverwirklichung" (r=.60; s.o. Abschnitt 4.2.3) und der Skala "Selbstbezug (r=.63). Darüber hinaus korreliert die Gesamttransformation-Skala mit den Skalen "Counter Cultural Attitudes (r=.54) und "Internale Kontrollüberzeugung" (r=.50). Die beiden letzten Koeffizienten sind nur auf einem α-Niveau von 1% signifikant.

Standardisierte Meßinstrumente: Die Skalen "Selbstbezug" und "Internale Kontrollüberzeugung" korrelieren positiv miteinander (r=.73; s. Abschnitt 4.3.2). Die Werte "Frieden in der Welt" und "Gleichheit" korrelieren positiv miteinander (r=.69). Die Skala "Social Compassion" korreliert negativ mit dem Wert "Wohlstand" (r=-.62) und die Skala "Internale Kontrollüberzeugung" korreliert positiv mit dem Wert "Erlösung" (r=.62).

Ein nicht-parametrisches Verfahren (Spearman´s Rangkorrelationskoefizient ρ) erbringt eine sehr ähnliche Zusammenhangsmatrix. Beispielhaft sollen hier nur die drei höchsten Koeffizienten genannt werden (in Klammern der parametrische Koeffizient zum Vergleich): Der nicht-parametische Zusammenhangskoeffizient für die Variablen "Frieden in der Welt" und "Gleichheit" beträgt ρ=.73 (r=.69), für die Variablen "Rollenstatus aufrechterhalten" und "Selbstverwirklichung" ρ=-.71 (r=-.75) sowie für die Variablen "Internale Kontrollüberzeugung" und "Selbstverwirklichung" ρ=.71 (r=.75).

Es soll hier darauf hingewiesen werden, daß die Korrelationen zwischen Skalen in einigen Fällen mit Gruppenunterschieden in den betreffenden Skalen konfundiert sind. Dies betrifft insbesondere die Skalen "Selbstbezug" und "Internale Kontrollüberzeugung", die Gruppenunterschiede zeigen, die zu den Gruppenunterschieden der Identitätsprojekt-Ratings und der Gesamttransformation-Skala analog sind. Dies wird bei der Interpretation der Befunde zu berücksichtigen sein.

4.3.5 Zusammenfassung (Standardisierte Meßinstrumente)

Insgesamt werden den Untersuchungspersonen 14 Meßinstrumente mit 196 standardisierten Items vorgelegt. Angaben aus der Literatur oder konzeptuellen Überlegungen folgend werden 178 dieser Items zu 12 Skalen zusammengefaßt (die 18 Items der Skala "Terminal Values" werden nicht zu einem Skalenwert zusammengefaßt, sondern gehen einzeln in die statistischen Analysen ein).

Die Reliabilitäten der meisten Skalen sind zufriedenstellend. Mit vier Skalen ohne zufriedenstellende Reliabilität wird folgendermaßen verfahren: Aus drei inhaltlich ähnlichen Skalen wird durch Summation der Items eine Gesamtskala gebildet, um eine höhere Reliabilität zu erreichen; eine andere Skala wird nicht zur Interpretation herangezogen, da sie eine zu geringe Reliabilität aufweist. Es gehen somit neun Skalen (bestehend aus minimal 6 und maximal 47 Items) sowie die 18 Items der "Terminal Value Scale" in die statistischen Analysen ein. Die internen Konsistenzen der neun Skalen liegen zwischen .63 und .88 (Median .79). Die Dimensionalität der neun Skalen entspricht nicht der konzeptuellen Zuordnung der Skalen zu vier thematischen Clustern. Die Skalen werden nicht zusammengefaßt und gehen gesondert in univariate Gruppenvergleiche mit anschließender Korrektur des α-Niveaus ein.

Die Skalen "Selbstbezug" und "Internale Kontrollüberzeugung sind hoch positiv miteinander korreliert. Die Analyse der Zusammenhänge zwischen den Ratingskalen (Identitätsprojekte und Gesamttransformation) ergibt, daß die Skalen "Selbstbezug" und "Internale Kontrollüberzeugung" positiv mit selbstorientierten Lebenszielen und negativ mit sozialorientierten

Lebenszielen korrelieren. Die Gesamttransformation-Skala korreliert hoch positiv mit der Skala "Selbstbezug". Der Wert "Erlösung" korreliert negativ mit dem Identitätsprojekt "Rollenstatus aufrechterhalten" und positiv mit der Skala "Internale Kontrollüberzeugung". Die Werte "Frieden in der Welt" und "Gleichheit" zeigen einen positiven Zusammenhang.

Die Unterschiede zwischen den drei Gruppen von Untersuchungspersonen (Facharbeiter, Lehrer und Sannyasins) lassen sich folgendermaßen zusammenfassen: Von den neun Skalen zeigen zwei Skalen Unterschiede zwischen den Gruppen, die auch auf einem mit der Bonferroni-Ungleichung korrigierten α-Niveau signifikant sind. Die Gruppe der Sannyasins unterscheidet sich sowohl im "Selbstbezug" als auch in der "Internalen Kontrollüberzeugung" durch höhere Werte von den Gruppen der Facharbeiter und der Lehrer; die Gruppen der Lehrer und der Facharbeiter unterscheiden sich nicht reliabel voneinander. Von den 18 Wert-Items zeigen drei Items Unterschiede zwischen den Gruppen, die auch auf einem mit der Bonferroni-Ungleichung korrigierten α-Niveau signifikant oder marginal signifikant sind. In zwei dieser Items unterscheiden sich die Lehrer nicht reliabel von den Sannyasins (Hohe Wertschätzung von "Reifer Liebe" und geringe Wertschätzung von "Sicherheit der Familie"); beide Gruppen unterscheiden sich hier von den Facharbeitern. Hinsichtlich der Einschätzung der Bedeutung von "Innerer Harmonie" schließlich gleichen sich Facharbeiter und Sannyasins (hohe Werteinschätzung) und unterscheiden sich hierin von den Lehrern.

4.4 Zusammenfassung der Ergebnisse

In diesem Kapitel wurden die Ergebnisse der empirischen Analysen dargestellt. In einem ersten Abschnitt wurde die Typologie von Identitätsprojekten sowie das Konzept der Identitätstransformation anhand von Interviewzitaten illustriert. Für jedes der sechs postulierten Identitätsprojekte wurden Fallbeispiele vorgestellt. Um die Existenz von Identitätstransformationen im mittleren Erwachsenenalter zu illustrieren, wurden zwei Fallbeispiele vorgestellt. In dem ersten Fallbeispiel handelte es sich um eine selbstinitiierte Veränderung von Lebenszielen, in dem zweiten Fallbeispiel um eine Reaktion auf ein kritisches Lebensereignis. Schließlich wurde ein Fallbeispiel für die Stabilität von Lebenszielen im mittleren Erwachsenenalter vorgestellt.

In einem zweiten Abschnitt wurden die Ergebnisse der standardisierten Inhaltsanalysen (Ratings) dargestellt. Die vorliegenden Interviewprotokolle wurden von zwei Raterpaaren hinsichtlich Identitätsprojekten und Identitätstransformationen auf siebenstufigen Skalen eingeschätzt (Rater 1 und 2) sowie hinsichtlich der Zahl berichteter kritischer Lebensereignisse analysiert (Rater 3 und 4). Die Reliabilitäten für die sechs Identitätsprojekt-Ratings, für eine Gesamttransformation-Skala sowie für die Zahl berichteter kritischer Lebensereignisse sind gut (für Cronbachs Alpha liegen die Werte für diese Variablen zwischen .75 und .91). In Gruppenvergleichen ergeben sich zwischen den drei Gruppen Unterschiede hinsichtlich der in den Interviews berichteten Lebensziele. Dabei zeigt es sich, daß für Facharbeiter und Lehrer sozialbezogene Ziele zentraler sind als für Sannyasins (Rollenstatus aufrechterhalten, Statusziele realisieren und Sozialrelationale Generativität). Sannyasins betreiben dagegen stärker das Lebensziel der Selbstverwirklichung als Facharbeiter oder Lehrer. Auch hinsichtlich der Veränderung von Lebenszielen unterscheiden sich die drei Gruppen voneinander: Facharbeiter und Lehrer zeigen hohe Stabilität ihrer Lebensziele, während sich Sannyasins durch die Transformation von Lebenszielen im mittleren Erwachsenenalter auszeichnen (für die Sannyasins wird das Identitätsprojekt "Selbstverwirklichung" im Erwachsenenalter zentraler). Die drei Gruppen unterscheiden sich nicht hinsichtlich der Zahl berichteter kritischer Lebensereignisse. Der Zusammenhang zwischen der Zahl der berichteten kritischen Lebensereignisse und dem Ausmaß der Identitätstransformation ist schwach positiv, unterscheidet sich jedoch für zwei der drei Gruppen: In der Gruppe der Facharbeiter findet sich ein signifikanter positiver Zusammenhang; in der Gruppe der Sannyasins ist dieser Zusammenhang nicht reliabel von Null verschieden. Dem Eintritt in die Gemeinschaft der Sannyasins gehen häufig selbstinitiierte Veränderungen im Berufsbereich und im Bereich persönlicher Beziehungen voraus. Die Ergebnisse der Analysen mit parametrischen Verfahren wurden durch nicht-parametrische Verfahren repliziert.

In einem dritten Abschnitt wurden die Ergebnisse der standardisierten Meßinstrumente vorgestellt. Insgesamt gehen 9 Skalen und 18 Items in die statistischen Analysen ein. Die Reliabilitäten dieser Skalen sind zufriedenstellend (für Cronbachs Alpha liegen die Werte zwischen .63 und .88). Zwei der neun Skalen zeigen Unterschiede zwischen den Gruppen, die auch auf einem korrigierten α-Niveau signifikant sind. Die Gruppe der Sannyasins unterscheidet sich sowohl im "Selbstbezug" als auch in der "Internalen Kontrollüberzeugung" durch höhere Werte von den Gruppen der Facharbeiter und der Lehrer; die Gruppen der Lehrer und der Facharbeiter unterscheiden sich in diesen Skalen nicht reliabel voneinander. Von den 18 Items der "Terminal Value Scale" zeigen drei Items Unterschiede zwischen den Gruppen, die auch auf einem korrigierten α-Niveau signifikant oder marginal signifikant sind ("Reife Liebe": hohe Werte für Lehrer und Sannyasins, geringe Werte für Facharbeiter; "Sicherheit der Familie": geringe Werte für Lehrer und Sannyasins, hohe Werte für Facharbeiter; "Innere Harmonie": hohe Werte für Facharbeiter und Sannyasins, geringe Werte für Lehrer). Die Skalen "Selbstbezug" und "Internale Kontrollüberzeugung", die positiv miteinander korrelieren, zeigen positive Korrelationskoeffizienten mit selbstorientierten Lebenszielen und negative mit sozialorientierten Lebenszielen (Identitätsprojekt-Ratings).

Das Ausmaß an Veränderung kann durch die Skala "Selbstbezug" vorhergesagt werden (hohe positive Korrelation). Die Ergebnisse der Analysen mit parametrischen Verfahren wurden durch nicht-parametrische Verfahren repliziert.

Übersicht der Ergebnisse

Qualitative Ergebnisse

Fallbeispiele für sechs Typen von Lebenszielen (Identitätsprojekte)
Fallbeispiele für zwei Formen von Identitätstransformationen im mittleren Erwachsenenalter
Fallbeispiel für die Stabilität von Lebenszielen im mittleren Erwachsenenalter

---

Gruppenunterschiede	Facharbeiter	Lehrer	Sannyasins
Interview-Ratings			
Rollenstatus aufrechterhalten	hoch	hoch	gering
Statusziele realisieren	hoch	mittel	gering
Sozialrelationale Generativität	hoch	hoch	gering
Selbstverwirklichung	gering	gering	hoch
Identitätstransformation	gering	gering	hoch
Standardisierte Meßinstrumente			
Selbstbezug	gering	gering	hoch
Internale Kontrollüberzeugung	gering	gering	hoch
Sicherheit der Familie	hoch	gering	gering
Reife Liebe	gering	hoch	hoch
Innere Harmonie	hoch	gering	hoch

Zusammenhänge zwischen Variablen

Sozialbezogene Lebensziele
: negativ mit Selbstbezug und Internaler Kontrollüberzeugung

Selbstbezogene Lebensziele
: positiv mit Selbstbezug und Internaler Kontrollüberzeugung

Identitätstransformation
: positiv mit Selbstbezug (Counter-Cultural Attitudes, Internaler Kontrollüberzeugung)

---

5. Interpretation

In diesem abschließenden Kapitel soll eine Interpretation der vorliegenden Befunde und eine Integration der Ergebnisse mit der entwicklungs- und sozialpsychologischen Literatur vorgenommen werden. Die Interpretation der Ergebnisse soll in vier Abschnitten erfolgen. Die beiden ersten Abschnitte sind den qualitativen Ergebnissen gewidmet (Aufweis von Identitätsprojekten und Identitätstransformationen). Im ersten Abschnitt wird die Frage diskutiert, welche Lebensziele Personen im mittleren Erwachsenenalter verfolgen und wie sich interindividuelle Unterschiede in Lebenszielen erklären lassen. In dem zweiten Abschnitt wird danach gefragt, welche Bedingungen die Stabilität von Lebenszielen begünstigen und welche Faktoren zu Identitätstransformationen im mittleren Erwachsenenalter führen. Im dritten Abschnitt soll die letzte Untersuchungsfrage diskutiert werden: Lassen sich die gefundenen Gruppenunterschiede auf den Einfluß eines soziokulturellen Wandels zurückführen oder sind sie Ausdruck der unterschiedlichen Lebenssituation der drei Gruppen? In einem abschließenden letzten Abschnitt wird in einigen Thesen das Resümee dieser Arbeit gezogen.

5.1 Lebensziele und Werte im mittleren Erwachsenenalter

In der vorliegenden Arbeit wurde eine Typologie von sechs Lebenszielen postuliert, die aus den Konzepten "Handlungsorientierung" und "Zeitperspektive" hergeleitet wurde. Diese Konzepte wurden der Diskussion von Werttaxonomien (Maslow, 1943; Murray, 1953; Rokeach, 1973) sowie der Literatur zur Zeitperspektive entnommen (De Volder & Lens, 1982; Nuttin, 1964; Wallace & Rabin, 1960). Diese Typologie soll es gestatten, die Mannigfaltigkeit von Lebenszielen von Personen des mittleren Erwachsenenalters abzubilden. Im folgenden soll (1) die Brauchbarkeit der Typologie in bezug auf allgemeine Taxonomiekriterien, (2) Zusammenhänge zwischen den vorgestellten Lebenszieltypen, (3) Zusammenhänge der vorgestellten Typologie mit anderen Werttaxonomien und (4) normative und entwicklungspsychologische Implikationen dieser Typologie diskutiert werden.

5.1.1 Allgemeine Taxonomiekriterien

In der vorliegenden (sehr heterogenen) Stichprobe konnten anhand von Fallbeispielen alle sechs Typen von Lebenszielen nachgewiesen werden. (Keines der vorgestellten Identitätsprojekte ist also eine empirische "leere" Klasse.) Die empirische Brauchbarkeit der (als kontinuierliche Dimensionen konzipierten) Identitätsprojekt-Typen wurde in einer standardisierten Ratingprozedur mit hoher Übereinstimmung zwischen Ratern festgestellt. Die standardisierte Ratingprozedur zeigte, daß die Typologie von Identitätsprojekten in der Lage ist, die Mannigfaltigkeit von Lebenszielen vollständig aufzunehmen (es trat kein Fall auf, in dem ein Lebensziel einem der sechs Typen von Identitätsprojekten nicht hätte zugeordnet werden können.)

Ein weiteres Taxonomiekriterium ist das der Abstraktheit (bzw. Konkretheit). Zu fragen ist, ob die vorgestellte Typologie von Identitätsprojekten einen angemessenen Abstraktionsgrad besitzt. Ein extremer Fall von Abstraktheit ist eine Taxonomie mit nur zwei Klassen (wie man sie vielleicht in Freuds Unterscheidung zwischen "Eros" und "Thanatos" sehen könnte). Eine sehr konkrete Taxonomie würde viele spezifische Kategorien aufweisen (ein Beispiel wäre etwa Allport & Odberts [1936] Katalog von Eigenschaftswörtern). Je nach den theoretischen Zielen des Untersuchers ist sicherlich ein pragmatischer Kompromiß zwischen Einfachheit und Mannigfaltigkeit das Optimum (Maslow [1943] postuliert eine fünfstufige Werthierarchie, Murray [1953] beschreibt 14 basale Werte, und Rokeachs [1973] Liste von "terminal values" umfaßt 18 Begriffe). Die vorliegende Taxonomie weist sechs Klassen auf, die anhand zweier grundlegender Dimensionen gebildet wurden (Handlungsorientierung und Zeitperspektive). Die Typologie der Identitätsprojekte ist auf einem recht hohen Abstraktionsgrad angesiedelt. Sehr unterschiedliche spezifische Lebensziele werden gemeinsam klassifiziert. So werden beispielsweise die (fiktiven) Ziele "einen großen Wagen kaufen" und "Eine bestimmte Ausbildung beenden" dem Typus "Statusziele realisieren" zugeordnet. Man könnte gegen die Typologie der Identitätsprojekte einwenden, daß sich diese beiden Ziele unter anderem durch sehr unterschiedliche Komplexitätsgrade auszeichnen. (Eine Ausbildung zu durchlaufen ist im Vergleich mit dem Kauf eines Automobils ein zeitlich stärker gestreckter Prozeß und weist eine größere Zahl von Zwischenzielen auf.) Das theoretische Interesse dieser Arbeit lag jedoch in der Frage, ob sich die von Untersuchungspersonen geschilderten Lebensziele in bezug auf die Dimensionen Handlungsorientierung und Zeitperspektive klassifizieren lassen. Hinsichtlich dieser Dimensionen ähneln sich die oben geschilderten (fiktiven) Ziele: In beiden Fällen geht es darum, einen bestimmten zukünftigen Zustand zu realisieren (Besitz, Zertifikat), und in beiden Fällen handelt es sich bei diesen zukünftigen Zuständen um sozial anerkannten Status (Besitzer, Absolvent). Sicherlich ist dieser Abstraktionsgrad nur für die vorliegende Fragestellung angemessen. In anderen theoretischen Zusammenhängen, in der beispielsweise nach der Komplexität von Identitätsprojekten (Ruehlman & Wolchik, 1988), nach der Vereinbarkeit von Lebenszielen (Emmons, 1986; Palys & Little, 1983) oder nach der Relevanz verschiedener Lebensbereiche (Hoff, 1986) gefragt wird, sind andere Abstraktionsebenen möglicherweise adäquater.

Ein letztes Taxonomiekriterium ist das der Ausschließlichkeit. In der vorliegenden Studie wurde ein zweistufiges inhaltsanalytisches Vorgehen gewählt. In einem ersten Schritt wurden einzelne Äußerungen (Ausschnitte eines Interviewprotokolls) klassifiziert, und im zweiten Schritt wurde das gesamte Interviewprotokoll auf kontinuierlichen Dimensionen eingeschätzt. Spezifische Äußerungen (Ausschnitte eines Interviewprotokolls) wurden einem und nur einem Lebenszieltyp zugeordnet (die Kategorien sollten ausschließend verwendet werden). Hier läßt sich einwenden, daß alltagssprachliche Aussagen in der Regel mehrdeutig sind und die Klassifizierung von konkreten Äußerungen Probleme aufwirft. Es ist sicher richtig, daß ein und dieselbe Aussage verschiedene Bedeutungsfacetten haben kann (Beispiel: "Mein Lebensziel ist es, eine Familie und ein Häuschen im Grünen zu haben". Hier könnte man fragen, ob diese Aussage ausschließlich dem Identitätsprojekt "Statusziele realisieren" zuzuordnen ist [die Person beschreibt den sozialen Status "Familienvorstand"] oder ob die Aussage auch dem Identitätsprojekt "Sozialrelationale Generativität" zugeordnet werden kann [die Person wünscht sich Kinder]). Die Reliabilität der Zuordnung von einzelnen Aussagen wurde nicht geprüft (dies war auch nicht der Gegenstand der vorliegenden Untersuchung). Aber die hohen Reliabilitäten der Identitätsprojekt-Skalen zeigen, daß die Einschätzung von Interviewprotokollen hinsichtlich kontinuierlicher Lebenszieldimensio-nen (nach der Klassifizierung aller relevanten Äußerungen) zuverlässig möglich ist.

Zusammenfassend läßt sich sagen, daß sich die Typologie von Identitätsprojekten empirisch bewährt hat. Es ließen sich für alle sechs Typen von Lebenszielen exemplarische Beispiele finden, die Mannigfaltigkeit von Lebenszielen konnte vollständig abgebildet werden, der Abstraktionsgrad war für die vorliegende Fragestellung angemessen und die Eindeutigkeit der Einschätzung von Lebenszielen konnte in einer standardisierten Ratingprozedur belegt werden.

5.1.2 Zusammenhänge zwischen Lebenszieltypen

Nach der Definition der Identitätsprojekte kann eine Person mehrere Lebensziele parallel verfolgen (Unabhängigkeit der Klassen). Da die Typen von Lebenszielen für den Ratingprozeß als kontinuierliche Dimensionen konzipiert waren, läßt sich ein individuelles "Lebensziel-Profil" erstellen, mit dem die Bedeutung verschiedener Identitätsprojekte abgebildet werden kann. So ist es theoretisch möglich, daß es für eine Person sehr wichtig ist, ihren gegenwärtigen sozialen Status (etwa ihre berufliche Position) aufrechtzuerhalten und daß sie gleichzeitig ihre Selbstverwirklichung betreibt (Erfüllung in der Arbeitssituation finden). Obwohl nun die Identitätsprojekte konzeptuell als voneinander unabhängige Dimensionen definiert sind, fanden sich recht hohe empirische Zusammenhänge zwischen den Identitätsprojekt-Skalen. Die empirischen Analysen zeigen, daß Personen entweder in allen drei sozialbezogenen Identitätsprojekten ("Rollenstatus aufrechterhalten", "Statusziele realisieren" und "Sozialrelationale Generativität") oder in zwei der drei selbstbezogenen Identitätsprojekten hohe Ratings erhielten ("Reflexive Rekonstruktion des eigenen Lebens" und "Selbstverwirklichung"). Es läßt sich also sagen, daß es in der hier vorgestellten Stichprobe entweder zu einer Kombination von sozialorientierten Lebenszielen oder zu einer Kombination von selbstorientierten Lebenszielen kommt und daß eine Kombination von sozialorientierten und selbstorientierten Lebenszielen die Ausnahme darstellt. Die Ergebnisse einer Hauptkomponentenanalyse lassen es sogar zu, die sechs Identitätsprojekt-Skalen als ein eindimensionales Meßinstrument zu bezeichnen.

Allerdings wäre es voreilig, die sechs Typen von Identitätsprojekten auf eine Dichotomie von "sozialbezogenen" vs. "selbstbezogenen" Lebenszielen zu reduzieren. Die Interkorrelationen zwischen den Skalen sind mit Unterschieden zwischen Gruppen konfundiert (Facharbeiter und Lehrer weisen hohe Werte in den sozialbezogenen Identitätsprojekt-Skalen auf, die Sannyasins geringe Werte; für die selbstbezogenen Identitätsprojekte gilt das Gegenteil). Diese Konfundierung von Skalen-Korrelation und Gruppenunterschied legt die Argumentation nahe, daß für altershomogene Gruppen mit unterschiedlicher Bildung und Lebenssituation die Handlungsorientierung eine hervorragende Bedeutung besitzt. Es lassen sich andere Stichproben denken (altersheterogene Gruppen mit einheitlich normativer Lebenssituation), für deren differentielle Beschreibung die Dimension der Zeitperspektive von größerer Bedeutung ist und die gesamte Typologie von Identitätsprojekten heranzuziehen ist.

5.1.3 Zusammenhänge mit anderen Werttaxonomien

Zusammenhänge zwischen der hier vorliegenden Typologie von Identitätsprojekten und anderen Wert- und Zieltaxonomien lassen sich anhand empirischer Korrelationen (mit den in der vorliegenden Studie verwendeten Meßinstrumenten) beschreiben. Zusätzlich kann auf konzeptuelle Zusammenhänge mit anderen in der Literatur verwendeten Taxonomien hingewiesen werden.

Empirische Zusammenhänge: Die empirischen Zusammenhänge zwischen der Typologie von Identitätsprojekten und anderen Werttaxonomien sind nur gering. Die "Terminal Value Scale" von Rokeach (1973) wurde den Untersuchungspersonen in einer (übersetzten Version) vorgelegt. Das einzige Werthaltungsitem, das mit den meisten Identitätsprojekt-Skalen korreliert, ist der Wert "Erlösung" (negative Korrelation mit den sozialbezogenen Lebenszielen und positive Korrelation mit den selbstbezogenen Lebenszielen). Andere

Korrelationen, für die man Zusammenhänge erwartet hätte (etwa zwischen "Rollenstatus aufrechterhalten" und den Wert-Items "Sicherheit der Familie" sowie "Anerkennung") sind zwar positiv, jedoch auf einem korrigierten α-Niveau nicht signifikant. Ähnlich ist es mit den Skalen "Personal Identity" und "Social Identity" (Hogan & Cheek, 1983), die zwei unterschiedliche Aspekte des Identitätsbezugs fassen sollen. Diese beiden Skalen weisen keinen Bezug zu den sechs Typen von Identitätsprojekten auf.

Von den restlichen standardisierten Meßinstrumenten zeigen zwei Skalen Zusammenhänge mit den Identitätsprojekt-Skalen: Es sind dies die Skalen "Selbstbezug" und "Internale Kontrollüberzeugung". Die Skala "Selbstbezug" setzt sich aus verschiedenen Items zusammen, in denen es um die Charakterisierung der eigenen Person anhand selbstbezogener Merkmale und Handlungen geht. Personen, die einen hohen Wert auf dieser Skala haben, denken oft darüber nach, wer sie in Wirklichkeit selbst seien, halten es für wichtig, mit sich selbst in Einklang zu sein, und versuchen, die eigene Gefühle zu erkennen. Diese Skala korreliert positiv mit zwei der drei selbstorientierten Identitätsprojekte und negativ mit den drei sozialorientierten Identitätsprojekten.

Die Skala "Internale Kontrollüberzeugung" bezieht sich auf sehr allgemeine Erklärungsklassen für Erfolg und Mißerfolg im Leben beziehungsweise. das "Leiden der Menschheit" im allgemeinen. Es werden die Erklärungsklassen internale und externale Ursachen unterschieden. Internale Ursachen betreffen (hinreichende oder mangelnde) Anstrengung und die (vorhandene oder fehlende) Übereinstimmung mit dem eigenen Selbst, während externale Ursachen die (vorhandene oder fehlende) Unterstützung durch andere Personen oder äußere Umstände darstellen. In bezug auf die Dimensionen der externalen und internalen Kontrolle hat diese Skala eine gewisse Ähnlichkeit mit anderen Kontrollmaßen (Hoff, 1986; Rotter, 1966; Skinner, Chapman & Baltes, 1988). Allerdings sind hier nicht alle möglichen internalen und externalen Attribuierungskategorien berücksichtigt (etwa Begabung als internale Kategorie oder Glück als externale Kategorie). Die Korrelation zwischen der Skala "Internale Kontrollüberzeugung" und dem Identitätsprojekt "Selbstverwirklichung" ist hoch positiv, die Korrelationen mit den Identitätsprojekten "Rollenstatus aufrechterhalten" und "Sozialrelationale Generativität" hoch negativ.

Die hier vorgestellten Korrelationen sind ein Beleg dafür, daß die Handlungsorientierung von Personen auf "multimethodalem" Wege identifizierbar ist. Während die Identitätsprojekt-Skalen das Ergebnis einer Inhaltsanalyse von ausführlichen Interviews darstellen, bestehen die standardisierten Meßinstrumente aus Skalen des Likert-Typs, die den Untersuchungspersonen vorgelegt wurden. Die (vorhandene oder mangelnde) Selbstorientierung läßt sich also nicht allein anhand der Interviews festellen, sondern auch in den standardisierten Skalen

"Selbstbezug" und "Internale Kontrollüberzeugung". Allerdings ist die "multimethodale" Identifizierung der Handlungsorientierung nicht in optimaler Weise gelungen. Der Zusammenhang zwischen dem Item "Erlösung" der "Terminal Value Scale" deutet entweder darauf hin, daß die Identitätsprojekt-Skalen zusätzliche Aspekte messen (etwa vorhandene oder fehlende Religiosität) oder daß die vorliegende übersetzte Form der "Terminal Value Scale" nicht geeignet ist, die Wertpräferenzen von Personen abzubilden (vgl. die Übersetzungsversionen von Stiksrud, 1984, und Brandtstädter, Renner & Baltes-Götz, 1989).

Konzeptuelle Zusammenhänge: Die hier vorgestellte Typologie von Identitätsprojekten hat hinsichtlich der sie konstituierenden Dimensionen "Handlungsorientierung" und "Zeitperspektive" Ähnlichkeiten zu anderen Werttaxonomien. Von besonderem Interesse ist im vorliegenden Zusammenhang das Ergebnis von Orbach, Iluz & Rosenheim (1987), die drei Gruppen von erwachsenen Personen (junges, mittleres und reifes Erwachsenenalter) acht unterschiedliche Kategorien von Lebenssinn vorlegten und die Personen baten, diese Kategorien in eine Rangreihe zu bringen. Neben interessanten Alterseffekten (Personen im reifen Erwachsenenalter ordnen der Kategorie "[religious] belief" höhere und der Kategorie "obtaining [of power and material goods]" geringere Bedeutung zu als Personen im jungen und mittleren Erwachsenenalter) konnten Orbach u.a. eine zweidimensionale Beschreibung der acht Kategorien von Lebenssinn vorlegen ("Altruistic vs. Egotistic" und "Material vs. Spiritual"). Die erste dieser beiden Dimensionen ("Altruistic vs. Egotistic") weist eine große Ähnlichkeit zu der Dimension der Handlungsorientierung auf (Sozialbezug vs. Selbstbezug). Brandtstädter, Renner & Baltes-Götz (1989) legten Personen im Erwachsenenalter (Altersrange 30 bis 53 Jahre) ein Meßinstrument mit 17 instrumentellen und terminalen Werten vor, die unter anderem in Anlehnung an Rokeachs "Value Survey" konstruiert wurde. Das Ergebnis einer Faktorenanalyse zeigt drei Variablengruppen: Neben einem Cluster von instrumentellen Werten der Erfolgs- und Durchsetzungsorientierung ergeben sich zwei Variablengruppen, die sich aus "terminal values" zusammensetzen und die eine konzeptuelle Nähe zu den beiden Polen des in dieser Arbeit verwendeten Konzepts der Handlungsorientierung aufweisen. Die Wertegruppe der "Persönlichen und partnerschaftlichen Stabilität" (Markiervariablen sind "Harmonische Partnerschaft" und "Sicherheit der Familie") bezieht sich auf die Etablierung und Aufrechterhaltung persönlicher Beziehungen, während die Wertegruppe "Selbstaktualisierung und Sinnsuche" (Markiervariablen sind "Selbstentwicklung, Ausschöpfen eigener Fähigkeiten", "Selbstachtung" und "Weisheit") einen Selbstbezug impliziert.

Zusammenfassend läßt sich feststellen, daß sich die hier vorgestellte Typologie von Identitätsprojekten durch Korrelationen mit anderen Meßinstrumenten (teilweise) validieren läßt. Hohe Korrelationen weisen darauf hin, daß die Dimension Handlungsorientierung sowohl in

Selbstberichten als auch in standardisierten Skalen identifizierbar ist. Allerdings ist der Zusammenhang mit Items einer Werttaxonomie nicht so hoch, wie man hätte erwarten können. Es lassen sich interessante konzeptuelle Beziehungen zu anderen Ziel- und Wertdimensionen feststellen.

5.1.4 Entwicklungspsychologische und normative Implikationen der Typologie

Eine letzte in diesem Abschnitt zu erörternde Frage lautet, ob die vorgestellte Typologie von Lebenszielen einen Normaspekt impliziert. Zwei Fragen sind denkbar. Zum einen ist zu fragen, ob eines der vorgestellten Lebensziele "grundlegender" als ein anderes ist oder ob eine bestimmte Kombination von Identitätsprojekten im Vergleich mit anderen ein Optimum darstellt (Normaspekt). Eine zweite Frage lautet, ob die vorgestellte Typologie von Entwicklungsprojekten einen Entwicklungsverlauf impliziert (Entwicklungsaspekt).

Normaspekt: In erster Linie ist zu dieser Frage zu sagen, daß die hier vorgestellte Typologie von Identitätsprojekten deskriptiven Zwecken dient. Die Mannigfaltigkeit von Lebenszielen sollte mit dieser Typologie abgebildet werden, eine Bewertung der Lebenszieltypen war nicht beabsichtigt. Mit der Frage nach einer Hierarchie von Lebenszielen wird die Ebene der Deskription verlassen ("Was ist?") und eine präskriptive Haltung eingenommen ("Was soll sein?"). Man kann jedoch darüber spekulieren, welcher Lebenszieltyp oder welche Kombination von Lebenszieltypen ein "Optimum" darstellt. Man könnte beispielsweise dafür argumentieren, daß die Reichhaltigkeit von Lebenszielen eher ein Optimum darstellt als eine eindimensionale Lebenszielausprägung (Personen, die mehrere Identitätsprojekte parallel verfolgen, leben ein erfüllteres Leben als Personen, die nur einem Lebensziel nachgehen). Für die Integration von sozial- und selbstbezogenen Lebenszielen lassen sich zwei Voraussetzungen denken: Zum einen müssen die gesellschaftlich vorgebenen Entwicklungsaufgaben reflektiert worden sein (Infragestellung von traditionellen Handlungsvorgaben; vgl. Eriksons psychosoziales Moratorium), zum anderen darf die Betonung des eigenen Selbst nicht zu extrem sein. Erst wenn die Person bewußt und reflektiert entschieden hat, welchen Entwicklungsschritt sie als nächsten bewältigen möchte, kann sie eine traditionelle Sozialorientierung mit den Bedürfnissen des eigenen Selbst integrieren. Andererseits sollte die Reflektion gesellschaftlicher vorgegebener Handlungsalternativen nicht in der völligen Ablehnung aller gesellschaftlichen Handlungsmodelle münden, da dies die selbstzentrierte Isolation der Person zur Folge hat.

Entwicklungsaspekt: Schließlich läßt sich darüber spekulieren, ob eine über den Lebenslauf gestaffelte, sukzessive Beschäftigung mit jeweils einem (oder wenigen) der beschriebenen

Lebensziele ein Optimum darstellt. So könnte man argumentieren, daß im frühen Erwachsenenalter eine Orientierung auf die eigene Zukunft vorherrscht ("Statusziele realisieren"), die im mittleren Erwachsenenalter abgelöst wird von der Sorge um die Bewahrung des Status quo und der Beschäftigung mit den eigenen Kindern ("Rollenstatus aufrechterhalten" und "Sozialrelationale Generativität"). In Zeiten von Statusübergängen und im hohen Alter wird die Orientierung auf die eigene Vergangenheit vorherrschend sein ("Reflexive Rekonstruktion des eigenen Lebens"). Möglicherweise setzt im reifen Erwachsenenalter eine Beschäftigung mit der Zukunft der "Welt-ohne-mich" ein ("Generative Selbstaktualisierung"). Das Moment der Selbstverwirklichung (das Gefühl, die eigenen Fähigkeiten sinnvoll und befriedigend nutzen zu können) sollte während des gesamten Lebenslaufs zu finden sein. Die hier vorgestellten Daten zu Identitätstransformationen legen es nahe zu argumentieren, daß das Projekt der Selbstverwirklichung insbesondere nach Statusübergängen, in der Auseinandersetzung mit kritischen Lebensereignissen oder in selbstinitiierten Sinnkrisen besonderes Gewicht erhält (s. Abschnitt 5.2).

Diese Überlegungen lassen sich mit der entwicklungspsychologischen Literatur verknüpfen. Havighursts (1948, 1972) Konzept der Entwicklungsaufgaben und Eriksons (1959, 1968) Stufen der psychosozialen Entwicklung sind hier mögliche Bezugspunkte. Von diesen Forschern werden spezifische (Havighurst) und allgemeine (Erikson) Entwicklungsaufgaben beschrieben, denen sich eine Person zu einem bestimmten Lebensalter zu stellen hat. Im jungen Erwachsenenalter beginnt die Person, sich in der Gesellschaft zu etablieren (Beginn einer beruflichen Karriere und Aufbau einer intimen Beziehung). Das mittlere Erwachsenenalter dient dem weiteren Ausbau der beruflichen Position, der Festigung der persönlichen Beziehung und der Erziehung von Kindern (vgl. Neugartens Konzept der "executive processes", 1968). Im reifen Erwachsenenalter beginnt die Person, sich auf den eigenen Ruhestand vorzubereiten und auf die Entwicklung der nachfolgenden Generationen Einfluß zu nehmen (dies ist in Eriksons Konzept der "Generativität" mitgemeint). Im Gegensatz zum Konzept der Entwicklungsaufgabe besteht ein Vorteil der hier vorgestellten Typologie von Identitätsprojekten jedoch darin, daß keine starre Zuordnung von Lebenszieltypen zu Lebensaltern vorgenommen wurde. Es ist von daher möglich, mit der hier vorgelegten Typologie sowohl "normative" als auch "nicht-normative" Entwicklungsverläufe zu beschreiben (etwa die Prävalenz von "Reflexiver Rekonstruktion des eigenen Lebens" im mittleren Erwachsenenalter als Folge der Bewältigung kritischer Lebensereignisse).

Zusammenfassung: Resümierend läßt sich sagen, daß die hier vorgestellte Typologie von Identitätsprojekten für deskriptive Zwecke entwickelt wurde und keine normativen Implikationen besitzt. Es wäre allerdings in nachfolgenden Untersuchungen durchaus möglich, ein Optimum von Lebenszielen oder eine Abfolge von Lebenszielen im Lebenslauf zu definieren.

Damit sind Untersuchungen denkbar, in denen beispielsweise der Zusammenhang zwischen Lebenszufriedenheit und Lebenszieltypen oder die Ausprägung verschiedenener Lebenszieltypen in altersheterogenen Gruppen untersucht wird.

5.1.5 Zusammenfassende Bewertung der Typologie von Identitätsprojekten

Die vorgestellte Typologie von Identitätsprojekten hat sich empirisch bewährt. Für alle sechs Typen von Lebenszielen wurden exemplarische Fallbeispiele vorgestellt. Die Zusammenhänge zwischen Identitätsprojekt-Skalen ist in der vorliegenden Stichprobe recht hoch. Es wurden zwei mögliche Gründe für diese Interkorrelationen diskutiert (konzeptuelle Polarität der sozial- vs. selbstbezogenen Identitätsprojekte, Konfundierung der Zusammenhänge mit Gruppenunterschieden). Die Typen von Identitätsprojekten korrelieren in sinnvoller Weise mit standardisierten Meßinstrumenten. Diese Korrelationen zeigen, daß die Dimension Handlungsorientierung multimethodal identifizierbar ist. Der Zusammenhang mit Items der "Terminal Value Scale" von Rokeach ist nicht so hoch, wie man hätte erwarten können. Die hier vorgestellte Typologie wurde für deskriptive Zwecke entwickelt; es ist allerdings möglich, diese Typologie mit Überlegungen zu normativen Aspekten und Entwicklungaspsekten zu verknüpfen.

5.2 Stabilität und Transformation im mittleren Erwachsenenalter

In der vorliegenden Studie wurden qualitative Belege sowohl für die Stabilität von Identität im mittleren Erwachsenenalter als auch für die Existenz von Identitätstransformationen vorgestellt. Die meisten der Untersuchungspersonen berichten, sich selbst und ihre zentralen Ziele als stabil zu erleben. Anhand von Fallbeispielen wurde gezeigt, daß es jedoch auch Personen gibt, die von grundlegenden Veränderungen ihrer Lebensziele berichten. Zwei Fallbeispiele wurden vorgestellt: In einem Fall erfolgte die Veränderung zentraler Lebensziele als Reaktion auf ein kritisches Lebensereignis (schwere Krankheit), in einem zweiten Fall läßt sich von einer "selbstinitiierten Identitätstransformation" sprechen. Im folgenden sollen die Bedingungen für die Stabilität von Identität sowie die Faktoren, die zu Identitätstransformationen führen, diskutiert werden.

5.2.1 Stabilität von Lebenszielen

Die hier vorgestellte Lebensgeschichte einer Untersuchungsperson (Pseudonym: Lore Feder) zeichnet sich trotz einer erstaunlichen Vielfalt von Lebensereignissen durch eine hohe Stabilität der berichteten Lebensziele aus. Die Untersuchungsperson ist zwei Ehen eingegangen, hat aus jeder Ehe zwei Kinder und schließt im vierten Lebensjahrzehnt (mit 37 Jahren) eine Berufsausbildung ab. Während ihres erwachsenen Lebens hat die Person jedoch keine schwerwiegenden Veränderungen ihrer Lebensziele erfahren: Sie ist an der Aufrechterhaltung ihrer Ehe interessiert und arbeitet an ihrer beruflichen Qualifikation (Rollenstatus aufrechterhalten und Statusziele realisieren). Dieses Fallbeispiel entspricht Ergebnissen zur Entwicklung von Persönlichkeit im mittleren Erwachsenenalter, die die Konstanz und Stabilität von Eigenschaften betonen (Costa & McCrae, 1980, 1988; Whitbourne, 1986).

Wie kommt es zu der Stabilität von Lebenszielen (insbesondere angesichts einer Vielfalt von Lebensereignissen)? Die Stabilität von Lebenszielen ist (1) nach Erikson (1959, 1968) und Havighurst (1948, 1972) eine notwendige Bedingung für die erfolgreiche Bearbeitung von späteren Entwicklungszielen und (2) eine gesellschaftliche Norm (alterskorrelierte Anforderungen an ein Individuum; Plath & Ikeda, 1975; Zepelin, Sills, & Heath, 1986/87). Personen, die in gesellschaftlich anerkannten Bezügen integriert sind (sich in einer "normativen Lebenssituation" befinden), verfolgen Lebensziele, die diesen Bezügen entsprechen und die gesellschaftlich anerkannt sind. Einer feste Berufstätigkeit nachzugehen, eine Ehe zu gründen und für Nachkommenschaft zu sorgen, sind gesellschaftliche Anforderungen an das Individuum. Gesellschaftliche Normen (etwa über Altersvorgaben oder über den hohen sozialen Konsens von Entwicklungsvorstellungen, s. Heckhausen, in Druck; Heckhausen, Dixon & Baltes, 1989) und die einmal eingegangenen sozialen Bezüge unterstützen das Individuum darin, die Stabilität zentraler Ziele zu erleben. Innerhalb normativer Lebensbezüge kann es zwar zu Veränderungen bestimmter Umstände oder konkreter Ziele kommen. So ist es beispielsweise möglich, eine Scheidung vorzunehmen oder einen Berufswechsel durchzuführen. Aber diese "nicht-normativen Statusübergänge" bringen eine recht lange Phase der Wiederanpassung mit sich (Hayslip & Panek, 1989). Wichtig scheint hierbei zu sein, daß personale Identität eher aufrechterhalten werden kann, wenn nur ein Teil der sozialen Bezüge verändert wird (die Stabilität des Berufs unterstützt die Wiederanpassung im Fall einer Scheidung; Bloom, Hodges, & Caldwell, 1983). Resümierend läßt sich feststellen, daß es die Regel und die gesellschaftliche Norm ist, daß Personen in festen sozialen Bezügen leben und dementsprechende sozialorientierte Lebensziele verfolgen.

5.2.2 Identitätstransformation als Folge eines kritischen Lebensereignisses

Das Fallbeispiel einer Untersuchungsperson (Pseudonym: Anna Strom) zeigt einen Veränderungsprozeß, der sich in der Folge eines kritischen Lebensereignisses (lebensbedrohliche Krankheit) vollzogen hat. Die Untersuchungsperson berichtet, in ihrem Leben sehr viele sozialbezogene Ziele entwickelt und realisiert zu haben. Sie beschreibt verschiedene "Traumberufe", von denen sie zwei hat realisieren können. In den letzten Monaten hat die Untersuchungsperson eine starke Veränderung erfahren: Nach der Diagnose einer schweren Krankheit und einem längeren Krankenhausaufenthalt erlebt sie sich als sehr stark selbstbezogen und an der Realisierung eigener Wünsche und Bedürfnisse orientiert (geringer werdende Bedeutung des Lebensziels "Statusziele realisieren" und erhöhte Bedeutung des Lebensziels "Selbstverwirklichung").

Diese Veränderung läßt sich als ein Abnehmen der Bedeutung einer "Pflichtethik" und dem gleichzeitigen Anstieg in der Bedeutung eines "hedonistischen Wertsystems" oder einer "Selbstverwirklichungsethik" (Ryff, 1985) charakterisieren. Anlaß dieser gegenläufigen Veränderungen ist ein kritisches Lebensereignis (schwere Krankheit). Dieser Veränderungsprozeß läßt sich mit dem Modell der Bewältigung kritischer Lebensereignisse gut abbilden (Brim & Ryff, 1980; Filipp, 1981b). Das kritische Lebensereignis "Krankheit" stellt eine subjektive und objektive Bedrohung der Person dar. Die Auseinandersetzung mit dem kritischen Lebensereignis besteht in kognitiven und instrumentellen Handlungen (kognitiv: Bilanzierung des eigenen Lebens; instrumentell: Behandlung im Krankenhaus, Einhaltung einer gesunden Lebensweise). Veränderungen nimmt die Person an sich selbst (Veränderung zentraler Lebensziele) und in ihrer Beziehung zur Umwelt vor (Eintritt in die Sannyas-Gruppe, Trennung von Freund). Dieser Veränderungsprozeß läßt sich als eine Identitätstransformation aufgrund eines kritischen Lebensereignisses charakterisieren. Der Anlaß für die Veränderung der Lebensziele ist das kritische Lebensereignis; ohne das externe Moment des Lebensereignisses wäre eine Veränderung der Lebensziele und der Person-Umwelt-Beziehungen nicht vorgenommen worden. Resümierend läßt sich diese Form der Veränderung von Lebenszielen als "extern induzierte Identitätstransformation" bezeichnen.

5.2.3 Identitätstransformation als Folge einer Sinnkrise

Eine Untersuchungsperson (Pseudonym: Robert Salz) berichtet von einer Veränderung von Lebenszielen im Verlauf einer Sinnkrise, die ihren Anfang in beruflicher Unzufriedenheit nimmt. Die Untersuchungsperson berichtet, in ihrer Vergangenheit sozialbezogene Lebensziele verfolgt zu haben (Aufbau einer beruflichen Karriere und politische Tätigkeit). An die Stelle dieser Ziele ist der Wunsch nach Selbstverwirklichung getreten (die Erkundung und das bewußte Erfahren der Gefühle und Stimmungen). Die Untersuchungsperson beschreibt, daß der Beginn des Veränderungspozesses die Wahrnehmung von Veränderungen ihrer beruflichen Situation und der allgemeinen politischen Situation gewesen sei. Diese Wahrnehmung von Veränderungen der beruflichen und allgemeinen politischen Situation führt zu Zweifeln an der Sinnhaftigkeit des eigenen beruflichen Handels. In dieser Zeit des beruflichen Zweifels erfolgen ausgedehnte Reisen und erste Erfahrungen mit Therapie-Gruppen.

Der Eintritt in die neoreligiös-therapeutische Gemeinschaft beendet schließlich die Veränderung der Lebensziele.

Die hier beschriebene Veränderung von Lebenszielen läßt sich nur schwer als eine "extern induzierte Identitätstransformation" charakterisieren. Die Wahrnehmung einer geänderten beruflichen und politischen Wirklichkeit läßt sich nur bei starker Dehnung des Begriffs als "kritisches Lebensereignis" bezeichnen. Aus diesem Grund soll hier neben einer Veränderungsform, für die ein externes Ereignis eine Ursache der Veränderung darstellt, ein Typus der Identitätstransformation beschrieben werden, bei dem die aktive Gestaltung der eigenen Entwicklung ein größeres Gewicht hat.

In dem hier vorgestellten Fall stellt die Wahrnehmung veränderter Verhältnisse eine selbstinitiierte Zäsur der eigenen Biographie dar. Diese Zäsur markiert den Beginn einer Sinnkrise: Die Bedeutung des beruflichen und politischen Handelns wird in Frage gestellt. Die Bilanzierung des eigenen Lebens und die Überprüfung von bisherigen Wertvorstellungen erfolgt nicht aufgrund (eines einzigen oder weniger) kritischer Lebensereignisse, sondern die bisherigen Wertvorstellungen sind in einem allmählichen Erosionsprozeß fragwürdig und brüchig geworden. Da der Ausgangspunkt der hier geschilderten Identitätstransformation in der Verringerung des politischen Engagements stand, läßt sich im Sinne Schwarzers (1984) darüber spekulieren, ob die wiederholte Erfahrung der Unwirksamkeit des eigenen politischen Handelns zu einer verringerten Wirksamkeitswahrnehmung und damit zu einer Reduzierung der politischen Aktivitäten geführt hat. Widersprüche in eigenen und sozial geforderten Zielvorstellungen bzw. die Realisierung von Unvereinbarkeiten verschiedener zentralen Lebenziele regen die Person zu einer Überprüfung des eigenen Lebensentwurfs an. Im Zuge dieser Überprüfung experimentiert die Person aktiv mit neuen Lebenszielen und Lebensentwürfen. Interessant ist an diesem Phänomen, daß das Experimentieren mit Lebensentwürfen ein Teil des psychosozialen Moratoriums in der Adoleszenz ist (Erikson, 1968; Marcia, 1980; Waterman & Archer, 1989). Die vorliegende Stichprobe umfaßt jedoch Personen im mittleren Erwachsenenalter (30-45 Jahre). Die Veränderung von Lebenszielen aufgrund einer selbstinitiierten Sinnkrise scheint jedoch auch im Erwachsenenalter möglich zu sein. Es sei betont, daß die hier geschilderte Sinnkrise ihren Anfang in Zweifeln an der Sinnhaftigkeit beruflichen Handelns nimmt. Resümierend läßt sich der hier vorgestellte Veränderungsprozeß als eine "selbstinitiierte Identitätstransformation" kennzeichnen.

5.2.4 Zur Stabilität und Veränderung von Lebenszielen

In dieser Arbeit wurde anhand von exemplarischen Fallbeispielen sowohl die Stabilität von Lebenszielen als auch die Möglichkeit von Identitätstransformationen im mittleren Erwachsenenalter aufgezeigt. Als Faktoren für die Stabilität von Identität wurden die Einbindung in gesellschaftlich anerkannte Beziehungen in den Lebensbereichen Beruf und Familie sowie die Befolgung von gesellschaftlichen Normen (insbesondere Altersnormen) diskutiert. Als Bedingungsfaktoren für die Veränderung von Lebenszielen wurden zum einen kritische Lebensereignisse genannt (Identitätstransformation als Reaktion auf kritische Lebensereignisse). Zum anderen wurde diskutiert, daß Identitätstransformationen das Ergebnis einer selbstinitiierten Überprüfung der Sinnhaftigkeit des eigenen Lebens (Sinnkrise) darstellen können.

5.3 Soziokultureller Wandel oder Normativität der Lebenssituation?

In der vorliegenden Studie wurden drei Gruppen von Personen im mittleren Erwachsenenalter (Facharbeiter, Lehrer und Sannyasins) zu einer Reihe von identitätsrelevanten Themen befragt. In der Darstellung des Designs wurden zwei alternative Hypothesensätze hinsichtlich zu erwartender Gruppenunterschiede vorgestellt, die mit den Begriffen "Soziokultureller Wandel" und "Normativität der Lebenssituation" umschrieben wurden. In diesem Abschnitt sollen diese beiden Hypothesensätze in bezug auf die in Kapitel 4 vorgestellten Ergebnisse diskutiert werden.

5.3.1 Soziokultureller Wandel

Der ersten These zufolge repräsentieren die drei Gruppen in unterschiedlichem Ausmaß einen soziokulturellen Wandel. Dieser Wandel wird in der soziologischen Literatur unter dem Stichwort des "Individualisierungstrends" behandelt und vollzieht sich in gesellschaftlich anerkannten, identitätsrelevanten Wertstrukturen: Werte mit sozialer und materieller Orientierung weichen auf gesellschaftlicher Ebene einer Selbstentfaltungsethik, in der die Aktualisierung der dem Individuum innewohnenden Fähigkeiten Priorität vor sozialen Bindungen zugeordnet wird (Klages, 1984; Klages & Kmieciak, 1979). Die individuellen Auswirkungen dieses soziokulturellen Wandels sind erhöhte Relevanz selbstbezogener Lebensziele und geringere Stabilität von Lebenszielen. Die Ursachen dieses soziokulturellen Wandels werden unter anderem im wachsenden Wohlstand westlicher Industriegesellschaften gesehen: Faktoren, die den "Individualisierungstrend" begünstigen, sind vor allem materieller Wohlstand,

Bildungsgrad und Kohortenzugehörigkeit (De Graaf, 1988; Inglehart, 1979). In dieser Studie wurde das Ausmaß an Bildung als Indikator für die Beeinflussung durch den Individualisierungstrend herangezogen (Bildung ist zudem mit anderen relevanten Variablen hoch korreliert). Dieser ersten These zufolge repräsentieren die Gruppen der Sannyasins und der Lehrer (hohe Bildung) ein hohes Ausmaß an "Individualisierung", während die Gruppe der Facharbeiter (geringe Bildung) herkömmliche Werte repräsentiert. Die empirischen Voraussagen aufgrund der ersten Thesen lauten dementsprechend, daß sich Unterschiede zwischen den Gruppen der Sannyasins und der Lehrer einerseits und der Gruppe der Facharbeiter andererseits in den folgenden Variablengruppen zeigen: (1) Art der verfolgten Lebensziele, (2) Stabilität von Lebenszielen sowie (3) Werte und Einstellungen.

5.3.2 Normativität der Lebenssituation

Der zweiten These zufolge repräsentieren die drei Gruppen den Pluralismus von Lebensentwürfen in modernen Gesellschaften. Die drei Gruppen unterscheiden sich hinsichtlich der Normativität ihrer Lebenssituation, die sich über die erfolgreiche Bewältigung von Entwicklungsaufgaben definieren läßt (Erikson, 1968; Havighurst, 1948, 1972; Whitbourne, 1986). Die Normativität der Lebensziele bestimmt die Art und die Stabilität von Lebenszielen. Facharbeiter und Lehrer gehen einem festen Beruf nach und leben in der Regel ihrem Lebensalter entsprechend in festen Familienbezügen. Dagegen zeichnen sich die Mitglieder der Sannyas-Gemeinschaft durch eine nicht-normative Lebenssituation aus: Personen, die Mitglieder dieser neoreligiös-therapeutischen Gemeinschaft werden, haben in der Regel einen festen Beruf verlassen und leben nicht in festen familiären Bezügen. Die Lebensituation der Facharbeiter und Lehrer zeichnet sich durch eine hohe Normativität aus, während die Sannyasins in einer (für ihr Lebensalter) nicht-normativen Situation leben. Folgt man der zweiten These, so lauten die empirischen Voraussagen, daß sich Unterschiede zwischen den Gruppen der Facharbeiter und der Lehrer einerseits und der Gruppe der Sannyasins andererseits in den oben genannten Variablengruppen zeigen (Lebensziele, Stabilität von Lebenszielen sowie Werte und Einstellungen).

5.3.3 Integration der Ergebnisse

Die Analyse der soziodemographischen Variablen ergibt, daß die Gruppen der Lehrer und der Sannyasins in den meisten Merkmalen Ähnlichkeiten aufweisen. Beide Gruppen entstammen einem ähnlichen sozialen Hintergrund (Mittelschicht), sind gut ausgebildet (die Lehrer allerdings besser als die Sannyasins), verfügen über Erfahrungen in langfristigen Beziehungen (obwohl weder die Mehrzahl der Lehrer noch der Sannyasins verheiratet ist), haben in der Regel keine Kinder und gehören in der Regel keiner kirchlichen Konfession an. In denselben Variablen zeigen sich große Unterschiede zwischen den Gruppen der Facharbeiter und der Sannyasins. Die Analyse der soziodemographischen Variablen läßt also den Schluß zu, daß die beiden Hypothesensätze "Sozialer Wandel" und "Normativität der Lebenssituation" zusammenfallen und sich einheitliche empirische Vorhersagen ergeben: Die Gruppen der Lehrer und Sannyasins sollten (im Gegensatz zur Gruppe der Facharbeiter) selbstorientierte Identitätsprojekte verfolgen, Identitätstransformationen erleben und "moderne", selbstbezogene Werte und Einstellungen vertreten.

Dies ist jedoch nicht der Fall. Es unterscheiden sich zwar (wie vorhergesagt) die Facharbeiter von den Sannyasins in neun der zehn Variablen, für die der Omnibus-Test signifikante Resultate zeigt (fünf der sechs Lebensziel-Skalen, die Gesamttransformation-Skala sowie vier Einstellungsskalen und Werthaltungsitems). Allerdings unterscheiden sich auch die Lehrer von den Sannyasins in sieben der zehn Variablen mit signifikanten Omnibus-Tests, wobei die Unterschiede in dieselbe Richtung zeigen wie im Vergleich zwischen Facharbeiter und Sannyasins (vier der sechs Lebensziel-Skalen, die Gesamttransformation-Skala sowie zwei Einstellungsskalen und Werthaltungsitems). Facharbeiter und Lehrer unterscheiden sich nur hinsichtlich der drei Werthaltungsitems "Reife Liebe", "Materielle Sicherheit der Familie" und "Innere Harmonie".

Wie lassen sich diese Ergebnisse interpretieren? Zu fragen ist, ob die Bestimmung des Konzepts "Normativität der Lebenssituation" anhand des verwendeten strengen Kriteriums (Kombination der drei Einzelkriterien "Stabile Berufskarriere", "Langfristige Partnerschaft" sowie "Elternschaft") angemessen ist. Wie oben erörtert, sind die mit diesen Kriterien bezeichneten Leistungen Ergebnisse der Bewältigung von Entwicklungsaufgaben des mittleren Erwachsenenalters. Nach den Theoretikern des Entwicklungskonzepts (Erikson, 1959, 1968; Havighurst, 1948, 1972) haben Personen zwischen 30 und 45 Jahren ihr Leben erst dann geordnet, wenn sie einen festen Beruf haben, eine intime Beziehung etablieren konnten und Kinder in die Welt setzen. Allerdings unterliegen Entwicklungsaufgaben einem soziokulturellen Wandel. So hat die Erörterung der empirischen Altersnorm-Forschung (Zepelin, Sills, & Heath, 1986/87) gezeigt, daß sich schon innerhalb zweier Dekaden die gesellschaftlichen Anforderungen an das "beste" oder "noch akzeptable" Alter von Berufsanfängern oder Brautpaaren liberalisiert hat. Auch in bezug auf andere Werte läßt sich ein gesellschaftlicher Wandel feststellen (Klages, 1984; Klages & Kmieciak, 1979). Man könnte argumentieren, daß in der gegenwärtigen gesellschaftlichen Situation die Normativität der Lebenssituation einer Person im mittleren Erwachsenenalter nicht mehr durch die Kombination der drei hier verwendeten Kriterien bestimmt ist. Es scheint (in der Bundesrepublik der achtziger Jahre) nicht mehr notwendig zu sein, eine intime Beziehung (durch Heirat) zu formalisieren oder Kinder zu bekommen, um das eigene Leben erfolgreich zu ordnen. Von hoher Bedeutung ist es dagegen, einer sinnvollen, sozial anerkannten und finanziell lukrativen Arbeit nachzugehen (Allerbeck, 1985; Pawlowsky, 1986a, 1986b).

Der Karrierestabilität kommt im mittleren Erwachsenenalter hohe Bedeutung zu. Nach Havighurst (1982) ist das mittlere Erwachsenenalter eine Zeit, die folgendermaßen beschrieben werden kann: "Reaching and maintaining satisfactory performance in one's occupational career." Super (1969, 1980) beschreibt in seiner Stufen-Theorie der beruflichen Entwicklung das mittlere Erwachsenenalter als denjenigen Abschnitts des Lebens, in dem Stabilität der Beschäftigung angestrebt wird. Zentrale Themen dieses Lebensabschnitt sind Produktivität und berufliches Fortkommen (Aufstieg). Nach Super kann es im mittleren Erwachsenenalter zwar zu Veränderungen der beruflichen Position (neue Stelle) kommen, nur selten jedoch zu einem vollständigen Berufswechsel. Die Konsequenz dieser Überlegungen besteht darin, das Kriterium der stabilen Berufskarriere für die Bestimmung der "normativen Lebenssituation" heranzuziehen. Eine normative Lebenssituation liegt nach diesem reduzierten Kriterium dann vor, wenn eine Person einen nicht durch beruflichen Abstieg unterbrochenen Berufsverlauf zeigt. Hinsichtlich der Stabilität der Berufskarriere bilden Facharbeiter und Lehrer ein gemeinsames Cluster und unterscheiden sich von den Sannyasins. Während Facharbeiter und Lehrer eine hohe Stabilität der Berufskarriere zeigen (sie arbeiten in der Regel in dem Beruf, für den sie ausgebildet sind), finden sich bei den Sannyasins in der Regel "Karrierebrüche". Allerdings haben Sannyasins in der Regel keinen ungewollten beruflichen Abstieg erlebt, sondern einen selbstinitiierten beruflichen Abstieg als Folge einer Sinnkrise aktiv vollzogen. Damit unterscheiden sich die Sannyasins von Personen, die (gegen ihren Willen) arbeitslos geworden sind und als Folge der Arbeitslosigkeit keine Veränderung ihrer Lebensziele, sondern Verschlechterung der körperlichen Gesundheit, verringerte Selbstachtung, Depression, Angst und Suizidgefahr erleben (DeFrank & Ivancevich, 1986).

Die Ergebnisse der Studie lassen sich nun folgendermaßen interpretieren: Personen, die einer kontinuierlichen Karriere nachgehen, verfolgen sozialorientierte Lebensziele und erleben sich als stabil. Personen, die in der Folge einer Sinnkrise den Ausstieg aus ihrer Karriere vollziehen (selbstinitiierter beruflicher Abstieg), verfolgen selbstorientierte Lebensziele und erleben sich als veränderlich. An dieser Stelle sei darauf hingewiesen, daß sich die drei Gruppen <u>nicht</u> hinsichtlich des Ausmaßes von Anomie und Alienation unterscheiden. Alienation- und Anomie-Skalen scheinen sich nicht zu eignen, um Sinnlosigkeitserfahrungen sichtbar zu machen. Offensichtlich haben sich die Mitglieder moderner Gesellschaften an ein gewisses Maß von Anomie "gewöhnt". Erst die berufliche Konsequenz von Sinnlosigkeitserfahrungen hat einen Einfluß auf Lebensziele.

Die Beziehung zwischen Stabilität des Berufsverlaufs und Lebenszielen gilt nur für die Lebensziele, die von Personen in Interviews berichtet werden. Ein anderes Bild ergibt sich für die mit der "Terminal Values Scale" (Rokeach, 1973) erhobenen Werthaltungen. Hier unterscheiden sich die Gruppen der Lehrer und der Sannyasins gemeinsam von den Facharbeitern durch die hohe Einschätzung des Wertes "Reife und sexuell erfüllte Liebe" und die geringe Einschätzung des Wertes "Materielle Sicherheit der Familie" (die Facharbeiter schätzen den ersten Wert gering und den zweiten Wert hoch ein). Dieser Unterschied kann folgendermaßen interpretiert werden: In diesen Werthaltungen manifestiert sich der oben postulierte Einfluß des über Bildung und soziale Herkunft vermittelten Individualiserungstrends (die individualisierte Person schätzt Liebe als tiefes Gefühl, nicht aber als Einbindung in familiäre Beziehungen). Abschließend soll hier auf den Befund des Wert-Items "Innere Harmonie" hingewiesen werden: Facharbeiter und Sannyasins schätzen diesen Wert hoch, Lehrer gering ein. Es kann vermutet werden, daß Facharbeiter und Sannyasins dieses Item unterschiedlich interpretieren. Während Facharbeiter diesen Wert möglicherweise als Ausgeglichenheit und innere Ruhe interpretieren, könnten Sannyasins dieses Item mit einer religiös-mystischen Bedeutung versehen. In jedem Fall schätzen die (in akademischen Diskussionen und Streitgesprächen geschulten) Lehrer diesen Wert als sehr unwichtig ein.

Zusammenfassung: In der vorliegenden Untersuchung wurden drei Gruppen miteinander verglichen (Facharbeiter, Lehrer und Sannyasins). Diese drei Gruppen unterscheiden sich hinsichtlich ihrer Lebensform sehr stark voneinander. Im vorliegenden Zusammenhang zeigt sich die Bedeutung der Karrierestabilität. Während Facharbeiter und Lehrer stabile Berufskarrieren aufweisen, zeigen Sannyasins Brüche in ihrer Berufskarriere. Vergleicht man die drei Gruppen hinsichtlich der Art und Stabilität von Lebenszielen, so findet man, daß Facharbeiter und Lehrer stärker sozialbezogene Identitätsprojekte verfolgen und eine größere Stabilität ihrer Lebensziele aufweisen als Sannaysins. Andererseits betreiben Sannyasins selbstbezogene Lebensziele und zeigen ein größeres Ausmaß an Identitätstransformation als die beiden anderen Gruppen. Es wurde argumentiert, daß eine selbstinduzierte Veränderung der beruflichen Situation aufgrund einer Sinnkrise zu Identitätstransformationen und der Verfolgung selbstbezogener Identitätsprojekte führt. Unterschiede in (standardisiert gemessenen) Werthaltungen wurden mit dem Einfluß des soziokulturellen Wandels der Individualisierung in Verbindung gebracht.

5.3.4 Exkurs: Ist die Sannyas-Gemeinschaft eine Sekte?

Ein Problem für die vorliegende Untersuchung stellt die Frage dar, ob es sich bei der Gruppe der Sannyasins um eine Sekte handelt. Es könnte argumentiert werden, daß die Ergebnisse dieser Studie nur sehr eingeschränkt generalisiert werden könnten (Vergleich von Mitgliedern einer spezifischen Sekte mit Nicht-Sektenmitgliedern). In diesem Abschnitt sollen (1) eine Definition des Begriffs "Sekte" gegeben werden, (2) religionssoziologische Überlegungen zum Phänomen der "Neuen Religiösen Bewegungen" vorgestellt und dafür argumentiert werden, daß die Sannyas-Gruppe als eine für moderne Industriegesellschaften typische Sekte betrachtet werden kann, sowie (3) das Argument diskutiert werden, daß sich die Anhänger der Sannyas-Gruppe vor allem aus jugendlichen Schul- und Berufsversagern zusammensetzt.

Wilson (1959, zit. nach Hill, 1987) definiert den Begriff Sekte folgendermaßen:

> "Sect is identified by the following charakteristics: It is a voluntary organisation, membership is by proof to sect authorities of some claim to personal merits ...; exclusiveness is emphasized ...; its self-conception is of an elect, a gathered remnant, possessing special enlightenment; personal perfection is the expected standard of aspiration ...; it accepts the priesthood of all members; there is a high level of lay participation; there is the opportunity for the member spontaneously to express his commitment; the sect is hostile or indifferent to the secular society or to the state." (p.157)

Die Sannyas-Gemeinschaft erfüllt einige dieser Bestimmungsstücke (freiwillige Mitgliedschaft, besonderes Wissen oder Erleuchtung, persönliche Vervollkommnung, Indifferenz der Gesellschaft und dem Staat gegenüber), andere dagegen nicht (Exklusivität, Laienmitwirkung, Priesterschaft aller Mitglieder). Aus diesem Grund scheint der Begriff des "cult" für die Sannyas-Gemeinschaft angemessener. "Cult" kann definiert werden als eine Gruppe von Personen, deren Hauptziel das Erleben religiösen Gefühls ohne den Aufbau einer festen Gemeinschaft ist und die daher eine ständig wechselnde Mitgliedschaft von Personen erlebt. (Wegen der unterschiedlichen Bedeutung des deutschen Wortes "Kult" soll im folgenden der Begriff "Sekte" verwendet werden). Die Sannyas-Gemeinschaft kann also als eine Sekte (im Sinne eines "cult") angesehen werden.

In religionssoziologischen Analysen neoreligiöser Bewegungen wird betont, daß das Auftreten neuer Religionen (Sekten, "cults") ein Symptom der gesellschaftlichen Situation zunehmender Rollenfragmentation und größer werdender Schwierigkeit der individuellen

Sinnfindung sei. Beckford (1987) interpretiert das Auftreten neoreligiöser Bewegungen als Konsequenz der "subjective experience of life in increasingly fragmented, rationalized, and mobile societies" (p.392). Und Barker (1987) schreibt, "that the new movements could be meeting needs, or at least they could be bringing to the surface desires, hopes, ideals, or resentments not met or assuaged by traditional institutions" (p.409). Anthony & Robbins (1982) schließlich argumentieren, daß das Problem der Trennung von privatem Selbst und öffentlichem Leben zwei verschiedenen Sektenformen hervorgebracht habe: In autoritären Sekten (wie "People's Temple" oder der "Unification Church") werde versucht, politische und spirituelle Elemente zu einer Einheit zu verschmelzen, während in mystischen oder therapeutischen Sekten selbstorientiertes Erleben den Vorrang vor politischen und die Gemeinschaft betreffenden Idealen habe. In diesem Sinne läßt sich die Sannyas-Gemeinschaft als eine neoreligös-therapeutische Gemeinschaft ansehen, die Ausdruck der gesellschaftlichen Situation moderner industrialisierter Gesellschaften ist.

Gegen die These schließlich, daß es sich bei den Sannyasins um adoleszente Berufsversager handelt, spricht die Tatsache, daß alle der hier befragten Sannyasins Berufsabschlüsse aufweisen, daß das Prestige der Ausbildungsberufe recht hoch ist und daß alle befragten Personen der Gemeinschaft erst im frühen oder mittleren Erwachsenenalter beigetreten sind (mittleres Alter bei Eintritt in die Sannyas-Gruppe 32 Jahre, Range 27-41 Jahre). Bei der Sannyas-Gemeinschaft handelt es sich nicht um eine typische Jugendsekte (Horn, o.J.; Thoden & Schmidt, 1987). Angesichts dieser Daten ist die These, die betreffenden Personen seien im Laufe einer adoleszenten Identitätskrise oder angesichts beruflichen Scheiterns Mitglieder der Sannyas-Gruppe geworden, nur wenig plausibel.

Resümierend läßt sich sagen, daß die Sannyas-Gemeinschaft Merkmale einer Sekte (im Sinne eines "cult") aufweist. Allerdings ist die Sannyas-Gemeinschaft eine typische Gruppierung für einen gesellschaftlichen Trend der gekennzeichnet werden kann durch die Forderung nach der Vereinigung fragmentierter Rollenfunktionen, übergreifendem Sinn, Selbstverwirklichung sowie "persönlichem Wachstum". Die Mitglieder der Sannyas-Gruppe sind nicht in der Phase des jugendlichen Moratoriums der Gemeinschaft beigetreten. Die Generalisierung der oben interpretierten Ergebnisse der Gruppenvergleiche (instabiler Berufsverlauf aufgrund einer Sinnkrise geht einher mit selbstbezogenen Lebenszielen) erscheint angesichts dieser Überlegungen möglich.

5.4 Resümee

In dieser Arbeit wurde die Mannigfaltigkeit von Lebenszielen vorgestellt. Personen im mittleren Erwachsenenalter verfolgen sozial- und selbstbezogene Lebensziele und richten sich in ihren Lebensentwürfen auf ihre Vergangenheit, ihre Gegenwart, ihre persönliche Zukunft und die Zukunft der nachfolgenden Generationen aus. Es gibt Personen, die sich und ihre Lebensziele im Erwachsenenalter stabil wahrnehmen, es gibt aber auch Personen, die im mittleren Erwachsenenalter Identitätstransformationen vollziehen (sei es aufgrund kritischer Lebensereignisse oder aufgrund einer selbstinitiierten Sinnkrise). Die vorliegende Studie gibt Grund zur Annahme, daß eine normative Lebenssituation (die sich hauptsächlich über einen stabilen Berufsverlauf vermittelt) zu sozialbezogenen Lebenszielen führt und daß selbstinitiierte Karriereabbrüche zu Instabilität der Identität und zu selbstbezogenen Lebenszielen führen. Daneben läßt sich aber auch dafür argumentieren, daß konkrete Werthaltungen einem soziokulturellen Wandel unterliegen (von dem vor allem Personen mit höherer Bildung beeinflußt sind). Traditionelle Werte der familiären Sicherheit haben sich zugunsten der Vorstellung der Liebe als Passion verändert.

Literatur

Adorno, T. (1972). Zum Verhältnis von Soziologie und Psychologie. In T. Adorno, Gesammelte Schriften, Bd. 8. Frankfurt/Main: Suhrkamp.

Allerbeck, K. (1985). Arbeitswerte im Wandel. Mitteilungen aus der Arbeitsmarkt- und Berufsforschung, 18, 209-216.

Allport, G.W. (1961). Pattern and growth in personality. New York: Holt, Rinehart & Winston.

Allport, G.W. & Odbert, H.S. (1936). Trait-names: A psycho-lexical study. Psychological Monographs, 47 (Whole No. 211).

Anthony, D. & Robbins, T. (1982). Contemporary religious ferments and moral ambiguity. In E. Barker (Ed.), New religious movements: A perspective for understanding society (pp.243-263). New York: Mellen.

Aron, R. (1972). Progress and disillusion. London: Penguin.

Baldwin, J.M. (1899). Social and ethical interpretations in mental development. New York: MacMillan.

Baltes, P.B. (1984). Intelligenz im Alter. Spektrum der Wissenschaft, Mai 1984, 46-60.

Baltes, P.B. (1986). Theoretical propositions of life-span developmental psychology: On the dynamics between growth and decline. Max-Planck-Institute for Human Development and Education, Berlin. Manuscript.

Baltes, P.B., Dittmann-Kohli, F. & Kliegl, R. (1986). Reserve capacity of the elderly in aging-sensitive tests of fluid intelligence: Replication and extension. Psychology and Aging.

Baltes, P.B. & Reese, H.W. (1984). The life-span perspective in developmental psychology. In H.M. Bornstein & M.E. Lamb (Eds.), Developmental psychology: An advanced textbook (pp. 493-531). Hillsdale, NJ: Erlbaum.

Baltes, P.B., Reese, H.W. & Lipsitt, L.P. (1980). Life-span developmental psychology. Annual Review of Psychology, 31, 65-110.

Baltes, P.B., Reese, H.W. & Nesselroade, J.R. (1977). Life-span developmental psychology: Introduction to research methods. Monterey, CA: Brooks & Cole.

Baltes, P.B. & Sowarka, D. (1983). Entwicklungspsychologie und Entwicklungsbegriff. In R.K. Silbereisen & L. Montada (Hrsg.), Entwicklungspsychologie (pp. 11-20). München: Urban & Schwarzenberg.

Baltes, P.B., & Willis, S. (1982). Plasticity and enhancement of intellectual functioning in old age. In F.I.M. Craik & E.E. Trehub (Eds.), Aging and cognitive processes (pp. 353-389). New York: Plenum Press.

Barker, E. (1987). New religions and cults in Europe. In M. Eliade (Ed.), The encyclopedia of religion (Vol. X, pp.405-410). New York: Macmillan.

Baumeister, R.F. (1986). Identity: Cultural change and the struggle for self. New York: Oxford University Press.

Beckford, J.A. (1987). New religions: An overview. In M. Eliade (Ed.), The encyclopedia of religion (Vol. X, pp.390-394). New York: Macmillan.

Béjin, A. (1984). Auf dem Weg zur "Allgemeinen Selbst-Verwaltung"? In Initiative Sozialistisches Forum (Hrsg.), Diktatur der Freundlichkeit (pp.130-138). Freiburg i.Br.: Ça Ira Verlag.

Bengtson, V.L., Reedy, M.N. & Gordon, C. (1985). Aging and self-conceptions: Personality processes and social contexts. In J.E. Birren & K.W. Schaie (Eds.), Handbook of the psychology of aging (pp. 544-593). New York: Van Nostrand.

Berger, M. (1984). Rajneeshpuram von außen. Sommerurlaub 1983 in Oregon - Ein Bericht. In Initiative Sozialistisches Forum (Hrsg.), Diktatur der Freundlichkeit (pp.43-48). Freiburg i.B.: Ça Ira Verlag.

Berger, P.L. & Luckmann, T. (1966). The social construction of reality. New York: Doubleday.

Berger, R. & Mohr, H.-M. (1986). Lebensqualität in der Bundesrepublik 1978 und 1984. Soziale Welt, 37, 26-47.

Block, J. (1971). Lives through time. Berkeley, CA: Bancroft Books.

Bloom, B.L., Hodges, W.F. & Caldwell, R.A. (1983). Marital separation: The first eight months. In E.J. Calahan & K.A. McCluskey (Eds.), Life-span developmental psychology: Non-normative life events (pp.217-239). New York: Academic Press.

Bortner, R.W. & Hultsch, D.F. (1972). Personal time perspective in adulthood. Developmental Psychology, 7, 98-103.

Bortz, J. (1977). Lehrbuch der Statistik für Sozialwissenschaftler. Berlin: Springer.

Brandtstädter, J. (1984). Personal and social control over development: Some implications of an action perspective in life-span developmental psychology. In P.B. Baltes & O.G. Brim, Jr. (Eds.), Life-span development and behavior, (Vol. 6, pp.). New York: Academic Press.

Brandtstädter, J., Renner, G. & Baltes-Götz, B. (1989). Entwicklung von Wertorientierungen im Erwachsenenalter: Quersequentielle Analysen. Zeitschrift für Entwicklungspsychologie und Pädagogische Psychologie, 21, 3-23.

Brim, O.G., Jr. (1976). Life-span development of the theory of oneself: Implications for child development. In H.W. Reese (Ed.), Advances in child development and behavior (Vol. 2, pp. 241-251). New York: Academic Press.

Brim, O.G., Jr. & Ryff, C.D. (1980). On the properties of life events. In P.B. Baltes & O.G. Brim, Jr. (Eds.), Life-span development and behavior, Vol. 3 (pp. 367-388). New York: Academic Press.

Bromley, D.B. (1966). The psychology of human aging. Baltimore, MD: Penguin Books.

Broughton, J. (1978). Development of concepts of self, mind, reality and knowledge. New Directions for Child Development, 1, 75-100.

Bruhn, J. (1984). Unter den Zwischenmenschen. In Initiative Sozialistisches Forum (Hrsg.), Diktatur der Freundlichkeit (pp. 59-106). Freiburg i.Br.: Ça Ira Verlag.

Bugental, J.F.T. & Zelen, S.L. (1950). Investigations into the self-concept. Journal of Personality, 18, 483-498.

Bühler, C. (1932). Der menschliche Lebenslauf als psychologisches Problem. Göttingen: Hogrefe.

Bühler, C. (1935). The curve of life as studied in biographies. The Journal of Applied Psychology, 19, 405-409.

Bühler, C. (1968). The general structure of the human life cycle. In C. Bühler & F. Massarik (Eds.), The course of human life. New York: Springer.

Caldwell, R.A. & Bloom, B.L. (1982). Social support: Its structure and support on marital disruption. American Journal of Community Psychology, 10, 647-667.

Cameron, P., Desai, K.G., Bahador, D., & Dremel, G. (1977/78). Temporality across the life-span. International Journal of Aging and Human Devlopment, 8, 229-259.

Chapman, M. & Siegert, M.T. (1984). Identity, the life-course, and social context in historical perspective. Max-Planck-Institute for Human Development and Education, Berlin. Manuscript.

Clausen, J.A. (1986). The life course: A sociological perspective. Englewood Cliffs, NJ: Prentice-Hall.

Clecak, P. (1983). America's quest for the ideal self. New York: Oxford University Press.

Cooley, C.H. (1902). Human nature and the social order. New York: Scribner.

Costa, P.T., Jr. & McCrae, R.R. (1978). Objective personality assessment. In M. Storandt, I.C. Siegler & M.F. Elias (Eds.), The clinical psychology of aging. New York: Plenum.

Costa, P.T., Jr. & McCrae, R.R. (1980). Still stable after all these years: Personality as a key to some issues in adulthood and old age. In P.B. Baltes & O.G. Brim, Jr. (Eds.), Life-span development and behavior, Vol. 3 (pp.65-102). New York: Academic Press.

Costa, P.T., Jr. & McCrae, R.R. (1988). Personality in adulthood: A six year longitudinal study of self-reports and spouse ratings on the NEO Personality Inventory. Journal of Personality and Social Psychology, 54, 853-863.

Côté, J.E. & Levine, C. (1987). A formulation of Erikson's theory of ego identity formation. Developmental Review, 7, 273-325.

Côté, J.E. & Levine, C. (1988). A critical examination of the ego identity status paradigm. Developmental Review, 8, 147-184.

Cronbach, L.J. (1951). Coefficient alpha and the internal structure of tests. Psychometrika, 16, 297-334.

Damon, W. & Hart, D. (1982). The development of self-understanding from infancy through adolescence. Child Development, 53, 841-864.

Danish, S.J. & D'Augelli, A.R. (1980). Promoting competence and enhancing development. In L.A. Bond & J.C. Rosen (Eds.), Competence and coping during adulthood. Hanover, N.H.: University Press of New England.

DeFrank, R.S. & Ivancevich, J.M. (1986). Job loss: An individual level review and model. Journal of Vocational Behavior, 28, 1-20.

De Graaf, N.D. (1988). Postmaterialism and the stratification process. Utrecht, NL: University of Utrecht.

De Volder, M. (1979). Time orientation: A review. Psychologie Belgique, 19, 61-79.

De Volder, M.L. & Lens, W. (1982). Academic achievement and future time perspective as a cognitive-motivational concept. Journal of Personality and Social Psychology, 42, 566-571.

Diederich, W. (Hrsg.) (1974). Theorien der Wissenschaftsgeschichte. Frankfurt/Main: Suhrkamp.

Dittmann-Kohli, F. (1987). Sinndimensionen des Lebens im frühen und späten Erwachsenenalter. Max-Planck-Institut für Bildungsforschung, Berlin. Manuskript.

Döbert, R., Habermas, J. & Nunner-Winkler, G. (Hrsg.) (1977). Entwicklung des Ich. Königstein: Hain.

Dohrenwend, B.S. & Dohrenwend, B.P. (Eds.) (1974). Stressful life events: Their nature and effects. New York: Wiley.

Elder, G.H. (1974). Children of the great depression. Chicago.

Elias, N. (1936/1976). Der Prozeß der Zivilisation. Frankfurt/Main: Suhrkamp.

Emmons, R.A. (1986). Personal strivings: An approach to personal and subjective well-being. Journal of Personality and Social Psychology, 51, 1058-1068.

Epstein, S. (1973). The self-concept revisited or: A theory of a theory. American Psychologist, 28, 405-416.

Ericsson, K.A. & Simon, H.A. (1984). Protocol anaysis. Verbal reports as data. Cambridge, MA.: The MIT Press.

Erikson, E.H. (1950). Childhood and society. New York.

Erikson, E.H. (1959). Identity and the life cycle. New York: International Universities Press.

Erikson, E.H. (1968). Identity, youth, and crisis. New York: Norton.

Erikson, E.H. (1982). The life cycle completed. New York: Norton.

Feyerabend, P. (1976). Wider den Methodenzwang. Frankfurt/Main: Suhrkamp.

Feyerabend, P. (1984). Wissenschaft als Kunst. Frankfurt/Main: Suhrkamp.

Filipp, S.-H. (Hrsg.) (1979). Selbstkonzeptforschung. Stuttgart: Klett-Cotta.

Filipp, S.-H. (1980). Entwicklung von Selbstkonzepten. Zeitschrift für Entwicklungspsychologie und Pädagogische Psychologie, 12, 105-125.

Filipp, S.-H. (Hrsg.) (1981a). Kritische Lebensereignisse. München: Urban & Schwarzenberg.

Filipp, S.-H. (1981b). Ein allgemeines Modell für die Analyse kritischer Lebensereignisse. In S.-H. Filipp (Hrsg.), Kritische Lebensereignisse (pp.3-52). München: Urban & Schwarzenberg.

Filipp, S.-H. & Klauer, T. (1986). Conceptions of self over the life span: Reflections on the dialectics of change. In M.M. Baltes & P.B. Baltes (Eds.), The psychology of control and aging. Hillsdale, N.J. Erlbaum.

FitzGerald, F. (1986). Rajneeshpuram: A reporter at large (Part I & II). The New Yorker, September 22 & 29.

Frenkel, E. (1936/37). Studies in biographical psychology. Character and Personality, 5, 1-34.

Frenkel-Brunswik, E. (1963). Adjustments and reorientation in the course of the life span. In R.G. Kuhlen & G.G. Thompson (Eds.), Psychological studies of human development (pp.161-171). New York: Appleton-Century-Crofts.

Freud, A. (1937). Ego and the mechanisms of defense. London: Hogarth Press.

Frieze, I.H. (1978). Women and sex roles. New York: Norton.

Fuchs, W. (1984). Biographische Forschung. Opladen: Westdeutscher Verlag.

Furnham, A. & Henderson, M. (1982). A content analysis of four personality inventories. Journal of Clinical Psychology, 38, 818-825.

Gehrmann, F. (Hrsg.) (1986). Arbeitsmoral und Technikfeindlichkeit. Frankfurt/Main: Campus.

Gergen, K.J. (1968). Personal consistency and the presentation of self. In C. Gordon & K.J. Gergen (Eds.), The self in social interaction. Vol. 1: Classic and contemporary perspectives (pp.299-308). New York: Wiley.

Gergen, K.J. (1979). Selbsterkenntnis und die wissenschaftliche Erkenntnis sozialen Handelns. In S.-H. Filipp (Hrsg.), Selbstkonzeptforschung (pp.75-95). Stuttgart: Klett-Cotta.

Glaser, B.G. & Strauss, A.L. (1965/1979). Die Entdeckung gegenstandsbezogener Theorie: Eine Grundstrategie qualitativer Sozialforschung. In C. Hopf & E. Weingarten (Hrsg.), Qualitative Sozialforschung (pp.91-111). Stuttgart: Klett-Cotta.

Goffman, E. (1963). Stigma. (Dt. Übersetzung von F. Haug: Stigma. Frankfurt/Main: Suhrkamp, 1967.)

Gordon, C. (1968). Self-conceptions: Configurations of content. In C. Gordon & K.J. Gergen (Eds.), The self in social interaction. Volume 1: Classic and contemporary perspectives (pp.115-136). New York: Wiley.

Gould, R. (1972). The phases of adult life: A study in developmental psychology. American Journal of Psychiatry, 129, 521-531.

Gould, R. (1978). Transformations. New York: Simon & Schuster.

Gräser, H., Esser, H. & Saile, H. (1981). Einschätzungen von Lebensereignissen und ihren Auswirkungen. In S.-H. Filipp (Hrsg.), Kritische Lebensereignisse (pp.104-122). München: Urban & Schwarzenberg.

Greve, W. (1987). Entwicklung und Verteidigung zentraler Selbstkonzeptelemente im Erwachsenenalter. Unveröffentlichter Dissertationsentwurf, Universität Trier.

Gurin, P. & Brim, O.G., Jr. (1984). Changes in self in adulthood: The example of sense of control. In P.B. Baltes & O.G. Brim, Jr. (Eds.), Life-span development and behavior, Vol. 6 (pp.281-334). Orlando, FL: Academic Press.

Habermas, J. (1976). Moralentwicklung und Ich-Identität. In J. Habermas, Zur Rekonstruktion des Historischen Materialismus (pp.63-91). Frankfurt/Main: Suhrkamp.

Habermas, J. (1981). Theorie des kommunikativen Handelns.Bd. 2: Zur Kritik der funktionalistischen Vernunft. Frankfurt/Main: Suhrkamp.

Hagestad, G.O. & Neugarten, B.L. (1985). Age and the life course. In R.H. Binstock & E. Shanas (Eds.), Handbook of aging and the social sciences (2nd ed.) (pp.35-61). New York: Van Nostrand Reinhold.

Harré, R. (1979). Social being. Oxford, England: Basic Blackwell.

Harré, R. (1984). Personal being. Cambridge, MA: Harvard University Press.

Harter, S. (1983). Developmental perspectives on the self-system. In P.H. Mussen (Ed.), Handbook of child psychology, Vol IV (4th ed.) (pp.275-385). New York: Wiley.

Haußer, K. (1983). Identitätsentwicklung. New York: Harper & Row.

Havighurst, R.J. (1948). Develomental tasks and education. New York.

Havighurst, R.J. (1972). Develomental tasks and education. New York: David McKay.

Havighurst, R.J. (1982). The world of work. In J. Wolman (Ed.), Handbook of developmental psychology (pp.771-787). Englewood Cliffs, NJ: Prentice-Hall.

Hayslip, B., Jr. & Panek, P.E. (1989). Adult development and aging. New York: Harper & Row.

Heckhausen, H. (1980). Motivation und Handeln. Berlin: Springer.

Heckhausen, J. (im Druck). Normatives Entwicklungswissen als Bezugsrahmen zur (Re)Konstruktion der eigenen Biographie. In E. Hoerning & P. Alheit (Hrsg.), Biographisches Wissen: Theoretische Konzepte und empirische Befunde zur Struktur und Veränderung von "Lebenserfahrung". Frankfurt/Main: Campus.

Heckhausen, J., Dixon, R.A. & Baltes, P.B. (1989). Gains and losses in development throughout adulthood as perceived by different age groups. Developmental Psychology, 25, 109-121.

Hedges, A. (1981). An introduction to qualitative research. A paper presented to the Market Research Society Winter School, January 1981.

Heidtke, B. & Thielen, P. (1984). Ashram in Freiburg. In Initiative Sozialistisches Forum (Hrsg.), Diktatur der Freundlichkeit (pp. 49-58). Freiburg i.Br.: Ça Ira Verlag.

Held, T. (1986). Institutionalization and deinstitutionalization of the life course. Human Development, 29, 157-162.

Hill, M. (1987). Sect. In M. Eliade (Ed.), The encyclopedia of religion (pp.154-159). New York: MacMillan.

Herrmann, T. (1976). Lehrbuch der empirischen Persönlichkeitsforschung (3. Aufl.). Göttingen: Hogrefe.

Hodgson, J.W. & Fischer, J.L. (1979). Sex differences in identity and intimacy development in college youth. Journal of Youth and Adolescence, 8, 37-51.

Hoff, E.-H. (1985). Datenerhebung als Kommunikation: Intensivbefragungen mit zwei Interviewern. In G. Jüttemann (Hrsg.), Qualitative Forschung in der Psychologie (pp. 161-186). Weinheim: Beltz.

Hoff, E.-H. (1986). Arbeit, Freizeit und Persönlichkeit. Bern: Huber.

Hogan, R. & Cheek, J.M. (1983). Identity, authenticity, and maturity. In T.R. Sarbin & K.E. Scheibe (Eds.), Studies in social identity (pp.339-357). New York: Praeger.

Holmes, T.H. & Rahe, R.H. (1967). The social readjustment rating scale. Journal of Psychosomatic Research, 11, 213-218.

Hopf, C. (1979). Soziologie und qualitative Sozialforschung. In C. Hopf & E. Weingarten (Hrsg.), Qualitative Sozialforschung (pp.11-40). Stuttgart: Klett-Cotta.

Hopf, C. & Weingarten, E. (Hrsg.) (1979). Qualitative Sozialforschung. Stuttgart: Klett-Cotta.

Horn, K.-P. (o.J.). Rebellion gegen den Verstand? Dissertation, Freie Universität Berlin.

Hultsch, D.E. & Cornelius, S.W. (1981). Kritische Lebensereignisse und lebenslange Entwicklung: Methodologische Aspekte. In S.-H. Filipp (Hrsg.), Kritische Lebensereignisse (pp.72-90). München: Urban & Schwarzenberg.

Inglehart, R. (1979). Wertwandel in den westlichen Gesellschaften: Politische Konsequenzen von materialistischen und postmaterialistischen Prioritäten. In H. Klages & P. Kmieciak (Hrsg.), Wertwandel und gesellschaftlicher Wandel (pp.279-316). Frankfurt/Main: Campus.

James, W. (1890). Principles of psychology. New York: Holt.

James, W. (1910). Psychology: The briefer course. New York: Holt.

Jüttemann, G. (Hrsg.) (1985). Qualitative Forschung in der Psychologie. Weinheim: Beltz.

Keniston, K. (1960). The uncommitted. New York: Hartcourt, Brace & World.

Kelly, G.A. (1955). The psychology of personal constructs. New York: Norton.

Kihlstrom, J.F. & Cantor, N. (1984). Mental representations of the self. In L. Berkowitz (Ed.), Advances in experimental social psychology (Vol. 17, pp.1-47). New Nork: Academic Press.

Klages, H. (1984). Wertorientierungen im Wandel. Frankfurt/Main: Campus.

Klages, H. & Herbert, W. (1983). Wertorientierung und Staatsbezug. Frankfurt/Main: Campus.

Klages, H. & Kmieciak, P. (Hrsg.) (1979). Wertwandel und gesellschaftlicher Wandel. Frankfurt/Main: Campus.

Kmieciak, P. (1976). Wertstrukturen und Wertwandel in der Bundesrepublik Deutschland. Göttingen: Schwartz.

Kohlberg, L. (1969). Stage and sequence. In D. Goslin (Ed.), Handbook of socialization theory and research (pp.347-480). Chicago: Rand McNally.

Kohlberg, L. (1971). From Is to Ought. In T. Mischel (Ed.), Cognitive development and epistemology (pp.151-236). New York: Academic Press.

Kohli, M. (1985). Die Institutionalisierung des Lebenslaufs. Historische Befunde und theoretische Argumente. Kölner Zeitschrift für Soziologie, 37, 1-29.

Kohli, M. & Meyer, J.W. (1986). Social structure and social construction of life stages. Human Development, 29, 145-180.

Krappmann, L. (1969). Soziologische Dimensionen der Identität. Stuttgart: Klett.

Krippendorff, K. (1980). Content analysis. Beverly Hills, CA: Sage.

Kuhn, M.F. & McHartland, T.A. (1954). An empirical investigation of self-attitudes. American Sociological Review, 19, 68-76.

Kuhn, T.S. (1962/1976). The structure of scientific revolution. Chicago, Ill.: University of Chicago Press. (Dt. Übersetzung von H. Vetter: Die Struktur wissenschaftlicher Revolutionen. Frankfurt/Main: Suhrkamp, 1967.)

Lakatos, I. (1974). Die Geschichte der Wissenschaft und ihre rationalen Rekonstruktionen. In W. Diederich (Hrsg.), Theorien der Wissenschaftsgeschichte (pp.55-119). Frankfurt/Main: Suhrkamp.

Lazarus, R.S. & Launier, R. (1978). Stress-related transactions between person and environment. In L. Pervin & M. Lewis (Eds.), Perspectives in interactional psychology (pp.287-327). New York: Plenum Press.

Lecky, P. (1945). Self-consistency: A theory of personality. Long Island, NY: Island Press.

Le Goff, J. (1965). Das Hochmittelalter. Frankfurt/Main: Fischer.

Lerner, R.M. & Busch-Rossnagel, N.A. (Eds.). (1981). Individuals as producers of their own development: A life-span perspective. New York: Academic Press.

Levinson, D.J. (1978). The season's of a man's life. New York: Ballantine.

Levinson, D.J. (1986). A conception of adult development. American Psychologist, 41, 3-13.

Lidz, T. (1980). Phases of adult life: An overview. In W. H. Norman & T. J. Scaramella (Eds.), Mid-life: Developmental and clinical issues (pp.20-37). New York: Bruuner/Mazel.

Lienert. G.A. (1978). Verteilungsfreie Methoden in der Biostatistik. Meisenheim/Glan: Hain, Bd. II.

Lisch, R. & Kriz, J. (1978). Grundlagen und Modelle der Inhaltsanalyse. Reinbek: Rowohlt.

Loevinger, J. & Knoll, E. (1983). Personality: Stages, traits and the self. Annual Review of Psychology, 34, 195-222.

Lowenthal, F.M., Thurner, M, & Chiriboga, D. (1975). Four stages of life: A comparative study comparing men and women. San Francisco: Jossey-Bass.

Luckmann, T. (1979). Persönliche Identität, soziale Rolle und Rollendistanz. In O. Marquardt & K. Stierle (Hrsg.), Identität (pp.293-313). München: Fink.

Luria, A.R. (1974/1986). Die historische Bedingtheit individueller Erkenntnisprozesse. Berlin: VEB Deutscher Verlag der Wissenschaften.

Macmurray, J. (1957). The self as agent. London: Faber & Faber.

Marcia, J.E. (1964). Determination and construct validity of ego identity status. Unpublished doctoral dissertation, Ohio State University.

Marcia, J.E. (1966). Development and validation of ego identity status. Journal of Personality and Social Psychology, 3, 551-558.

Marcia, J.E. (1976). Identity six years after: A follow-up study. Journal of Youth and Adolescence, 5, 145-160.

Marcia, J.E. (1980). Identity in adolescence. In J. Adelson (Ed.), Handbook of adolescent psychology. New York: Wiley.

Markus, H. & Nurius, P. (1986). Possible selves. American Psychologist, 41, 954-969.

Maslow, A. (1943). A theory of human motivation. Psychological Review, 50, 370-396.

Maslow, A. (1968). Toward a psychology of being. New York: Van Nostrand.

Mayer, K.U. (1977). Statushierachie und Heiratsmarkt - Empirische Analysen zur Struktur des Schichtungssystems in der Bundesrepublik und zur Ableitung einer Skala des sozialen Status. In J. Handl, K.U. Mayer & W. Müller (Hrsg.), Klassenlagen und Sozialstruktur (pp.155-232). Frankfurt/Main: Campus.

Mayer, K.U. (1986). Structural constraints on the life course. Human Development, 29, 163-170.

Mayring, P. (1983). Qualitative Inhaltsanalyse. Grundlagen und Techniken. Weinheim: Beltz.

Mayring, P. (1985). Qualitative Inhaltsanalyse. In G. Jüttemann (Hrsg.), Qualitative Forschung in der Psychologie (pp.187-211). Weinheim: Beltz.

McCrae, R.R. & Costa, P.T., Jr. (1982). Self-concept and the stability of personality: Cross-sectional comparisons of self-reports and ratings. Journal of Personality and Social Psychology, 43, 1282-1292.

Mead, G.H. (1934/1973). Mind, self, and society. Chicago: University of Chicago Press. (Dt. Übersetzung von U. Pacher: Geist, Identität und Gesellschaft. Frankfurt/Main: Suhrkamp, 1973.)

Merten, K. (1983). Inhaltsanalyse. Opladen: Westdeutscher Verlag.

Merton, R.K. & Kendall, P.L. (1945-46/1979). Das fokussierte Interview. In C. Hopf & E. Weingarten (Hrsg.), Qualitative Sozialforschung (pp.171-204). Stuttgart: Klett-Cotta.

Meyer, J.W. (1981). The institutionalization of the life course and its effects on the self. Max Planck Institute for Human Development and Education, Berlin. Manuscript.

Meyer, J.W. (1986). The self and the life course: Institutionalization and its effects. In A.B. Sörensen, F.E. Weinert & L.R. Sherrod (Eds.), Human development and the life course: Multidisciplinary perspectives (pp.199-216). Hillsdale, NJ: Erlbaum.

Morris, C. (1972). The discovery of the individual. New York: Harper Torchbooks.

Mortimer, J.T., Finch, M.D. & Kumka, D. (1982). Persistence and change in development: The multidimensional self-concept. In P.B. Baltes & O.G. Brim, Jr. (Eds.), Life-span development and behavior, Vol. 4 (pp.263-313). New York: Academic Press.

Mummendey, H.D. (1981). Selbstkonzeptänderungen nach kritischen Lebensereignissen. In S.-H. Filipp (Hrsg.), Kritische Lebensereignisse (pp.252-269). München: Urban & Schwarzenberg.

Mummendey, H.D. & Sturm, G. (1981). Zweiter Bericht über eine Längsschnittuntersuchung zu kritischen Lebensereignissen und Selbstbildänderungen jüngerer Erwachsenener. Bielefelder Arbeiten zur Sozialpsychologie, Nr. 72, April 1981.

Murray, H.A. (1938). Explorations in personality. New York: Oxford University Press.

Murray, H.A. (1953). Toward a classification of interaction. In T. Parsons & E.A. Shils (Eds.), Toward a general theory of action (pp.434-464). Cambridge, MA: Harvard University Press.

Musgrove, F. (1974). Ecstacy and holiness: Counter culture and the open society. London: Methuen.

Mussen, P.H., Conger, J.J., & Kagan, J. (1974). Child development and personality. New York: Harper & Row.

Neugarten, B.L. (Ed.). (1968). Middle age and aging. Chicago: The University of Chicago Press.

Neugarten, B.L. (1977). Personality and aging. In J. Birren & K. Schaie (Eds.), Handbook of the psychology of aging (pp.626-649). New York: Van Nostrand Reinhold.

Neugarten, B.L. & Datan, N. (1973). Sociological perspectives on the life cycle. In P.B. Baltes & K.W. Schaie (Eds.), Life-span developmental psychology: Personality and socialization (pp.53-69). New York: Academic Press.

Neugarten, B.L. & Kraines, R.J. (1965). Menopausal symptoms in women of different ages. Psychosomatic Medicine, 27, 266-273.

Neugarten, B.L., Moore, J.W., & Lowe, J.C. (1965). Age norms, age constraints, and adult socialization. American Journal of Sociology, 70, 710-717.

Neugarten, B.L., Wood, V., Kraines, R.J. & Loomis, B. (1963). Women's attitude toward the menopause. Vita Humana, 6, 140-151.

Newman, B.M. (1982). Mid-life development. In B.B. Wolman (Ed.), Handbook of developmental psycology (pp.617-65). Englewood Cliffs, NJ: Prentice-Hall.

Nichols, M.P. (1986). Turning forty in the eighties. New York: Norton.

Noam, G.G. (1985). Stage, phase, and style: The developmental dynamics of the self. In M. Berkowitz & F. Oser (Eds.), Moral education. Hillsdale, NJ: Erlbaum.

Noam, G.G., Powers, S.I. Kilkenny, R. & Beedy, J. (1986). The self in life-span developmental perspective. Draft to appear in Life-span development and behavior.

Nogala, D. (1987). Humanistische Psychologie (HUPS) als Anleitung zur Identitätsarbeit. Zerstörung politischen Denkens durch das therapeutische Paradigma. Psychologie und Gesellschaftskritik, 11, 33-58.

Nordquist, T.A. (1978). Ananda cooperative village. Uppsala.

Northrop, F.S.C. (1966). Toward a deductively formulated and operationally verifiable comparative cultural anthropology. In F.S.C. Northrop & H.H. Livingston (Eds.), Cross-cultural understanding: Epistemology in anthropology (pp.194-222). New York: Harper & Row.

Nunner-Winkler, G. (1985). Identität und Individualität. Soziale Welt, 36, 466-482.

Nuttin, J.R. (1964). The future time perspective in human motivation and learning. Acta Psychologica, 23, 60-82.

Oerter, R. (1987). Jugendalter. In Oerter, R. & Montada, L. (Hrsg.) (1982). Entwicklungspsychologie (2.Auflage, pp. 265-338). München: Urban & Schwarzenberg.

Oerter, R. & Montada, L. (Hrsg.) (1982). Entwicklungspsychologie. München: Urban & Schwarzenberg.

Ogilvie, D.M. (1987a). The undesired self: A neglected variable in personality research. Journal of Personality and Social Psychology, 52, 379-385.

Ogilvie, D.M. (1987b). Life satisfaction and identity structure in late middle-aged men and women. Journal of Personality and Social Psychology, 52, pp. ...

Orbach, I., Iluz, A. & Rosenheim, E. (1987). Value systems and commitment to goals as a function of age, integration of personality, and fear of death. International Journal of Behavioral Development, 10, 225-239.

Palys, T.S. & Little, B.R. (1983). Perceived life satisfaction and the organization of personal project systems. Journal of Personality and Social Psychology, 44, 1221-1230.

Parsons, T. (1968). The position of identity in the general theory of action. In C. Gordon & K. Gergen (Eds.), The self in social interaction, Vol. 1: Classic and contemporary perspectives. New York: Wiley.

Pawlowsky, P. (1986a). Arbeitseinstellungen im Wandel. München: Minerva.

Pawlowsky, P. (1986b). Arbeitswerte: Theoretische Grundlagen und Längsschnittbeobachtungen 1960 - 1983. In F. Gehrmann (Hrsg.), Arbeitsmoral und Technikfeindlichkeit (pp.73-118). Frankfurt/Main: Campus.

Plath, D.W. & Ikeda, K. (1975). After coming of age: Adult awareness of age norms. In T.R. Williams (Ed.), Socialization and communication in primary groups (pp.107-123). The Hague: Mouton.

Podd, M.H. (1972). Ego identity status and morality: The relationship between two developmental constructs. Developmental Psychology, 6, 497-507.

Rakowski, W. (1984/85). Methodological considerations for research on late life future temporal perspective. International Journal of Aging and Human Development, 19, 25-40.

Rigby, A. (1974). Alternative realities: A study of communes and their members. London: Routledge & Kegan Paul.

Rogers, C. (1961). On becoming a person. Boston: Houghton Mifflin.

Rokeach, M. (1969). The Paul Douglass lectures for 1969, Part 2: Religious values and social compassion. Review of Religious Research, 2, Ort:

Rokeach, M. (1973). The nature of human values. New York: Free Press.

Rollins, B. C. & Feldman, H. (1970). Marital satisfaction over the family cycle. Journal of Marriage and the Family, 32, 20-28.

Rosenberg, M. (1979). Conceiving the self. New York: Basic Books.

Rotter, J.B. (1966). Generalized expectancies of internal vs. external control of reinforcement. Psychological Monographs, 80 (Whole No. 69, pp.).

Rust, H. (1983). Inhaltsanalyse. München: Urban & Schwarzenberg.

Ruehlman, L.S. & Wolchik, S.A. (1988). Personal goals and interpersonal support and hindrance as factors in psychological distress and well-being. Journal of Personality and Social Psychology, 55, 293-301.

Ryff, C.D. (1985). Adult personality development and the motivation for personal growth. In D.A. Kleiber & M.L. Maehr (Eds.), Advances in motivation and achievement, Vol. 4 (pp.55-92). Greenwich, CN: Jai Press.

Sarbin, T.R. (1962). A preface to a psychological analysis of the self. Psychological Review, 59, 11-22.

Satyananda, S. (1979). Ganz entspannt im Hier und Jetzt. Reinbek: Rowohlt.

Satyananda, S. (1981). Im Grunde ist alles ganz einfach. Frankfurt/Main: Ullstein.

Schaie, K.W. & Willis, S.L. (1986). Adult development and aging (2nd ed.). Boston: Little Brown.

Schischkoff, G. (Hrsg.) (1978). Philosophisches Wörterbuch (21. Auflage). Stuttgart: Kröner.

Schülein, J.A. (1976). Das neue Interesse an Subjektivität. Leviathan, 4, 53-78.

Schwarzer, R. (1984). Angst und die Motivation zum politischen Handeln. In H. Moser & S. Preiser (Hrsg.), Umweltprobleme und Arbeitslosigkeit (pp.12-26). Weinheim: Beltz.

Schwarzer, R; Lange, B. & Jerusalem, M. (1982). Selbstkonzeptentwicklung nach einem Bezugsgruppenwechsel. Zeitschrift für Entwicklungspsychologie und Pädagogische Psychologie, 14, 125-140.

Sennett, R. (1977). The fall of public man. New York: Vintage.

Siegert, M.T. & Chapman, M. (1985). Identity in adulthood. Max Planck Institute for Human Development and Education, Berlin. Manuscript.

Siegert, M.T. & Chapman, M. (1986). Identity transformation in middle adulthood. Paper presented at the World Congress of Sociology, New Delhi, August 1986.

Skinner, E.A., Chapman, M. & Baltes, P.B. (1988). Control, means-ends, and agency beliefs: A new conceptualization and its measurement during childhood. Journal of Personality and Social Psychology, 54, 117-133.

Slugoski, B.R., Marcia, J.E. & Koopman, R.F. (1984). Cognitive and social interactional characteristics of ego identity statuses in college males. Journal of Personality and Social Psychology, 47, 646-661.

Smith, A.D. & Reid, W.J. (1986). Role-sharing marriages. New York: Columbia University Press.

Smith, B. (1982). Psychology and humanism. Journal of Humanistic Psychology, 22, 44-55.

Stahlberg, D., Osnabrügge, G. & Frey, D. (1985). Die Theorie des Selbstwertschutzes und der Selbstwerterhöhung. In D. Frey & M. Irle (Hrsg.), Theorien der Sozialpsychologie, Bd. III: Motivations- und Informationsverarbeitungstheorien (pp.79-124). Bern: Huber.

Stegmüller, W. (1973). Theorienstrukturen und Theoriendynamik. Berlin: Springer.

Stegmüller, W. (1974). Theoriendynamik und logisches Verständnis. In W. Diederich (Hrsg.), Theorien der Wissenschaftsgeschichte (pp.167-209). Frankfurt/Main: Suhrkamp.

Stiksrud, H.A. (1984). Gibt es einen Generationen-Dissens? Empirische Untersuchungen zu Wertrangdiskrepanzen bei Personen unterschiedlichen Alters. Zeitschrift für experimentelle und angewandte Psychologie, 31, 153-174.

Super, D.E. (1969). Vocational development theory: Persons, positions, and processes. The Counseling Psychologist, 1, 2-8.

Super, D.E. (1980). A life-span, life-space approach to career development. Journal of Vocationa Behavior, 16, 282-296.

Tesch, S.A. & Cameron, K.A. (1987). Openness to experience and development of adult identity. Journal of Personality, 55, 615-630.

Thoden, A. & Schmidt, I. (1987). Der Mythos um Bhagwan. Die Geschichte einer Bewegung. Reinbek: Rowohlt.

Thomae, H. (1985). Zur Relation von qualitativen und quantitativen Strategien psychologischer Forschung. In G. Jüttemann (Hrsg.), Qualitative Forschung in der Psychologie (pp.92-107). Weinheim: Beltz.

Treiman, D.J. (1977). Occupational prestige in comparative perspective. New York: Academic Press.

Turner, R.H. (1975/76). The real self: From institution to impulse. The American Journal of Sociology, 81, 989-1016.

Vaillant, G. (1977). Adaptation to life. Boston, MS: Little Brown.

Vallacher, R.R. & Wegner, D.M. (1987). What do people think they're doing? Action identification and human behavior. Psychological Review, 94, 3-15.

Veroff, J., Pouvan, E. & Kulka, R.A. (1981). The inner American. New York: Basic Books.

Wadsworth, M. & Ford, D.H. (1983). Assessment of personal goal hierarchies. Journal of Counseling Psychology, 30, 514-526.

Walker, R. (Ed.) (1985a). Applied qualitative research. Hants, England: Gower.

Walker, R. (1985b). An introduction to applied qualitative research. In R. Walker (Ed.), Applied qualitative research (pp.3-26). Hants, England: Gower.

Wallace, M. & Rabin, A.I. (1960). Temporal experience. Psychological Bulletin, 57, 213-236.

Walper, S. (1988). Familiäre Konsequenzen ökonomischer Deprivation. München: Psychologie Verlags Union.

Waterman, A.S. (1984). Identity formation: Discovery or creation. Journal of Early Adolescence, 4, 329-341.

Waterman, A.S. (1988). Identity status theory and Erikson's theory: Communalities and differences. Developmental Review, 8, 185-208.

Waterman, A.S. & Archer, S.L. (1989). A life-span perspective on identity formation: Developments in form, function, and process. In P.B. Baltes, D.L. Featherman & R.M. Lerner (Eds.), Life-span development and behavior,Vol. 11. Hillsdale, NJ: Erlbaum.

Waterman, A.S. & Waterman, C.K. (1971). A longitudinal study of changes in ego identity states during the freshman year at college. Developmental Psychology, 5, 167-173.

Webb, L.J., Snodgrass, D. & Thagard, J. (1978). Sex differences and life event experiences. Psychological Reports, 43, 47-53.

Wegener, B. (1985). Gibt es Sozialprestige? Zeitschrift für Soziologie, 14, 209-285.

Whitbourne, S.K. (1986). The me I know: A study of adult development. New York: Springer.

Whitbourne, S.K. & Weinstock, C.S. (1979). Adult development: The differentiation of experience. New York: Holt, Rinehart & Winston.

Wicklund, R. & Gollwitzer, P.M. (1985). Symbolische Selbstergänzung. In D. Frey & M. Irle (Hrsg.), Theorien der Sozialpsychologie. Bd. III: Motivations- und Informationsverarbeitungstheorien (pp.31-56). Bern: Huber.

Wilson, B. (1959). An analysis of sect development. American Sociological Review, 24, 3-15.

Yankelovich, D. (1981). New rules. Searching for self-fulfillment in a world turned upside down. New York: Random.

Zepelin, H., Sills R.A. & Heath, M.W. (1986/87). Is age becoming irrelevant? An exploratory study of perceived age norms. International Journal of Aging and Human Development, 24, 241-256.

Anhang A:
Soziodemographischer Fragebogen

Projekt IDEA

Max-Planck-Institut für Bildungsforschung

Soziodemographischer Fragebogen

September 1985

VpNr:____________

Fragen zur Person

Bitte füllen Sie diesen Fragebogen aus. Ihre Angaben werden streng vertraulich behandelt. Sie helfen uns sehr, wenn Sie jede Frage durch ein Kreuz zu einer der vorgegebenen Antworten beantworten.
Zusätzliche Antworten können in den freien Plätzen unter der Frage geschrieben werden.

1. Geburtsdatum ____________________ Alter ____________________

2. Geschlecht ____________________ 3. Konfession ____________________

4. Welche Schulen haben Sie besucht?
Bitte schreiben Sie die Anzahl der Schuljahre in die Klammern hinter jeden Schultyp.

1. Volksschule	( )	5. Berufsfachschule	( )
2. Real-/Mittelschule	( )	6. Fachhochschule	( )
3. Gymnasium	( )	7. Sonstiges	( )
4. Universität	( )		

5. Nennen Sie uns bitte Ihren Schulabschluß.

____

6. Haben Sie Wehrdienst oder Ersatzdienst geleistet? Bitte die Anzahl der Jahre eintragen.

Ja	( )	1. Bundeswehr	( )
Nein	( )	2. Ersatzdienst	( )

7. Haben Sie eine abgeschlossene Berufsausbildung?

   Ja ( )
   Nein ( )

8. Haben Sie mehrere Berufsausbildungen?

   Ja ( )
   Nein ( )

9. Haben Sie einen Abschluß oder eine Ausbildung über den Zweiten Bildungsweg?

   Ja ( )
   Nein ( )
   Wenn ja, welche? ______________________________

10. In welchem Beruf haben Sie gearbeitet? Bitte schreiben Sie, wie lange Sie in dem Beruf gearbeitet haben.

		Wie lange?
1.	____________	____________
2.	____________	____________
3.	____________	____________
4.	____________	____________

11. Derzeit bin ich beschäftigt als:

    ____

    Zur Zeit habe ich keine Beschäftigung ( )
    Ich habe keine Beschäftigung seit: ____________

12. Mein monatliches Einkommen (Netto) beträgt:

    1. 500 - 1.000 DM ( )
    2. 1.000 - 2.000 DM ( )
    3. 2.000 - 3.000 DM ( )
    4. 3.000 - 4.000 DM ( )
    5. über 4.000 DM ( )

13. Nennen Sie Ihren Familienstand.

		Wie lange leben Sie so? seit:
1. ledig	( )	________
2. verheiratet	( )	________
3. mit Partner lebend	( )	________
4. getrennt lebend	( )	________
5. geschieden	( )	________
6. verwitwet	( )	________

14. Derzeit lebe ich:

		Wie lange leben Sie so? seit:
1. allein im eigenen Haushalt	( )	________
2. gemeinsam mit dem Ehepartner	( )	________
3. gemeinsam mit dem Partner	( )	________
4. in einer Wohngemeinschaft	( )	________

15. Haben Sie eigene Kinder? Wenn ja, wie viele?

Ja ( )
Nein ( )

Anzahl der Kinder ( )

Alter der Kinder	1. Kind	2. Kind	3. Kind	4. Kind
	( )	( )	( )	( )

16. Derzeit leben die Kind(er):

	1. Kind	2. Kind	3. Kind	4. Kind
1. allein im eigenen Haushalt	( )	( )	( )	( )
2. in meinem Haushalt	( )	( )	( )	( )
3. in einem anderen Haushalt	( )	( )	( )	( )

17. Welche Schulen haben bzw. besuchen Ihre Kinder?

	1. Kind	2. Kind	3. Kind	4. Kind
1. Volksschule	( )	( )	( )	( )
2. Real-/Mittelschule	( )	( )	( )	( )
3. Gymnasium	( )	( )	( )	( )
4. Universität	( )	( )	( )	( )
5. Berufsfachschule	( )	( )	( )	( )
6. Fachoberschule	( )	( )	( )	( )
7. Sonstiges	( )	( )	( )	( )

18. Haben Ihre Kinder eine Berufsausbildung? Ja ( ) Nein ( )
Wenn ja, welche?

1. Kind ______________ 2. Kind ______________

3. Kind ______________ 4. Kind ______________

19. Leben noch andere Kinder in Ihrem Haushalt?
Wenn ja, wie viele?

Ja ( ) Anzahl der Kinder ( )
Nein ( )

Alter der Kinder	1. Kind	2. Kind	3. Kind
	( )	( )	( )

20. Welche Schulen haben bzw. besuchen diese Kinder?

	1. Kind	2. Kind	3. Kind
1. Volksschule	( )	( )	( )
2. Real-/Mittelschule	( )	( )	( )
3. Gymnasium	( )	( )	( )
4. Universität	( )	( )	( )
5. Berufsfachschule	( )	( )	( )
6. Fachoberschule	( )	( )	( )
7. Sonstiges	( )	( )	( )

21. Haben diese Kinder eine Berufsausbildung?
Wenn ja, welche?

1. Kind ______________ 2. Kind ______________

3. Kind ______________

	Ja	Nein
22. Lebt Ihre Mutter noch?	( )	( )
Lebt Ihr Vater noch?	( )	( )

Alter der Mutter ______________

Alter des Vaters ______________

23. In welchem Alter ist ihre Mutter verstorben? 19.. Alter ( )

In welchem Alter ist Ihr Vater verstorben? 19.. Alter ( )

24. Welchen Schulabschluß haben Ihre Eltern und Ihr Ehepartner/ Lebensgefährte?

	Mutter	Vater	Ehepartner/ Lebensgefährte
1. Volksschule	( )	( )	( )
2. Real-/Mittelschule	( )	( )	( )
3. Gymnasium	( )	( )	( )
4. Universität	( )	( )	( )
5. Berufsfachschule	( )	( )	( )
6. Fachoberschule	( )	( )	( )
7. Sonstiges	( )	( )	( )
Daran kann ich mich nicht erinnern	( )	( )	( )

25. Haben Ihre Eltern und Ihr eigener Ehepartner/Lebensgefährte einen Abschluß oder eine Ausbildung über den Zweiten Bildungsweg?

		Mutter	Vater	Partner
Nein	( )	( )	( )	( )
Ja	( )	( )	( )	( )

Wenn ja, welche? ____________________

26. In welchem Beruf waren oder sind Ihre Eltern und Ihr eigener Ehepartner/Lebensgefährte beschäftigt?

Mutter ____________________

Vater ____________________

Ehepartner/Lebensgefährte ____________________

27. Welche Stellung im Beruf hatten oder haben Ihre Eltern und Ihr eigener Ehepartner/Lebensgefährte?

Stellung im Beruf	Vater	Mutter	Partner
angelernter Arbeiter	( )	( )	( )
ungelernter Arbeiter	( )	( )	( )
Facharbeiter	( )	( )	( )
Meister	( )	( )	( )
Mithelfender im Familienbetrieb	( )	( )	( )
Beamter des einfachen Dienstes	( )	( )	( )
Beamter des mittl. und gehob. Dienstes	( )	( )	( )
Beamter des höheren Dienstes	( )	( )	( )
einfacher Angestellter	( )	( )	( )
mittlerer Angestellter	( )	( )	( )
leitender und höherer Angestellter	( )	( )	( )
Landwirt	( )	( )	( )
freiberuflich tätiger Akademiker (z.B. Architekt, Anwalt)	( )	( )	( )
Selbständiger (z.B. Handwerker, Gewerbetreibender, Händler)	( )	( )	( )
Unternehmer	( )	( )	( )
nicht erwerbstätig	( )	( )	( )
Sonstiges (bitte angeben)______________	( )	( )	( )

28. Ist Ihr Ehepartner/Lebensgefährte zum gegenwärtigen Zeitpunkt berufstätig?

Ja ( ) als ______________________________
Nein ( )

29. Mein Ehepartner/Lebensgefährte ist ..... Jahre alt.

30. Haben oder hatten Sie Geschwister? Wenn ja, wie viele?

Ja ( ) Gesamtzahl ( )
Nein ( )

31. Alter der Schwestern:

1. Schwester	2. Schwester	3. Schwester	4. Schwester
( )	( )	( )	( )

Alter der Brüder:

1. Bruder	2. Bruder	3. Bruder	4. Bruder
( )	( )	( )	( )

32. Welche Schulen haben Ihre Schwestern besucht?

	1.Schw.	2.Schw.	3.Schw.	4.Schw.
1. Volksschule	( )	( )	( )	( )
2. Real-/Mittelschule	( )	( )	( )	( )
3. Gymnasium	( )	( )	( )	( )
4. Universität	( )	( )	( )	( )
5. Berufsfachschule	( )	( )	( )	( )
6. Fachoberschule	( )	( )	( )	( )
7. Sonstiges	( )	( )	( )	( )
Daran kann ich mich nicht erinnern	( )	( )	( )	( )

33. Nennen Sie uns bitte den Schulabschluß Ihrer Schwestern.

1. Schwester	2. Schwester	3. Schwester	4. Schwester
______	______	______	______

34. Haben Ihre Schwestern eine abgeschlossene Berufsausbildung? Wenn ja, welche?

1. Schwester	2. Schwester	3. Schwester	4. Schwester
______	______	______	______

35. Haben Ihre Schwestern mehrere Berufsausbildungen? Wenn ja, welche?

1. Schwester	2. Schwester	3. Schwester	4. Schwester
______	______	______	______

36. Haben Ihre Schwestern einen Abschluß oder eine Ausbildung über den Zweiten Bildungsweg? Wenn ja, welche?

1. Schwester	2. Schwester	3. Schwester	4. Schwester
______	______	______	______

37. Welche Stellung im Beruf hatten oder haben Ihre Schwestern?

Stellung im Beruf	1.Schw.	2.Schw.	3.Schw.	4.Schw.
angelernter Arbeiter	( )	( )	( )	( )
ungelernter Arbeiter	( )	( )	( )	( )
Facharbeiter	( )	( )	( )	( )
Meister	( )	( )	( )	( )
Mithelfender im Familienbetrieb	( )	( )	( )	( )
Beamter des einfachen Dienstes	( )	( )	( )	( )
Beamterer des mittleren und gehobenen Dienstes	( )	( )	( )	( )
Beamter des höheren Dienstes	( )	( )	( )	( )
einfacher Angestellter	( )	( )	( )	( )
mittlerer Angestellter	( )	( )	( )	( )
leitender und höherer Angestellter	( )	( )	( )	( )
Landwirt	( )	( )	( )	( )
freiberufl. tätiger Akademiker (z.B. Architekt, Anwalt)	( )	( )	( )	( )
Selbständiger (z.B. Handwerker, Gewerbetreibender, Händler)	( )	( )	( )	( )
Unternehmer	( )	( )	( )	( )
nicht erwerbstätig	( )	( )	( )	( )
Sonstiges (bitte angeben)____________	( )	( )	( )	( )

38. Wie ist der Familienstand Ihrer Schwestern?

	1.Schw.	2.Schw.	3.Schw.	4.Schw.
1. ledig	( )	( )	( )	( )
2. verheiratet	( )	( )	( )	( )
3. mit Partner lebend	( )	( )	( )	( )
4. getrennt lebend	( )	( )	( )	( )
5. geschieden	( )	( )	( )	( )
6. verwitwet	( )	( )	( )	( )

39. Derzeit leben Ihre Schwestern:

	1.Schw.	2.Schw.	3.Schw.	4.Schw.
allein im eigenen Haushalt	( )	( )	( )	( )
gemeinsam mit dem Ehepartner	( )	( )	( )	( )
gemeinsam mit dem Partner	( )	( )	( )	( )
in einer Wohngemeinschaft	( )	( )	( )	( )

40. Welche Schulen haben Ihre Brüder besucht?

	1.Bruder	2.Bruder	3.Bruder	4.Bruder
1. Volksschule	( )	( )	( )	( )
2. Real-/Mittelschule	( )	( )	( )	( )
3. Gymnasium	( )	( )	( )	( )
4. Universität	( )	( )	( )	( )
5. Berufsfachschule	( )	( )	( )	( )
6. Fachoberschule	( )	( )	( )	( )
7. Sonstiges	( )	( )	( )	( )

41. Nennen Sie uns bitte den Schulabschluß Ihrer Brüder.

1. Bruder	2. Bruder	3. Bruder	4. Bruder
____________	____________	____________	____________

42. Haben Ihre Brüder eine abgeschlossene Berufsausbildung? Wenn ja, welche?

1. Bruder	2. Bruder	3. Bruder	4. Bruder
____________	____________	____________	____________

43. Haben Ihre Brüder mehrere Berufsausbildungen? Wenn ja, welche?

1. Bruder	2. Bruder	3. Bruder	4. Bruder
____________	____________	____________	____________

44. Haben Ihre Brüder einen Abschluß oder eine Ausbildung über den Zweiten Bildungsweg? Wenn ja, welche?

1. Bruder	2. Bruder	3. Bruder	4. Bruder
____________	____________	____________	____________

45. Welche Stellung im Beruf hatten oder haben Ihre Brüder?

Stellung im Beruf	1.Bruder	2.Bruder	3.Bruder	4.Bruder
angelernter Arbeiter	( )	( )	( )	( )
ungelernter Arbeiter	( )	( )	( )	( )
Facharbeiter	( )	( )	( )	( )
Meister	( )	( )	( )	( )
Mithelfender im Familienbetrieb	( )	( )	( )	( )
Beamter des einfachen Dienstes	( )	( )	( )	( )
Beamterer des mittleren und gehobenen Dienstes	( )	( )	( )	( )
Beamter des höheren Dienstes	( )	( )	( )	( )
einfacher Angestellter	( )	( )	( )	( )
mittlerer Angestellter	( )	( )	( )	( )
leitender und höherer Angestellter	( )	( )	( )	( )
Landwirt	( )	( )	( )	( )
freiberufl. tätiger Akademiker (z.B. Architekt, Anwalt)	( )	( )	( )	( )
Selbständiger (z.B. Handwerker, Gewerbetreibender, Händler)	( )	( )	( )	( )
Unternehmer	( )	( )	( )	( )
nicht erwerbstätig	( )	( )	( )	( )
Sonstiges (bitte angeben)___________	( )	( )	( )	( )

46. Wie ist der Familienstand Ihrer Brüder?

	1.Bruder	2.Bruder	3.Bruder	4.Bruder
1. ledig	( )	( )	( )	( )
2. verheiratet	( )	( )	( )	( )
3. mit Partner lebend	( )	( )	( )	( )
4. getrennt lebend	( )	( )	( )	( )
5. geschieden	( )	( )	( )	( )
6. verwitwet	( )	( )	( )	( )

47. Derzeit leben meine Brüder:

	1.Bruder	2.Bruder	3.Bruder	4.Bruder
allein im eigenen Haushalt	( )	( )	( )	( )
Gemeinsam mit dem Ehepartner	( )	( )	( )	( )
gemeinsam mit dem Partner	( )	( )	( )	( )
in einer Wohngemeinschaft	( )	( )	( )	( )
Mithelfender im Familienbetrieb	( )	( )	( )	( )
Beamter des einfachen Dienstes	( )	( )	( )	( )

Anhang B:
Interviewleitfaden

Projekt IDEA

Max-Planck-Institut für Bildungsforschung

Gliederung Interviewleitfaden

September 1985

1. <u>Biographie</u> (Zahl der Fragen: 3)
   0. Eingangsfrage: Bericht über die letzten zehn Jahre (1)
   1. Das eigene Leben überprüfen/über sich nachdenken (2)

2. <u>Lebensorganisation</u> (Zahl der Fragen: 13)
   2. Vergangene Lebensorganisation (5)
   3. Vergangene Lebensorganisation mit mehr aktuellen Bezügen (3)
   4. Aktuelle Lebensorganisation (3)
   5. Zukünftige Lebensorganisation (2)

3. <u>Alter/Aussehen/Krankheit/Tod</u> (Zahl der Fragen: 13)
   6. Alter (5)
   7. Aussehen (4)
   8. Tod/Krankheit (4)

4. <u>Sinn des Lebens</u> (Zahl der Fragen: 22)
   9. "Versäumtes" Leben (7)
   10. Lebenssinn (4)
   11. Glauben und Religion (7)
   12. Verarbeitung von Lebens- und Sinnproblemen (4)

5. <u>Veränderung</u> (Zahl der Fragen: 7)
   13. Veränderungswünsche (3)
   14. Veränderung (4)

6. <u>Selbstverwirklichung</u> (Zahl der Fragen: 16)
   15. Themen der Selbstverwirklichung (6)
   16. Umsetzung von Selbstverwirklichung (5)
   17. Konflikte im Bereich der Selbstrepräsentation (5)

7. <u>Beruf</u> (Zahl der Fragen: 22)
   18. Bedeutung des ausgeübten Berufs (11)
   19. Erfahrungen im Arbeitsleben (7)
   20. Einschätzung des Arbeitslebens (4)

8. <u>Ehe/Beziehung</u>

Für Verheiratete (Zahl der Fragen: 27)

21. Bedeutung der Ehe (8)
22. Aktuelle Ausgestaltung der Ehebeziehung (6)
23. Selbstverwirklichung und Probleme in der Ehe (6)
24. Kinder (4)
25. Ehe und Selbstorientierung (3)

Für Personen, die in einer Beziehung leben (Zahl der Fragen: 25)

26. Bedeutung der Beziehung (10)
27. Aktuelle Ausgestaltung der Beziehung (3)
28. Selbstverwirklichung und Probleme in der Beziehung (6)
29. Kinder (3)
30. Zweierbeziehung und Lebensorientierung (3)

Für Alleinlebende (Zahl der Fragen: 23)

31. Ehe- und Beziehungsfragen (17)
32. Kinder (3)
33. Singles - Lebensgrundsätze (3)

9. Freizeit/Urlaub (Zahl der Fragen: 18)

34. Freizeit (11)
35. Urlaub, Reisen (7)

10. Zukunft (Zahl der Fragen: 6)

36. Zukunftserwartungen (6)

11. Moralischer Bereich (nicht in die Auswertung eingegangen)

Gesamtzahl der Interviewfragen: 147 (für Verheiratete)
145 (für in einer Beziehung lebende Personen)
143 (für Alleinlebende)

Dissertation IDEA

Max-Planck-Institut für Bildungsforschung

Interviewleitfaden

Sie sind 19 . . geboren und jetzt . . Jahre alt!

Zu Beginn unserers Gesprächs möchte ich Sie zunächst bitten, ein wenig von Ihrem Leben zu berichten. Erzählen Sie mir doch bitte, was Sie in den letzten zehn Jahren so alles gemacht haben, was so lief, was für Sie wichtig war, wo Sie jetzt stehen und wie es zu Ihrer augenblicklichen Lebenssituation gekommen ist.

Ich möchte mir gern ein Bild machen können, was für Sie in Ihrem Leben wichtig war und ist.

I. Das eigene Leben überprüfen/über sich nachdenken

1. Welche Gedanken gehen Ihnen da eigentlich durch den Kopf, wenn Sie von Ihrem Leben erzählen?
2. Gibt es irgend etwas, was Sie in Ihrem Leben anders machen würden, wenn Sie noch einmal von vorn beginnen könnten?

II. Vergangene Lebensorganisation

1. Haben Sie Ihr Leben bislang so gelebt, wie Sie es sich wünschten, oder gibt es Dinge, die zu kurz gekommen sind?
2. Gibt es auch bei Ihnen bestimmte Vorstellungen und Hoffnungen, die sich im Laufe der letzten Jahre als illusionär erwiesen haben? Können Sie dafür ein Beispiel nennen?
3. Im Leben läuft ja oft nicht alles so, wie man es erwartet hat. (Und man kann annehmen, daß das auch bei Ihnen so ist.) Welche Erfahrungen haben Sie in dieser Hinsicht gemacht? Was sind denn Ihre Pleiten?
4. Gibt es Ereignisse in Ihrem Leben, die gewissermaßen "zur Unzeit" eingetroffen sind? Ich meine Ereignisse, auf die Sie gar nicht vorbereitet waren?
5. Was sollten Sie eigentlich in den Augen Ihrer Eltern erreichen? Was war für Sie vorgesehen?

III. Vergangene Lebensorganisation mit mehr aktuellen Bezügen

1. Oft gibt es im Leben Pläne und Vorstellungen, die man relativ durchgängig verfolgt. Wie ist das eigentlich bei Ihnen? Gibt es etwas, was sich wie ein "roter Faden" durch Ihr Leben zieht?
   (Die 'Verbindung' zur Vergangenheit explorieren, und zwar im Hinblick auf Hoffnungen, Wünsche oder Einstellungen!)
2. Welche Pläne und Wünsche aus Ihrer Jugendzeit mußten Sie eigentlich in den letzten Jahren aufgeben? Gab es auch welche, die Sie ungebrochen weiterverfolgt haben?
3. Gab es in Ihrem Leben so etwas sie einen "Lebenstraum", eine Wunschvorstellung, wie Ihr Leben verlaufen sollte. Gibt es so etwas noch?

IV. Aktuelle Lebensorganisation - wir kommen nun wieder zur Gegenwart

1. Werden Ihre Ziele und Vorstellungen durch Ihre gegenwärtige Lebenssituation abgedeckt? Oder haben Sie eher das Gefühl, daß Ihre augenblicklichen Lebensumstände die Entfaltung Ihrer eigenen Ziele und Vorstellungen hemmen? (Retro- und prospektiv explorieren)

2. Gibt es in Ihrem augenblicklichen Leben so etwas wie ein Zentrum? Oder haben Sie manchmal das Gefühl, daß es eine Reihe von "losen Enden", von Dingen gibt, die Sie noch nicht zusammenfügen konnten?

3. Was sind die Herausforderungen, denen Sie in Ihrem Leben augenblicklich begegnen müssen? Wie gehen Sie dabei vor?

V. Zukünftige Lebensorganisation

1. Man muß in der Regel immer irgendwelche Kompromisse eingehen. Wie war das bei Ihnen? Welche Kompromisse sind Sie in Ihrem Leben eingegangen? Wenn Sie einmal an die Zukunft denken, werden Sie sich weiter so verhalten?

2. Würden Sie von sich sagen, daß Ihr Leben so weitergehen soll wie bisher - oder hätten Sie schon den Wunsch, einiges zu ändern? In welche Richtung sollen diese Änderungen gehen? Welche Möglichkeiten sehen Sie da für sich?

VI. Alter

1. Können Sie sich eigentlich noch an Ihre Gedanken und Empfindungen erinnern, die Ihren 30./40. Geburtstag begleiteten? Was haben Ihre Freunde oder Kollegen dazu gesagt?

2. Überlegen Sie sich manchmal, daß Ihr Leben begrenzt ist? (Explorieren (a) warum sich Pb derartige Gedanken nicht macht! (b) bei 'positiver' Antwort! Zeitachse, und lebenspraktische Konsequenzen erfragen!)

3. Wie reagieren Sie auf den bekannten Satz: Das kann doch nicht alles gewesen sein?

4. Man braucht ja nicht immer in den Spiegel zu schauen, um Veränderungen an sich festzustellen, oft sind es ja die anderen - Freunde oder Kollegen -, die unser eigenes Altern oder unsere Veränderungen ansprechen. Können Sie sich noch an die Situation erinnern, in der Ihnen zum ersten Mal durch den Kopf ging, daß Sie älter geworden sind?

5. Beschäftigen Sie sich eigentlich mit Anzeichen des Alters? Welche Anzeichen sind das? Hängt das mit Ihrem gegenwärtigen Gesundheitszustand zusammen oder dem Ihrer Freunde? Spielt dabei Ihre Stellung im Arbeitsleben eine Rolle?

VII. Aussehen

1. Wie zufrieden sind Sie eigentlich mit Ihrem Äußeren/Ihrem Aussehen?

2. Wie geht es Ihnen, wenn Sie Ihren Körper zeigen, z.B. beim Schwimmen?

3. Haben Sie sich schon einmal Gedanken darüber gemacht, was es für Sie bedeutet, wenn Ihre körperliche (Attraktivität) Anziehungskraft nachläßt?

4. Tun Sie eigentlich etwas für Ihren Körper? (Fitness, Sport, Yoga) (Warum?/Warum nicht?)

VIII. Tod/Krankheit

1. Denken Sie manchmal über den Tod nach? Seit wann ist das für Sie ein Thema? Welche Konsequenzen ziehen Sie aus Ihren Überlegungen?

2. Sind Sie schon mit dem Tod von Angehörigen oder Freunden konfrontiert worden? (Ausweiten auf ernsthafte Erkrankungen! Einsichten und 'Vorsätze' explorieren!)

3. Und bei Ihnen selbst, waren Sie schon einmal in einer Situation, in der Sie meinten, um Ihr Leben fürchten zu müssen, und dachten: Das war es wohl?

4. Wenn Sie heute sterben müßten, gäbe es dann eine Erfahrung oder Lebensempfehlung, die Sie mitteilen möchten?

IX. "Versäumtes" Leben

1. Haben Sie das Gefühl, voll und intensiv zu leben, oder geht das Leben an Ihnen vorbei? (Zeitachse!)
2. Wie fühlen Sie sich denn dabei?
3. Haben Sie schon irgendwann mal das Gefühl gehabt, irgendwie festgefahren zu sein? Ich meine damit, gab es bei Ihnen in der letzten Zeit Situationen, in denen Sie das Gefühl hatten, in meinem Leben passiert ja gar nichts mehr Interessantes?
4. Kennen Sie das Gefühl des Eingesperrtseins, der Beengung Ihres Lebens? Welche Ausschnitte Ihres Lebens betrifft dieses Gefühl?
5. Haben Sie schon einmal den Wunsch verspürt, den ganzen Krempel einfach hinzuwerfen und etwas ganz anderes zu tun? Was waren das für Situationen?
6. Haben Sie manchmal Angst, es könnte zu spät sein, sich noch zu ändern bzw. noch etwas anderes mit Ihrem Leben anzufangen?
7. Was verbinden Sie mit dem Wort 'Erwachsensein'?

X. Lebenssinn

1. Es wird heutzutage so viel von "Lebenssinn" gesprochen. Wenn man dabei nicht gleich an große Dinge denkt, was gibt Ihrem Leben eigentlich Sinn und Halt? Was macht es lebenswert? (Oder halten Sie solche Fragen für falsch oder unbeantwortbar?) Wenn Ihnen die Beantwortung dieser Frage schwerfällt, denken Sie vielleicht daran, was Sie Ihren eigenen Kindern, Ihren Schülern, einem Lehrling oder einem Menschen mit Lebensproblemen antworten würden!
2. Sehen Sie für sich eine Verbindung von politischen oder religiösen Orientierungen und Fragen nach dem Lebenssinn?
3. Welche Ereignisse und Erfahrungen gab es in Ihrem Leben, die Ihr gesamtes Leben nicht nur äußerlich völlig verändert haben?
4. Kommt der Sinn des Lebens von einer äußeren Kraft oder setzt der Mensch den Sinn seines Lebens selber?

XI. Glauben und Religion

1. Gibt es oder gab es in Ihrem Leben schon einmal Situationen, in denen Ihnen das ganze Leben sinnlos erschien? Was waren das für Situationen? Wie ist es heute?
2. Kennen Sie die Erfahrung, ein wichtiger Mensch zu sein? Und was sind das für Situationen in Ihrem Leben, in denen Sie sich selbst als bedeutungslos vorkommen?
3. Gibt es auch etwas, wofür Sie in Ihrem Leben dankbar sind?
4. Liegt Ihnen eigentlich etwas daran, Ihren Kindern (der Nachwelt) irgend etwas Unvergängliches zu hinterlassen?
5. Wie ist das überhaupt, glauben Sie an ein Leben nach dem Tode?
6. Was gibt Ihrem Leben Trost?
7. Was bedeuten in diesem Zusammenhang Glauben und Religion für Sie?

XII. Verarbeitung von Lebens- und Sinnproblemen

1. Was gibt Ihnen im Leben Kraft, mit Fehlschlägen und Enttäuschungen fertig zu werden? Können Sie solch eine Situation schildern?
2. Gibt es für Sie einen Unterschied zwischen "Alleinsein" und "Einsamkeit"? Fällt Ihnen dazu ein Beispiel ein?
3. Was verbinden Sie mit dem Ausdruck "Gelassenheit"?
4. Was kann man eigentlich heutzutage für wahr halten?

XIII. Veränderungswünsche

1. Obwohl es ja oft schwierig ist, über sich selbst etwas Positives zu sagen, möchte ich Sie doch fragen, ob Sie sich selbst mögen, was gefällt Ihnen an sich selbst? (Zeitachse!)
2. Was möchten Sie an sich noch verändern? (Hinweise auf unentwickelte oder gar unentdeckte Möglichkeiten und Anlagen)
3. Was hält Sie davon ab, das zu tun, was Sie gerne möchten? (Umsetzung der Veränderung)

XIV. Veränderung

1. Welche Verhaltensweisen haben Sie eigentlich in den letzten Jahren aufgegeben? Kam das von Ihnen oder durch "Druck" von anderen?
2. Haben Sie bei sich die Beobachtung gemacht, daß Sie sich selbst und Ihre Umwelt mit den Jahren anders wahrnehmen als früher? Können Sie dafür ein Beispiel geben?
3. In der Regel leben wir ja nicht so wie unsere Eltern. Was sind eigentlich bei Ihnen die Unterschiede zum Lebensstil Ihrer Eltern?
4. Gibt es etwas, was Sie bei sich als Entwicklungsprozeß erleben? ('Dinge' anders sehen; Verhaltensänderung)

XV. Themen der Selbstverwirklichung

1. Sie haben angegeben, daß Sie sich oft (Fragebogen!) die Frage stellen: "Wer bin ich eigentlich in Wirklichkeit?" Welche Antwort haben Sie schon auf diese Frage gefunden? Was tun Sie, um diese Frage zu beantworten?
2. Was bedeutet für Sie, für Ihr Leben, persönliche Entfaltung?
3. Was verstehen Sie unter Selbstverwirklichung in diesem Zusammenhang?
4. Was bedeutet es für Sie, sich selbst zu finden?
5. Hat der Ausdruck "Bewußtsein" für Sie und Ihr Leben eine Bedeutung?
6. Was bedeutet es für Sie, im Einklang mit sich selbst zu stehen?

XVI. Umsetzung von Selbstverwirklichung

1. Haben Sie in Ihrem Leben jemandem nachgeeifert? Ich meine, hatten Sie Vorbilder oder Menschen, deren Lebenseinstellung für Sie eine Richtschnur war? (Zeitachse!)
2. Gibt es Bereiche in Ihrem Leben, in denen Sie wirklich so sein können, wie Sie sind? Ich meine Lebensbereiche, in denen Sie sich nicht zu verstellen brauchen ... (Verpflichtungen)
   (Explorieren, inwieweit und warum sich Pb diese Bereiche selber geschaffen ('erkämpft'?) hat!)
3. Was sind das für Situationen und Gelegenheiten, bei denen Sie sich voll eingebracht haben und sagen können, ja, das ist etwas, wozu ich stehe?

4. Was bedeutet für Sie der Lebensgrundsatz: "Du bist herausgefordert, ein lebendiges Beispiel dessen zu sein, was du für wahr hälst"?
5. Denken Sie oft über sich selbst nach? Eher zu viel oder zu wenig?

XVII. Konflikte im Bereich der Selbstrepräsentation

1. Ist es Ihnen eigentlich wichtig, was andere von Ihnen denken? Wie sichern Sie sich die Anerkennung durch andere?
2. Nun kann man sich ja nicht einfach dazu entschließen, glücklich zu sein. Was machen Sie, wenn irgend etwas schief gelaufen ist? Man ist ja nicht jeden Tag in gleich guter Form. Was tun Sie eigentlich, wenn Sie einmal nicht gut "drauf" sind?
3. Was machen Sie eigentlich, wenn sich bei Ihnen das Gefühl einstellt, daß sich in Ihrem Leben nichts mehr bewegt? Kennen Sie dieses Gefühl?
4. Gibt es in Ihrem Leben Dinge, von denen Sie immer der Meinung waren, sie nie zu tun oder sich nie auf sie einzulassen, und die Sie dann letztlich doch gemacht haben? Können Sie dafür auch ein Beispiel nennen? Sind Sie manchmal über sich selbst erstaunt?
5. Sind Sie von Menschen, denen Sie Vertrauen geschenkt haben, enttäuscht worden? Können Sie auch hier ein Beispiel nennen? Was haben Sie sich daraufhin vorgenommen?

XVIII. Bedeutung des ausgeübten Berufs

1. Wie wichtig ist Ihnen eigentlich Ihr Beruf? Welche Bedeutung hat er in Ihrem Leben?
2. Haben Sie sich eigentlich mit der Tatsache angefreundet, daß Sie noch 30 Jahre (variieren nach dem Alter und dem Beruf des Pb) im selben Betrieb/in der selben Schule arbeiten müssen? Bereiten Ihnen diese Aussichten Probleme?
3. Empfinden Sie es eigentlich als zufällig, daß Sie eine Anstellung haben, angesichts der weitverbreiteten Arbeitslosigkeit? (Austauschbarkeit)
4. Wenn Sie mal einen Augenblick Ihre beruflichen Aufgaben streichen, also sich vorstellen, es gäbe sie gar nicht, was bliebe eigentlich noch von Ihrem Leben?

5. Können Sie für sich persönlich mit der Aussage etwas anfangen: Meine Arbeit gibt meinem Leben ausreichend Sinn und Halt!
6. Fragen Sie sich manchmal, ob Ihr Leben eigentlich nur aus Arbeit besteht?
7. Macht es Sie bisweilen unglücklich (bereitet es Ihnen bisweilen Probleme), daß Sie bei Ihrer Arbeit nicht Ihr eigener Herr sind?
8. Wie reagieren Sie, wenn Sie vom beruflichen Erfolg eines Arbeitskollegen oder eines Bekannten hören?
9. Was sagt denn Ihre Frau (Mann, Freund, Freundin) zu Ihrem beruflichen Werdegang (zu Ihrer beruflichen Situation)?
10. Jede Berufswahl schließt nun einmal das Zurückweisen von anderen Möglichkeiten ein. Wie war das bei Ihnen, wenn Sie an Ihre Berufswahl denken, was gab es für Möglichkeiten, welche haben Sie ausgeschlagen?
11. Haben Sie schon einmal daran gedacht, Ihren Beruf zu wechseln oder sogar aufzugeben? Was versprechen Sie sich davon?

XIX. <u>Erfahrungen im Arbeitsleben</u>

1. Wie läuft das eigentlich in Ihrem Arbeitszusammenhang ab, wenn Sie eine Auseinandersetzung mit Vorgesetzten oder Untergebenen haben? Wie ist das bei Kollegen?
2. Stellen Sie sich vor, Sie haben einen Vorgesetzten, der Schwierigkeiten mit seiner Chefrolle hat, wie empfinden Sie diese Situation?
3. Können Sie in Ihrem Beruf etwas besonders gut? Ich meine etwas, von dem Sie sagen können, das macht mir so leicht keiner nach?
4. Fällt es Ihnen eigentlich leicht, sich in Ihrem Beruf auf etwas Neues einzustellen? Oder ist es Ihnen lieber, wenn alles beim alten bleibt?
5. Wenn Sie an Ihrem Arbeitsplatz einmal Hilfe brauchen, an wen wenden Sie sich dann?
6. Hatten Sie in letzter Zeit von sich schon einmal das Gefühl, daß Sie Ihr normaler Arbeitsalltag in Ihrer Entwicklung eher zurückwirft?
7. Was geht Ihnen so alles bei dem Ausspruch durch den Kopf: "Jemand ist ein älterer Arbeitnehmer!" (und nicht länger ein zu Hoffnungen berechtigender junger Mann/eine junge Frau)?

XX. Einschätzung des Arbeitslebens

1. Was halten Sie eigentlich von der Meinung, daß Menschen im Arbeitsprozeß genauso verschleißen wie die Dinge, die Sie produzieren?
2. Das Arbeitsleben wird häufig als Konkurrenzkampf beschrieben. Wie sind Ihre Erfahrungen dazu, wenn Sie so an die letzten Jahre denken?
3. Man hört häufig die Meinung: Letztlich ist doch der berufliche Erfolg in unserer Gesellschaft das Wichtigste im Leben eines Menschen. Wer es da zu nichts gebracht hat, mit dem kann einfach nicht viel los sein. Was halten Sie von dieser Einschätzung vor dem Hintergrund Ihrer beruflichen Erfahrung?
4. Wie ist denn das bei Ihnen? Ist für Sie und Ihr Leben Erfolg bedeutsam? (Ansehen?)

XXI. Bedeutung der Ehe (nur bei verheirateten Paaren)

1. Herr .../Frau ..., Sie sind verheiratet und leben mit Ihrer Frau/Ihrem Mann seit ... Jahren zusammen (Fragebogen). Wie wichtig ist Ihnen eigentlich Ihre Ehe? Ist das eine bedeutsame Sache oder eher so etwas, wo man sagt: Na ja, ich bin halt verheiratet?
2. Hat die Bedeutung, die Sie Ihrer Ehebeziehung beimessen, in den letzten Jahren eher abgenommen, oder ist sie für Sie sogar wichtiger geworden? Woran liegt das?
3. Können Sie sich überhaupt vorstellen, allein zu leben? Was würde sich dadurch für Sie ändern?
4. Können Sie sich vorstellen, mit Ihrer Frau/Ihrem Mann den Rest Ihres Lebens zu verbringen, oder ist Ihnen dieser Gedanke eher unangenehm?
5. Haben Sie eigentlich schon mal daran gedacht, sich von Ihrem Partner/ Ihrer Partnerin zu trennen?
6. Wenn Sie mal einen Augenblick Ihre familiären Aufgaben streichen, also sich vorstellen, es gäbe sie gar nicht, was bliebe eigentlich noch von Ihrem Leben?
7. Trifft diese Aussage für Sie zu: Meine Familie gibt meinem Leben ausreichend Sinn und Halt? Mehr als Ihr Beruf?
8. Haben Sie sich eigentlich kirchlich trauen lassen? Warum denn?

XXII. Aktuelle Ausgestaltung der Ehebeziehung

1. Gibt es zwischen Ihnen und Ihrer Frau/Ihrem Mann so etwas wie eine gemeinsame Lebensauffassung? Worin schlägt die sich nieder?
2. Haben Sie zum Beispiel genügend Bewegungsspielraum, um Ihren ganz persönlichen Interessen nachgehen zu können?
3. Müssen Sie (dann) darüber Rechenschaft ablegen, was Sie tun oder mit wem Sie sich treffen?
4. Was tun Sie eigentlich, um Ihre Beziehung zu Ihrer Frau/Ihrem Mann aufzufrischen? Welche gemeinsamen Pläne haben Sie, was tun Sie gemeinsam?
5. Was halten Sie eigentlich von der Meinung, daß die Ehefrau die billigste Arbeitskraft der Welt ist?
6. Kommen Sie - Ihre Frau/Ihr Mann - mit den Familienangehörigen des Partners gut aus? Was gibt es denn da für Probleme und Reibereien?

XXIII. Selbstverwirklichung und Probleme in der Ehe

1. Nehmen Sie einmal an, Sie hätten die Möglichkeit, am Abend berufsbezogene Weiterbildungskurse zu besuchen. Und diese Kurse geben Ihnen die Chance, Ihre berufliche Position zu verbessern. Würden Sie dabei in Kauf nehmen, daß Ihnen weniger Zeit für Ihre Frau/Ihren Mann und Ihre Kinder bleibt? Vielleicht gab es ja schon einmal so eine Situation?
2. Ich habe noch so eine Situation. Nun möchte ich Sie bitten, sich vorzustellen, daß Sie durch den Besuch von Abendkursen etwas für sich selbst und Ihre persönliche Entwicklung tun könnten (z.B. Sport, eine Gesprächsrunde, politische Diskussionsveranstaltungen, Selbsterfahrungsgruppen). Würden Sie es denn dabei in Kauf nehmen, daß Ihnen für Ihre Familie weniger Zeit bliebe?
3. Was hat sich in Ihrem Leben verändert, seitdem Sie verheiratet sind? Welche Veränderungen haben Sie an sich selbst wahrgenommen?
4. Es grenzt ja an ein Wunder, wenn sich zwei Menschen im gleichen Tempo und obendrein noch in die gleiche Richtung entwickeln. Wie ist das bei Ihnen und Ihrem Partner? Nehmen die Übereinstimmungen und Gemeinsamkeiten eher zu oder ab?
5. In jeder Beziehung gibt es ja "Höhen und Tiefen". Wie ist das bei Ihnen? Was sind Ihre Probleme in der Ehe?

6. Man hört ja oft die Ansicht, daß die Ehe die persönliche Entfaltung der Ehepartner mehr hemmt als fördert. Wie ist da Ihre Erfahrung? Haben Sie in Ihrer Ehe das Gefühl persönlicher Freiheit oder fühlen Sie sich manchmal auch in Ihren Entfaltungsmöglichkeiten behindert oder gebremst? Macht Ihnen das eigentlich etwas aus?

XXIV. Kinder

1. Obwohl Sie ja Kinder haben, möchte ich Sie doch fragen, was Sie von der Meinung halten, daß man in dieser Gesellschaft (in der heutigen Zeit) am besten überhaupt keine Kinder bekommt?
2. Was bedeuten Kinder für Sie? Welche Hoffnungen setzen Sie in Ihre Kinder?
3. Erleben Sie Ihre Kinder bisweilen auch als Belastung? Ich meine, welche Einschränkungen Ihres eigenen Lebens (Freiraums) müssen Sie in Kauf nehmen? Ist das nicht manchmal schwer?
4. Sind Ihre Kinder getauft? Halten Sie das für wichtig?

XXV. Ehe und Selbstorientierung

1. Wenn Sie noch einmal überlegen: Ist Ihre Ehe ein Bereich, in dem Sie ganz Sie selbst sein können? Oder erwarten Sie zu Hause nur neue Zwänge und Verpflichtungen, von denen Sie das Gefühl haben, daß sie wenig mit Ihnen selber zu tun haben?
2. Was halten Sie von dem Lebensgrundsatz: Ich habe versucht, mein Leben so zu gestalten, daß ich mich nicht zu stark binde?
3. Wenn Sie einmal an die Zukunft denken: Wie soll sich denn Ihre Ehe entwickeln? Was wünschen und hoffen Sie für die Zukunft?

XXVI. Bedeutung der Beziehung (nur bei unverheirateten Paaren)

1. Herr .../Frau ..., Sie leben mit Ihrer Freundin/Ihrem Freund (in einer eigenen Wohnung) zusammen. (Fragebogen!)
2. Wie lange eigentlich schon?
3. Leben Sie beide allein in einer Wohnung oder mit mehreren zusammen?
4. Ist das Ihr erster Versuch, mit einer Freundin/einem Freund zusammenzuleben?

5. Sie haben sich ja sicherlich schon vorher gekannt, was waren denn Ihre Beweggründe, zusammenzuziehen?
6. Ist die Tatsache, daß Sie nun zusammenleben, für Sie eine wichtige Sache oder eher so etwas, zu dem Sie sagen, na ja, wir leben jetzt halt zusammen? Sieht das Ihre Freundin/Ihr Freund auch so?
7. Planen Sie zu heiraten? Warum? Warum nicht? Haben Sie mit Ihrer Freundin/Ihrem Freund nie darüber gesprochen? Sind Sie und Ihre Freundin/ Ihr Freund da überhaupt einer Meinung?
8. Können Sie sich vorstellen, auch wieder allein zu leben, oder ist Ihnen dieser Gedanke eher unangenehm?
9. Können Sie sich vorstellen, mit Ihrer jetzigen Partnerin/Ihrem jetzigen Partner den Rest Ihres Lebens zu verbringen?
10. Haben Sie eigentlich schon mal daran gedacht, sich von Ihrem Partner/ Ihrer Partnerin zu trennen?

XXVII. Aktuelle Ausgestaltung der Beziehung

1. Gibt es zwischen Ihnen und Ihrer Freundin/Ihrem Freund so etwas wie eine gemeinsame Lebensauffassung? Worin schlägt die sich nieder?
2. Haben Sie zum Beispiel genügend Bewegungsspielraum, um Ihren ganz persönlichen Interessen nachgehen zu können?
3. Müssen Sie (dann) darüber Rechenschaft ablegen, was Sie tun oder mit wem Sie sich treffen?

XXVIII. Selbstverwirklichung und Probleme in der Beziehung

1. Nehmen Sie einmal an, Sie hätten die Möglichkeit, am Abend berufsbezogene Weiterbildungskurse zu besuchen. Und diese Kurse geben Ihnen die Chance, Ihre berufliche Position zu verbessern. Würden Sie dabei in Kauf nehmen, daß Ihnen weniger Zeit für Ihre Freundin/Ihren Freund bleibt? Vielleicht gab es ja schon einmal so eine Situation?
2. Ich habe noch so eine Situation. Nun möchte ich Sie bitten, sich vorzustellen, daß Sie durch den Besuch von Abendkursen etwas für sich selbst und Ihre persönliche Entwicklung tun könnten (z.B. Sport, eine Gesprächsrunde, politische Diskussionsveranstaltungen, Selbsterfahrungsgruppen). Würden Sie es denn dabei in Kauf nehmen, daß Ihnen für Ihre Freundin/Ihren Freund weniger Zeit bleibt?

3. Was hat sich in Ihrem Leben verändert, seitdem Sie mit Ihrer Freundin/Ihrem Freund zusammenleben? Welche Veränderungen haben Sie an sich selbst wahrgenommen?

4. Es grenzt ja an ein Wunder, wenn sich zwei Menschen im gleichen Tempo und obendrein noch in die gleiche Richtung entwickeln. Wie ist das bei Ihnen und Ihrem Partner? Nehmen die Übereinstimmungen und Gemeinsamkeiten eher zu oder ab?

5. In jeder Beziehung gibt es ja "Höhen und Tiefen". Wie ist das bei Ihnen? Was sind Ihre Probleme in der Beziehung zu Ihrer Freundin/Ihrem Freund?

6. Man hört ja oft die Ansicht, daß Zweierbeziehungen die persönliche Entfaltung der Partner mehr hemmen als fördern können. Wie ist da Ihre Erfahrung? Haben Sie in Ihrer Beziehung das Gefühl persönlicher Freiheit oder fühlen Sie sich manchmal auch in Ihren Entfaltungsmöglichkeiten behindert oder gebremst? Macht Ihnen das eigentlich etwas aus?

XXIX. Kinder

1. Sie haben ja keine Kinder, und ich möchte Sie fragen, was Sie von der Meinung halten, daß man in dieser Gesellschaft (in der heutigen Zeit) am besten überhaupt keine Kinder bekommt?

2. Möchten Sie gerne Kinder haben? Warum? Warum nicht? Ist das für Sie überhaupt (k)ein Thema? Was meint Ihre Freundin/Ihr Freund dazu?

3. Befürchten Sie zum Beispiel, daß Kinder Ihre persönliche Entfaltungsmöglichkeiten einengen könnten?

XXX. Zweierbeziehung und Lebensorientierung

1. Wenn Sie noch einmal überlegen: Ist Ihre Beziehung für Sie ein Bereich, in dem Sie ganz Sie selbst sein können? Oder erwarten Sie hier nur neue Zwänge und Verpflichtungen, von denen Sie das Gefühl haben, daß sie nur wenig mit Ihnen selber zu tun haben?

2. Was halten Sie von dem Lebensgrundsatz: Ich habe versucht, mein Leben so zu gestalten, daß ich mich nicht zu stark binde?

3. Wenn Sie einmal an die Zukunft denken: Wie soll sich denn Ihre Beziehung entwickeln? Was wünschen und hoffen Sie für die Zukunft?

XXXI. Ehe und Beziehungsfragen (nur für alleinstehende Personen)

1. Herr .../Frau ..., Sie leben allein. (Sie wissen vielleicht, daß es in Amerika schon mehr "Singles" gibt als Verheiratete?) (Fragebogen!)
2. Haben Sie zur Zeit eine feste Freundin/einen festen Freund? Oder eher mehrere Bekannte?
3. War das denn immer so, daß Sie allein leben?
4. Macht es Ihnen denn etwas aus, allein zu leben?
5. Ist Ihr augenblickliches "Single-Dasein" mehr das Resultat einer Enttäuschung oder ist Ihnen Ihre persönliche Freiheit besonders wichtig, so daß Sie sich nicht fest binden wollen?
6. Wünschen Sie sich denn eine feste Beziehung? Warum? Warum nicht? Tun Sie etwas dafür oder warten Sie einfach (in Ruhe) ab?
7. Können Sie sich ein Leben mit einem festen Partner (überhaupt) vorstellen?
8. Welche Befürchtungen hätten Sie dabei?
9. Welche Einstellungen haben Sie denn zur Ehe? Hat sich diese Einschätzung in den letzten Jahren geändert?
10. Stehen Sie mit Ihrer Einschätzung der Ehe allein da oder gibt es in Ihrem Freundes- oder Bekanntenkreis Einschätzungen der Ehe, die in dieselbe Richtung gehen wie Ihre eigenen?
11. Wie sieht denn in Ihrer Vorstellung eine "glückliche Beziehung" aus? Kann es so etwas in der Realität geben? Wie sind denn da Ihre Erfahrungen?
12. Gibt es für Sie einen Unterschied zwischen "Alleinsein und Einsamkeit"?
13. Was sagen eigentlich Ihre Eltern dazu, daß Sie allein leben? (Geschwister, Freunde, Kollegen)
14. Gibt es denn in Ihrem Bekannten- oder Freundeskreis festbefreundete oder verheiratete Menschen? Geht deren Beziehung gut? Woran liegt das Ihrer Meinung nach?

15. In manchen Situationen wird man ja schief angesehen, wenn man nicht verheiratet ist. Was sind da Ihre Erfahrungen? Verspüren Sie so etwas wie eine gesellschaftliche Verpflichtung zu heiraten? Was sagen denn Ihre Kollegen dazu, daß Sie unverheiratet sind?

16. Haben Sie denn in Ihrer näheren Umgebung einen Menschen, der an dem, was Sie tun und lassen, Anteil nimmt? Wie sieht das aus, oder wäre Ihnen das eher lästig?

17. Was tun Sie eigentlich, wenn Ihnen am Abend mal "die Decke auf den Kopf" fällt?

XXXII. Kinder

1. Möchten Sie gerne Kinder? Warum? Warum nicht?

2. Was bedeuten Kinder für Sie?

3. Ich möchte Sie nun noch fragen, was Sie von der Meinung halten, daß man in dieser Gesellschaft (in der heutigen Zeit) am besten überhaupt keine Kinder bekommt?

XXXIII. Singles - Lebensgrundsätze

1. Was halten Sie von dem Lebensgrundsatz: Ich habe versucht, mein Leben so zu gestalten, daß ich mich nicht zu stark binde?

2. Und was halten Sie von dem Grundsatz: Wenn ich eine Beziehung eingehe, dann stehe ich voll und ganz dahinter?

3. Wenn Sie einmal an die Zukunft denken: Wie soll sich denn Ihre Lebenssituation im Hinblick auf eine feste Bindung entwickeln? Was wünschen und hoffen Sie für die Zukunft?

XXXIV. Freizeit

1. Wie wichtig ist Ihnen eigentlich Ihre Freizeit?

2. Können Sie mir mal beschreiben, wie Sie Ihre Abende verbringen?

3. Gehen Sie eigentlich gern aus? Was machen Sie da besonders gern?

4. Was verbinden Sie mit der Aussage: In seiner Freizeit ist er ein ganz anderer Mensch?

5. Gelingt es Ihnen in Ihrer freien Zeit, ganz Sie selbst zu sein? Oder gibt es auch hier Zwänge und Einschränkungen, die Sie daran hindern, ganz Sie selbst zu sein?
6. Haben Sie eigentlich schon einmal Haschisch geraucht oder andere Drogen genommen? Und wie war das?
7. Wie ist das eigentlich mit Alkohol (Medikamenten)?
8. Beschreiben Sie doch bitte einmal die Situationen und Anlässe, zu denen Sie gewöhnlich etwas trinken.
9. Nehmen Sie einmal an, die wöchentliche Arbeitszeit würde drastisch verkürzt, was würden Sie eigentlich mit der gewonnenen Zeit anfangen?
10. Manchen Menschen ist ja ihre Freizeit so wichtig, daß sie sich für eine Halbtagstätigkeit (Job-sharing-Modell, Teilzeitarbeit) interessieren. Haben Sie diesen Wunsch auch schon einmal verspürt? Oder können Sie sich eine derartige Arbeitsorganisation für Ihr Leben nicht vorstellen? Was sind die Gründe dafür?
11. Lesen Sie eigentlich gern? Gibt es da eine bevorzugte Richtung?

XXXV. <u>Urlaub, Reisen</u>

1. Wann sind Sie eigentlich das letzte Mal in Urlaub gefahren und wohin? Welche Bedeutung hat denn ein Urlaub für Sie? Was ist da so anders?
2. Welche Erwartungen verbinden Sie mit einem Urlaub?
3. Gehören auch Sie zu den Menschen, die von einem Urlaub auf den nächsten warten?
4. Haben Sie schon einmal nach Möglichkeiten gesucht - oder darüber nachgedacht -, wie Sie den Urlaub zu einer Art Dauereinrichtung machen können?
5. Sie sind doch bestimmt schon einmal auf Menschen getroffen, deren Hauptbeschäftigung im Reisen besteht. Wie sahen Ihre Gefühle in diesem Zusammenhang aus, was ging Ihnen durch den Kopf?
6. Auf was verzichten Sie, um Ihre Reisen finanzieren zu können? (Anschaffungen für die Wohnung, ein neues Auto usw.)
7. Können Sie sich für sich persönlich ein Leben vorstellen, in dem Sie jeweils nur so viel arbeiten, daß Sie wieder genügend Geld für die nächste Reise haben?

XXXVI. Zukunftserwartungen

1. Obwohl es ja noch ein wenig Zeit ist, möchte ich Sie gerne fragen, was Sie von Ihrem Alter erwarten. Haben Sie da bestimmte Pläne oder lassen sie die ganze Sache einfach auf sich zukommen?
2. Gibt es Dinge, die Ihnen, wenn Sie an Ihre Zukunft denken, Sorge bereiten?
3. Stellen Sie sich vor, Sie sind 70 Jahre alt und blicken auf Ihr Leben zurück. Was möchten Sie dann gern von sich sagen können?
4. Was erwarten Sie für die nächsten Jahre von Ihrem Leben? Wo werden Sie mit 50 oder mit 45 Jahren stehen? (10 Jahre weiter!)
5. Erschreckt Sie der Gedanke, alt und hilflos (krank) zu sein?
6. Welche Möglichkeiten sehen Sie eigentlich für sich, daß es in Ihrem Leben in die Richtung weitergeht, die Sie sich vorgestellt haben? Tun Sie was dafür?

(Die Antworten auf die Fragen zum "Moralischen Bereich" werden in den empirischen Analysen der vorliegenden Arbeit nicht berücksichtigt)

XXXVII. Moralischer Bereich

1. Ein Blick in die Zeitung oder ins Fernsehen zeigt, daß Kriege zum Alltag dieser Welt gehören. Ist die Welt eigentlich veränderbar oder wird es immer Hunger, Kriege und Elend geben?
2. Sind eigentlich die Reichen der Welt für die Armen verantwortlich? Sie auch? Denn mehr als ein hungernder Afrikaner haben Sie doch auch, selbst wenn Sie gerade kein Millionär sind.

Welche der beiden Aussagen finden Sie persönlich überzeugender?

Karte A	Heutzutage bestehen die gravierenden Probleme in der allgemeinen Verfassung der Welt. Kriegsgefahr, ökologische Katastrophen und Hunger in der Welt verdeutlichen, daß die eigenen Lebensprobleme letztlich doch sehr unbedeutend sind.
Karte B	Man lebt schließlich nur einmal. Daher sind meine eigenen Probleme und Lebensschwierigkeiten viel wichtiger als die Probleme anderer.

Können Sie mir die Gründe nennen, die Sie dazu veranlaßt haben, A bzw. B zu wählen? Warum haben Sie A bzw. B gewählt?

3. Was verstehen Sie eigentlich unter Verantwortung? Wem gegenüber oder in welchen Bereichen Ihres Lebens spielt Verantwortung eine Rolle? (Beispiel)

Welche der beiden Aussagen finden Sie überzeugender?

Karte A	Ich bin immer der Meinung, daß man Menschen, die sich nicht helfen lassen wollen, auch nicht helfen kann.
Karte B	Eigentlich will sich jeder helfen lassen. Dies ist auch möglich, wenn man den Betreffenden nur richtig anzusprechen versteht.

Können Sie mir die Gründe nennen, die Sie dazu veranlaßt haben, A bzw. B zu wählen? Warum haben Sie A bzw. B gewählt?

Welche der beiden Aussagen trifft für Sie zu?

Karte A   Im allgemeinen bringe ich wenig Geduld für Menschen auf, die in der Auseinandersetzung mit ihren persönlichen Problemen ihre Kräfte verschleißen.

Karte B   Wenn jemand in Schwierigkeiten ist, helfe ich ihm, auch wenn ich dadurch meine eigenen Interessen und Bedürfnisse zurückstellen muß.

Können Sie mir die Gründe nennen, die Sie dazu veranlaßt haben, A bzw. B zu wählen? Warum haben Sie A bzw. B gewählt?

Was halten Sie von folgender Aussage?

Karte   Man hilft den Leuten an einem Tag und am nächsten sind sie schon wieder in Schwierigkeiten!

4. Was sind Ihre Grundsätze, die Sie Ihren Kindern gern mit auf den Weg geben würden? (Einem Lehrling, Schülern, der Jugend insgesamt)
5. In der Jugend ist man ja oft der Meinung, daß es für jedes Problem eine Lösung gibt. Hat sich diese Einschätzung bei Ihnen bestätigt? Oder sind Sie eher zurückhaltender geworden?

Anhang C:
Standardisierte Meßinstrumente

Projekt IDEA

Max-Planck-Institut für Bildungsforschung

Übersicht Standardisierte Meßinstrumente

Oktober 1985

#	Item-codes	Zahl Items	Bezeichnung des Meßinstruments	Autor
1. Selbstbeschreibung				
T	701-721	21	Aspects of Identity Questionnaire	Hogan & Cheeck (1983)
E	170-179	10	Selbstdefinition	Neuentwicklung
G	218	1	Häufigkeit der Frage: "Wer bin ich?"	Neuentwicklung
H	219-224	6	Wege der Selbsterfahrung	Neuentwicklung
2. Werte				
P	426-443	18	Terminal Value Scale	Rokeach (1973)
D	161-169	9	Social Compassion Scale	Rokeach (1969)
3. Anomie und Alienation				
A	101-147	47	Counter-Cultural Attitude Scale	Musgrove (1974)
C	158-160	3	Anomie Scale	Musgrove (1974)
F	201-217	17	Alienation Scale	Keniston (1965)
B	148-157	10	Alienation Scale	Nordquist (1978)
R	501-530	30	Resignative Gegenwartsorientierung	Neuentwicklung
4. Kontrollüberzeugung				
I	301-310	10	Verantwortlichkeit für Erfolg	Neuentwicklung
K	311-320	10	Verantwortlichkeit für Mißerfolg	Neuentwicklung
L	321-328	8	Ursache von menschlichem Leid	Neuentwicklung
5. Statistisch nicht analysierte Meßinstrumente (mehr als 50 % der Items n<25)				
M	401-410	10	Gebiete des Selbsterlebens	Neuentwicklung
N	411-421	11	Bedeutsame Werte	Neuentwicklung
O	422-425	4	Lebensbereiche	Neuentwicklung
S	601-619	19	Zeitperspektive	Neuentwicklung

Kommentar:
Die Items der Meßinstrumente wurden den Pbn in der Reihenfolge der Code-Nummer dargeboten (s. auch Reihenfolge der #-Buchstaben). Für alle Meßinstrumente gilt: Mit einem "x" markierte Items gehen mit vertauschter Polung ("reversed scoring") in die statistischen Analysen ein.

Übersicht über die Skalenbildung[1]

Skala	Zahl Items	# des Meßinstr.	Item-Codes	Skalenpunkte Minimum	Mitte	Maximum
1. Selbstbeschreibung						
Personal Identity	10	T	702,704,707,709,711,713,714,716,717,719	1	3	5
Social Identity	11	T	701,703,705,706,708,710,712,715,718, 720,721	1	3	5
Selbstbezug	6	E,G,H	172,176,218,221,223,224	1	2.5	4
Sozialbezug	10	E,G,H	170,171,173,174,175,177,178,219,220,222	1	2.5	4
2. Werte						
Social Compassion	9	0	161-169	1	2.5	4
3. Anomie/Alienation						
Counter-Cultural Att.	47	A	101-147	1	2.5	4
Anomie	3	C	158-160	1	2.5	4
Alienation (Nordquist)	17	F	201-217	1	2.5	4
Alienation (Keniston)	10	B	148-157	1	2.5	4
Anomie/Alienation	30	C,F,B	148-160,201-217	1	2.5	4
Resignat. Gegegenwartsor.	30	R	501-530	1	2.5	4
4. Kontrollüberzeugung						
Externale Kontrolle	15	I,K,L	302,304,305,306,308,309,311,313,314,317,318, 319,323,325,327	1	2.5	4
Internale Kontrolle	10	I,K,L	301,303,307,312,315,316,321,322,324, 326	1	2.5	4

1 Für alle Meßinstrumente gilt: Die in den Listen mit einem "x" markierten Items gehen mit vertauschter Polung ("reversed scoring") in die statistischen Analysen ein.

1. Selbstbeschreibung

T Aspects of Identity Questionnaire (Hogan & Cheeck, 1983)

Kommentar:
Für die statistischen Analysen wurden zwei Skalen gebildet: "Soziale Identität" (11 Items; diese Items sind mit "SI" gekennzeichnet) und "Persönliche Identität" (10 Items; diese sind mit "PI" gekennzeichnet).

Bei den folgenden Aussagen geht es um Überlegungen, die oft für unser Selbstverständnis eine Rolle spielen. Bitte überlegen Sie bei jeder Aussage, wie wichtig sie für Sie persönlich ist.

1 - nicht wichtig für mein Selbstverständnis
2 - ein bißchen wichtig für mein Selbstverständnis
3 - ziemlich wichtig für mein Selbstverständnis
4 - sehr wichtig für mein Selbstverständnis
5 - ausgesprochen wichtig für mein Selbstverständnis

Code	Skala	Item	
701	SI	1. Die Dinge, die ich besitze, mein Eigentum	1 2 3 4 5
702	PI	2. Meine persönlichen Wertüberzeugungen und moralischen Grundsätze	1 2 3 4 5
703	SI	3. Meine Beliebtheit bei anderen Menschen und meine Anziehungskraft	1 2 3 4 5
704	PI	4. Meine Träume und meine Phantasie	1 2 3 4 5
705	SI	5. Die Art und Weise, wie ich mit anderen Menschen zurechtkomme	1 2 3 4 5
706	SI	6. Meine soziale Herkunft	1 2 3 4 5
707	PI	7. Meine persönlichen Ziele und Hoffnungen auf die Zukunft	1 2 3 4 5
708	SI	8. Mein körperliches Erscheinungsbild wie z.B. meine Größe, mein Gewicht, mein Aussehen	1 2 3 4 5
709	PI	9. Meine Gefühle und Empfindungen	1 2 3 4 5
710	SI	10. Meine Zugehörigkeit zu verschiedenen Gruppen	1 2 3 4 5
711	PI	11. Meine Gedanken und Ideen	1 2 3 4 5

1 - nicht wichtig für mein Selbstverständnis
2 - ein bißchen wichtig für mein Selbstverständnis
3 - ziemlich wichtig für mein Selbstverständnis
4 - sehr wichtig für mein Selbstverständnis
5 - ausgesprochen wichtig für mein Selbstverständnis

712	SI	12. Mein Ruf, was andere Menschen von mir denken	1 2 3 4 5
713	PI	13. Wie ich mit meinen Problemen und Befürchtungen zurechtkomme	1 2 3 4 5
714	PI	14. Meine geistigen Fähigkeiten	1 2 3 4 5
715	SI	15. Meine Arbeit, mein Job oder meine Ausbildung	1 2 3 4 5
716	PI	16. Das Gefühl, ein einzigartiger Mensch zu sein und mich von anderen Menschen zu unterscheiden	1 2 3 4 5
717	PI	17. Das Wissen, daß ich grundsätzlich dieselbe/derselbe bleibe, auch wenn mein Leben viele äußerliche Veränderungen mit sich bringt	1 2 3 4 5
718	SI	18. Meine Gesten und Eigenheiten, der Eindruck, den ich auf andere Menschen mache	1 2 3 4 5
719	PI	19. Meine Selbsterkenntnis, meine Gedanken über das, was ich wirklich für ein Mensch bin	1 2 3 4 5
720	SI	20. Mein Gefühl des Stolzes auf mein Land; der Stolz, ein(e) deutsche(r) Staatsbürger(in) zu sein	1 2 3 4 5
721	SI	21. Meine religiöse Überzeugung	1 2 3 4 5

Kommentar:
Von den insgesamt 17 Items der Meßinstrumente ***"Selbstdefinition", "Häufigkeit der Frage: Wer bin ich?"*** *und* ***"Wege der Selbsterfahrung"*** *wurden für die statistischen Analysen 10 Items zur Skala "Sozialbezug" zusammengefaßt (diese Items sind mit "SO" gekennzeichnet) und 6 Items zur Skala "Selbstbezug" zusammengefaßt (diese Items sind mit "SE" gekennzeichnet). Das Item 179 wurde wegen zu vieler fehlender Werte (n<25) nicht in die Skalenbildung einbezogen.*

E Selbstdefinition (Neuentwicklung)

				stimmt genau	stimmt in etwa	eher unzutreffend	ist völlig falsch
170	SO	1.	In der Regel bemühe ich mich bei allem, was ich tue, "gut" zu sein	+2	+1	-1	-2
171	SO	2.	Ich bemühe mich, Gottes Willen zu tun	+2	+1	-1	-2
172	SE	3.	Meistens habe ich Verbindung zu mir selbst und kenne meine Bedürfnisse	+2	+1	-1	-2
173	SO	4.	Ich habe eine vorteilhafte Position in der Gesellschaft	+2	+1	-1	-2
174	SO	5.	Ich habe zu meinen Freunden ein sehr enges Verhältnis	+2	+1	-1	-2
175	SO	6.	Ich habe ein sehr gutes Verhältnis zu meinen Eltern	+2	+1	-1	-2
176	SE	7.	Meistens befinde ich mich im Einklang mit dem Universum	+2	+1	-1	-2
177	SO	8.	Ich habe eine sehr enge Beziehung zu meinem Freund/meiner Freundin/ meinem Partner	+2	+1	-1	-2
178	SO	9.	Neben meinen Freunden und meiner Familie habe ich auch ein sehr enges Verhältnis zu anderen Menschen	+2	+1	-1	-2
179	-	10.	Ich habe ein sehr enges Verhältnis zu meinen Kindern	+2	+1	-1	-2

Anmerkung: Die Fragen 8 und 10 bitte nur beantworten, wenn Sie einen Freund, Freundin bzw. Kinder haben

G Häufigkeit der Frage: "Wer bin ich?" (Neuentwicklung)

218 SE 1. Heutzutage hört man des öfteren Menschen von sich sagen: "Ich kenne mich selbst kaum, eigentlich weiß ich gar nicht, wer ich wirklich bin."

Wenn Sie nun einmal an sich selbst denken, stellen Sie sich oft, manchmal, selten oder nie die Frage: "Wer bin ich eigentlich in Wirklichkeit?"

+2	+1	-1	-2
oft	manchmal	selten	nie

H Wege der Selbsterfahrung (Neuentwicklung)

Der beste Weg herauszufinden, wer man wirklich ist, besteht darin:

			stimmt genau	stimmt in etwa	eher unzutreffend	ist völlig falsch
219	SO	1. an einer schwierigen und herausfordernden Aufgabe mit vollem Einsatz zu arbeiten	+2	+1	-1	-2
220	SO	2. Menschen zu helfen, die unsere Unterstützung brauchen	+2	+1	-1	-2
221	SE	3. sich von Verpflichtungen und Lebenshindernissen freizumachen und das zu tun, was einem das eigene Gefühl sagt	+2	+1	-1	-2
222	SO	4. seine innersten und tiefsten Gefühle mit einem Menschen zu teilen, dem man wirklich vertraut	+2	+1	-1	-2
223	SE	5. bewußt zu leben und sich mit sich selbst uneingeschränkt auseinanderzusetzten	+2	+1	-1	-2
224	SE	6. all seine Verhaltensweisen und Empfindungen bewußt wahrzunehmen und zu akzeptieren	+2	+1	-1	-2

2. Werte

P Terminal Value Scale (Rokeach, 1973)

Auf der nächsten Seite finden Sie 18 Werte aufgelistet. Sie stehen in alphabetischer Reihenfolge. Wir sind der Meinung, daß diese Werte für Lebensprinzipien stehen.

Wir möchten Sie bitten, diese 18 Werte in eine Reihenfolge zu bringen; und zwar nach Maßgabe der Bedeutung, die die einzelnen Werte im Sinne von Lebensprinzipien für Sie besitzen.

Es gibt selbstverständlich keine Zeitgrenze. Lesen Sie die einzelnen Werte sorgfältig durch und suchen Sie zunächst den Wert heraus, der für Sie am bedeutsamsten ist.

Nachdem Sie den für Sie bedeutendsten Wert markiert haben, suchen Sie den Wert, der für Sie an zweiter Stelle stehen soll. Derjenige Wert, der für Sie am unbedeutendsten ist, steht an 18. Stelle.

Sie können selbstverständlich im Verlauf der Auswahl Ihre Entscheidungen ändern. Das Endergebnis sollte so gestaltet sein, daß es zeigt, wie Sie tatsächlich fühlen.

426 A. Ein angenehmes Leben: ein Leben in Wohlstand

427 B. Ein aufregendes Leben: ein interessantes, anregendes und aktives Leben

428 C. Das Gefühl, etwas erreicht zu haben: ein dauerhafter, mich selbst überdauernder Beitrag

429 D. Frieden in der Welt: eine Welt frei von Kriegen und Konflikten

430 E. An den schönen Dingen des Lebens erfreuen: Schönheit der Natur und der Künste

431 F. Gleichheit unter den Menschen: Brüderlichkeit und gleiche Chancen für alle

432 G. Die Sicherheit meiner Familie: für geliebte Menschen sorgen

433 H. Freiheit: Unabhängigkeit, die Möglichkeit, selbst frei zu entscheiden

434 I. Glück: Zufriedenheit

435 J. Innere Harmonie: Freiheit von inneren Konflikten

436 K. Reife Liebe: sexuelle und spirituelle Intimität

437 L. Nationale Sicherheit: Schutz unseres Staates (vor Angriffen)

438 M. Vergnügen: ein Leben, das Spaß macht und aus viel Freizeit besteht

439 N. Erlösung: Rettung, das ewige Leben

440 O. Selbstrespekt: Selbstachtung, eigene Wertschätzung

441 P. Soziale Anerkennung: Respekt, Bewunderung

442 Q. Echte Freundschaft: eine enge Verbindung, enge Verbindungen

443 R. Weisheit: ein reifes Verständnis des Lebens

Bitte bringen Sie die 18 Werte in die <u>für Sie</u> bedeutsamste Reihenfolge.

1. ____________
2. ____________
3. ____________
4. ____________
5. ____________
6. ____________
7. ____________
8. ____________
9. ____________
10. ____________
11. ____________
12. ____________
13. ____________
14. ____________
15. ____________
16. ____________
17. ____________
18. ____________

D Social Compassion Scale (Rokeach, 1973)

			stimmt genau	stimmt in etwa	eher unzutreffend	ist völlig falsch
161	1.	Es ist viel wichtiger, einen straffällig gewordenen Menschen zu verstehen als ihn einzusperren	+2	+1	-1	-2
162	2.	Alle Menschen sollten die gleichen Lebenschancen haben, unabhängig von ihrer Rasse, ihrem Glaubensbekenntnis, ihrer Hautfarbe oder ihrem Geschlecht	+2	+1	-1	-2
163	3x.	Die Notlage der Armen ist das Ergebnis ihres Mangels an Einsatzfreude und nicht etwa das Resultat ihrer Umwelt oder sozialer Bedingungen	+2	+1	-1	-2
164	4.	Alle Nationen dieser Welt sollten die Probleme der armen Länder mittragen	+2	+1	-1	-2
165	5x.	Die Todesstrafe ist ein notwendiges Übel, um schwere Verbrechen zu verhindern	+2	+1	-1	-2
166	6.	Unter der Voraussetzung gleicher Erziehung und Ausbildung sind Farbige genauso intelligent wie weiße Menschen	+2	+1	-1	-2
167	7.	Türken, die in Deutschland arbeiten, sollen dieselben Rechte und Lebensmöglichkeiten wie deutsche Staatsbürger erhalten	+2	+1	-1	-2
168	8.	Allen Menschen in Deutschland sollte von Staats wegen ein Minimaleinkommen garantiert werden	+2	+1	-1	-2
169	9.	Ehemalige Drogenabhängige sollten dieselben Arbeitschancen erhalten wie andere Menschen auch	+2	+1	-1	-2

3. Anomie und Alienation

A Counter-Cultural Attitude Scale (Musgrove, 1974)

			stimmt genau	stimmt in etwa	eher unzutreffend	ist völlig falsch
101	1.	Die natürlichen Schätze der Erde werden unnötigerweise erschöpft, um künstlich erzeugte Bedürfnisse zu befriedigen	+2	+1	-1	-2
102	2.	Die Nachteile der technologischen Entwicklung werden durch die Vorteile nicht wettgemacht	+2	+1	-1	-2
103	3.	Dichter und Mystiker sind für uns viel bedeutsamer als Wissenschaftler und Ingenieure	+2	+1	-1	-2
104	4.	Das wesentliche bei einer Arbeit ist die Freiheit, sich selbst verwirklichen zu können	+2	+1	-1	-2
105	5.	Es ist ganz gleich, welche Partei an der Macht ist, Regierungen sind immer korrupt	+2	+1	-1	-2
106	6.	Das beschauliche Leben des Fernen Ostens hat viel für sich	+2	+1	-1	-2
107	7.	Wir sollten versuchen, einfachere Lebensweisen zu entwickeln	+2	+1	-1	-2
108	8.	Wir leben ständig mit der Gefahr, daß die Technologie unser Leben völlig bestimmt	+2	+1	-1	-2
109	9.	Unsere Lebens- und Arbeitsbedingungen sind heutzutage dermaßen menschenverachtend, daß das Privatleben immer wichtiger wird	+2	+1	-1	-2
110	10x.	Hart für den beruflichen Erfolg zu arbeiten, ermöglicht Selbsterfüllung	+2	+1	-1	-2
111	11.	Menschen, die Machtpositionen bekleiden möchten, sind unerträglich	+2	+1	-1	-2
112	12.	Im allgemeinen arbeiten die Menschen zu viel und widmen sich zu wenig ihren Freizeitaktivitäten	+2	+1	-1	-2

		stimmt genau	stimmt in etwa	eher unzutreffend	ist völlig falsch
113	13. Wir benötigen aufregende und ungewöhnliche Erfahrungen, die unser Vorstellungsvermögen und unsere Empfindungen erweitern	+2	+1	-1	-2
114	14. Heutzutage wird unser Leben viel zu sehr von gesichtslosen Bürokraten bestimmt	+2	+1	-1	-2
115	15. In unseren persönlichen Beziehungen sind wir alle zu sehr gehemmt	+2	+1	-1	-2
116	16. Die Menschen kommen gut mit sich selbst klar. Sie brauchen keine Anweisung "von oben"	+2	+1	-1	-2
117	17. Die Unterschiede zwischen Lehrenden und Lernenden sollten verringert werden oder ganz verschwinden	+2	+1	-1	-2
118	18x. Es sollte in jeder Organisation jedem klar sein, wer das Sagen hat	+2	+1	-1	-2
119	19. Man sollte jedem gestatten, gerade das zu tun, was er möchte, so lange er keinen anderen Menschen beeinträchtigt	+2	+1	-1	-2
120	20. Spaß an etwas zu haben, ist die beste Rechtfertigung, etwas zu tun	+2	+1	-1	-2
121	21x. Es ist sehr bedauerlich, daß einige Menschen Drogen benötigen, um sich wohl zu fühlen	+2	+1	-1	-2
122	22. Man sollte nur arbeiten, wenn es einem Spaß bereitet	+2	+1	-1	-2
123	23. Erziehung sollte ein nie endendes Vergnügen sein	+2	+1	-1	-2
124	24. Man muß sich nicht immer zusammennehmen. "Unanständige" Verhaltens- und Ausdruckformen gehören auch zu uns	+2	+1	-1	-2
125	25x. Die legale Ehe ist besonders schutzwürdig	+2	+1	-1	-2
126	26x. Autorität muß man einfach respektieren	+2	+1	-1	-2
127	27x. Hippies leben parasitär von der Gesellschaft, gegen die sie sich wenden	+2	+1	-1	-2

		stimmt genau	stimmt in etwa	eher unzutreffend	ist völlig falsch
128	28x. In Berichten über Polizeigewalt und Brutalität gegenüber Demonstranten wird generell übertrieben	+2	+1	-1	-2
129	29. Eine besondere Gefahr des Haschischverbots besteht darin, daß man intelligente und empfindsame Menschen zu Verbrechern abstempelt	+2	+1	-1	-2
130	30. Ein Zusammenleben, in dem Kinder von allen versorgt werden, ist eine sehr erstrebenswerte Form der sozialen Organisation	+2	+1	-1	-2
131	31. Die gegenwärtige Familienstruktur ist altmodisch	+2	+1	-1	-2
132	32. Bei der Ausbildung wie bei der Arbeit sollte jeder ein Mitbestimmungsrecht haben und sagen können, wie die Dinge laufen sollen	+2	+1	-1	-2
133	33x. Die moderne Kunst, mit ihrem unverständlichen Getue, ist ein großer Beschiß	+2	+1	-1	-2
134	34x. Im ganzen gesehen bietet unser Erziehungssystem jedem die gleichen Lebenschancen	+2	+1	-1	-2
135	35. Sexuelle Freizügigkeit ist Ausdruck eines gesunden Lebensgefühls	+2	+1	-1	-2
136	36. Rockgruppen leisten einen besonderen und wertvollen Beitrag zu unserem Leben	+2	+1	-1	-2
137	37. Staatsgrenzen muß man ablehnen. Sie sind unnatürlich und schlecht	+2	+1	-1	-2
138	38. Prüfungen sind prinzipiell falsch: Menschen sind viel zu wertvoll, als daß man sie einstufen sollte	+2	+1	-1	-2
139	39. Männer und Frauen werden in unserer Gesellschaft immer noch ungleich behandelt	+2	+1	-1	-2
140	40. Gegen die althergebrachte Ordnung müssen wir nicht mit einem theoretischen Programm vorgehen, sondern mit alternativen Lebenswegen	+2	+1	-1	-2

			stimmt genau	stimmt in etwa	eher unzutreffend	ist völlig falsch
141	41.	In unseren Ausbildungsstätten gibt es immer noch zu viele künstliche Grenzen zwischen den einzelnen Fächern	+2	+1	-1	-2
142	42.	Sitzstreiks und Demonstrationen sind ein gutes Mittel, um Ungerechtigkeit und Korruption anzuprangern	+2	+1	-1	-2
143	43x.	Die moderne Popkultur wird eigentlich nur für Idioten gemacht	+2	+1	-1	-2
144	44.	Gerade in unserem Land können wir sehr viel von östlichen Mystikern lernen	+2	+1	-1	-2
145	45.	Die Popkultur hat eine viel stärkere Lebenskraft als die etablierte Kultur	+2	+1	-1	-2
146	46.	Das ganze Leben mit nur einer Arbeit zu verbringen, ist ganz und gar nicht erstrebenswert	+2	+1	-1	-2
147	47.	Wir sollten viel mehr selbst herstellen, als immer nur Massenware zu kaufen	+2	+1	-1	-2

C Anomie Scale (Musgrove, 1974)

		stimmt genau	stimmt in etwa	eher unzutreffend	ist völlig falsch
158	1. Heutzutage hat unser Leben wenig Sinn und Bedeutung	+2	+1	-1	-2
159	2x. Grundsätzlich sind Menschen hilfsbereit	+2	+1	-1	-2
160	3. Im allgemeinen nützen die Menschen einen aus, wenn sie damit durchkommen	+2	+1	-1	-2

F Alienation Scale (Keniston, 1965)

		stimmt genau	stimmt in etwa	eher unzutreffend	ist völlig falsch
201	1x. Im allgemeinen kann man ganz gut wissen, wie die Zukunft aussehen wird	+2	+1	-1	-2
202	2. Die Zukunft ist so ungewiß, daß man nie weiß, was als nächstes passieren wird	+2	+1	-1	-2
203	3. Letztlich ist das Leben ziemlich sinnlos	+2	+1	-1	-2
204	4x. Das menschliche Dasein hat Sinn und Zweck	+2	+1	-1	-2
205	5. Nur durch Leiden kann man das Leben wirklich verstehen	+2	+1	-1	-2
206	6. Entweder wird mir alles gelingen oder ich versage total, dazwischen gibt es nichts	+2	+1	-1	-2
207	7. Ich bin ziemlich anders als die meisten Menschen und auch als meine engsten Freunde	+2	+1	-1	-2
208	8. Ich habe kaum etwas gemeinsam mit den meisten Menschen, die ich so kenne	+2	+1	-1	-2
209	9x. Ich kann kaum verstehen, warum einige Leute ständig darüber im Zweifel sind, ob sie sich richtig verhalten	+2	+1	-1	-2
210	10. Es fällt mir oft schwer, mich zu entscheiden	+2	+1	-1	-2
211	11x. Wenn ich mich einmal zu etwas entschlossen habe, kommen mir kaum noch Zweifel	+2	+1	-1	-2
212	12. Man sollte nichts überstürzen, fast jede Entscheidung führt zu Schwierigkeiten, die man vorher nicht absehen kann	+2	+1	-1	-2
213	13. Die meisten Beziehungen enden mit Enttäuschungen	+2	+1	-1	-2
214	14. Die meisten Menschen sind ziemlich allein und ohne Freunde	+2	+1	-1	-2

		stimmt genau	stimmt in etwa	eher unzutreffend	ist völlig falsch
215	15. Ich erwarte nicht viel Unterstützung oder Anerkennung von anderen Leuten	+2	+1	-1	-2
216	16. Es ist fast unmöglich, jemanden zu finden, der einen so akzeptiert, wie man ist	+2	+1	-1	-2
217	17. Ich glaube nicht, daß ich jemals einen Menschen finden werde, der mich wirklich versteht	+2	+1	-1	-2

G Alienation Scale (Nordquist, 1978)

		stimmt genau	stimmt in etwa	eher unzutreffend	ist völlig falsch
148	1. Der Mensch ist in erster Linie ein schöpferisches Wesen	+2	+1	-1	-2
149	2x. Erst die industrielle Entwicklung hat es dem Menschen ermöglicht, sein angeborenes schöpferisches Potential zu verwirklichen	+2	+1	-1	-2
150	3x. Die meisten Wohlfahrtsstaaten der Gegenwart ermöglichen es ihren Bürgern, ihre natürlichen Bedürfnisse zu befriedigen	+2	+1	-1	-2
151	4. Der innere Wert eines Menschen gilt heutzutage kaum etwas	+2	+1	-1	-2
152	5. In modernen Gesellschaften besteht für die meisten Menschen das zentrale Problem nicht darin, daß es ihnen materiell gesehen schlecht geht, sondern darin, daß sie versagt haben, sich zu einer selbständigen Persönlichkeit zu entwickeln	+2	+1	-1	-2
153	6. Der Mensch kann nur dann ein befriedigendes Leben führen, wenn eine neue soziale Ordnung geschaffen wird	+2	+1	-1	-2
154	7. Viele Menschen sagen zwar, daß sie mit ihrem Leben in der modernen Gesellschaft leidlich zufrieden sind. Dies liegt vermutlich daran, daß sie noch nichts anderes kennengelernt haben	+2	+1	-1	-2
155	8. Unser gegenwärtiges Leben ergibt nicht viel Sinn. Wir sind nur Rädchen in der großen Maschinerie des Lebens	+2	+1	-1	-2
156	9. Menschen, die heutzutage in großen Städten leben müssen, sind nur selten in der Lage, ihr schöpferisches Potential zu entwickeln	+2	+1	-1	-2
157	10. Heutzutage scheint den meisten Menschen das Gefühl zu fehlen, irgendwo dazu zu gehören und eine Heimat zu haben	+2	+1	-1	-2

R Resignative Gegenwartsorientierung (Neuentwicklung)

			stimmt genau	stimmt in etwa	eher unzutreffend	ist völlig falsch
501	1.	Man wird ja heutzutage schon schief angesehen, wenn man keine Probleme mit sich selbst hat	+2	+1	-1	-2
502	2x.	Wer heutzutage keine Probleme hat, mit dem kann einfach etwas nicht stimmen; er ist zu sich selbst und anderen gegenüber unaufrichtig	+2	+1	-1	-2
503	3.	Man kann eigentlich gar nichts planen, das Leben ist viel zu unbestimmt	+2	+1	-1	-2
504	4.	Wer heutzutage nach dem Satz lebt: Liebe deinen Nächsten wie dich selbst, schadet sich nur	+2	+1	-1	-2
505	5.	Jeder ist sich selbst der Nächste. Man muß sehen, daß man mithalten kann, sonst hat man nichts vom Leben	+2	+1	-1	-2
506	6.	Wenn man im Leben eine Reihe schlechter Erfahrungen gemacht hat, wird man mißtrauisch und vorsichtig	+2	+1	-1	-2
507	7.	Bei Konflikten überblicke ich lieber das Schlachtfeld von einer entfernten Position aus, als im Kampfgetümmel unterzugehen	+2	+1	-1	-2
508	8.	Ich ziehe es lieber vor, aktiv zu leben, als mir ständig über mich und mein Leben Gedanken zu machen	+2	+1	-1	-2
509	9.	Ich lasse mich von der Einsicht leiten, daß alle meine Zukunftspläne auf die Zeit abgestimmt werden müssen, die mir noch zu leben bleibt	+2	+1	-1	-2
510	10.	Was zählt, ist allein, was ich jetzt fühle, wie es um mich augenblicklich steht, was ich jetzt tun möchte	+2	+1	-1	-2
511	11.	Es hat kaum einen Sinn, sich über die einem selbst noch verbleibende Zeit Gedanken zu machen und langfristig zu planen. Die Verfassung der Welt sieht eher so aus, als wäre es in ein paar Jahren für die meisten von uns sowieso zu Ende	+2	+1	-1	-2

			stimmt genau	stimmt in etwa	eher unzutreffend	ist völlig falsch
512	12.	Eigentlich ist das Leben nur ein Spiel, man versäumt das meiste, wenn man eine Arbeit daraus macht	+2	+1	-1	-2
513	13.	Es gibt Situationen und Ereignisse im Leben, denen man einfach ausgeliefert ist, denen man hilflos gegenübersteht	+2	+1	-1	-2
514	14x.	Im Grunde ist im Leben alles machbar, wenn man es nur richtig anstellt	+2	+1	-1	-2
515	15.	Es ist am besten, über Alter und Tod so wenig wie möglich nachzudenken. Mit solchen Gedanken macht man sich doch nur unglücklich	+2	+1	-1	-2
516	16.	Es ist viel sinnvoller, sich mit dem abzufinden, was man hat, als ständig Illusionen nachzulaufen	+2	+1	-1	-2
517	17x.	Ich gehöre zu den Menschen, die sich intensiv mit sich selbst und dem Zustand unserer Welt auseinandergesetzt haben. Ich habe eine Reihe der angebotenen politischen, therapeutischen und spirituellen Wege bis zu einem Punkt verfolgt, an dem sich bei mir Wissen und Sicherheit aufgelöst haben. Für mich ist die Frage nach dem Lebenssinn und dem richtigen Handeln nach wie vor offen	+2	+1	-1	-2
518	18.	Irgendwann wird man sich einmal darüber ärgern, wenn man nicht wenigstens einmal in seinem Leben versucht hat, etwas ganz anderes zu machen	+2	+1	-1	-2
519	19x.	Im Grunde verbrauche ich meine Kräfte im Umgang mit Äußerlichem, da ich Angst davor habe, mich selbst anzuschauen und einen Blick auf meine innere Verfassung zu werfen	+2	+1	-1	-2
520	20.	Es liegt an jedem selbst, seinen eigenen für ihn selbst gültigen Weg zu finden	+2	+1	-1	-2
521	21.	Man muß sehr hart sein und vieles wegstecken können, um sich im Leben zu behaupten	+2	+1	-1	-2

		stimmt genau	stimmt in etwa	eher unzutreffend	ist völlig falsch
522	22. Wenn man sein Leben mit dem anderer Menschen vergleicht, sollte man besser nicht so viel nach oben schauen, sondern mehr nach unten, dann lebt man glücklicher	+2	+1	-1	-2
523	23. Ich bin in meinem Leben zu der Einschätzung gelangt, daß unmittelbare Erfahrungen für mich weit bedeutsamer sind als theoretische Erklärungen	+2	+1	-1	-2
524	24x. Wenn wir unser Leben richtig begreifen wollen, müssen wir nach theoretischen Erklärungen suchen. Die unmittelbare eigene Lebenserfahrung hilft da wenig	+2	+1	-1	-2
525	25. Man braucht sich im Leben für nichts zu entschuldigen. Schließlich ist das Leben ein Kampf	+2	+1	-1	-2
526	26. Das wichtigste im Leben ist doch, daß man sein Auskommen hat	+2	+1	-1	-2
527	27. Man muß nur richtig wollen, dann gelangt man auch an sein Ziel	+2	+1	-1	-2
528	28. Ich habe in meinem Leben erfahren müssen, daß man immer allein ist, wenn es hart auf hart kommt	+2	+1	-1	-2
529	29. Es gibt in meinem Leben eine Reihe von Dingen, über die ich mit niemandem spreche	+2	+1	-1	-2
530	30. Heutzutage darf man nicht wählerisch sein, weil es einem Großteil der Menschen viel schlechter geht	+2	+1	-1	-2

4. Kontrollüberzeugung

Kommentar:
Von den insgesamt 28 Items der Meßinstrumente ***"Verantwortlichkeit für Erfolg im Leben", "Verantwortlichkeit für Mißerfolg im Leben"*** *und* ***"Ursachen von menschlichem Leid"*** *wurden für die statistischen Analysen 15 Items zur Skala "Externale Kontrollüberzeugung" zusammengefaßt (diese Items sind mit "EK" gekennzeichnet) und 10 Items zur Skala "Internale Kontollüberzeugung" zusammengefaßt (diese Items sind mit "IK" gekennzeichnet). Die Items 310, 320 und 328 wurden wegen zu vieler fehlender Werte (n<25) nicht in die Skalenbildung einbezogen.*

I Verantwortlichkeit für Erfolg im Leben (Neuentwicklung)

Wenn sich in meinem Leben alles so entwickelt, wie ich es mir vorstelle:

			stimmt genau	stimmt in etwa	eher unzutreffend	ist völlig falsch
301	IK	1. so liegt das daran, daß ich mich wirklich angestrengt habe	+2	+1	-1	-2
302	EK	2. so liegt das daran, daß Gott mit mir ist	+2	+1	-1	-2
303	IK	3. so liegt das daran, daß ich im Einklang mit dem Universum stehe	+2	+1	-1	-2
304	EK	4. so verdanke ich das meinen Freunden	+2	+1	-1	-2
305	EK	5. so liegt das an meiner gesellschaftlichen Stellung	+2	+1	-1	-2
306	EK	6. so verdanke ich das meiner Familie	+2	+1	-1	-2
307	IK	7. so liegt das daran, daß ich Verbindung zu mir selbst habe	+2	+1	-1	-2
308	EK	8. so verdanke ich das meinem Freund/Freundin, Partner, Ehefrau/Ehemann	+2	+1	-1	-2
309	EK	9. so liegt das an meiner beruflichen Position	+2	+1	-1	-2
310	-	10. so liegt das daran, daß ...	+2	+1	-1	-2

____

____

K Verantwortlichkeit für Mißerfolg im Leben (Neuentwicklung)

Wenn in meinem Leben etwas schiefgeht:

			stimmt genau	stimmt in etwa	eher unzutreffend	ist völlig falsch
311	EK	1. so liegt das daran, daß ich Gottes Willen nicht gefolgt bin	+2	+1	-1	-2
312	IK	2. so liegt das daran, daß ich nicht im Einklang mit dem Universum stehe	+2	+1	-1	-2
313	EK	3. so liegt das an meiner gesellschaftlichen Stellung	+2	+1	-1	-2
314	EK	4. so liegt das an meiner Familie	+2	+1	-1	-2
315	IK	5. so liegt das daran, daß ich mich nicht genügend angestrengt habe	+2	+1	-1	-2
316	IK	6. so liegt das daran, daß ich keine Verbindung zu mir habe	+2	+1	-1	-2
317	EK	7. so liegt das an meinen Freunden	+2	+1	-1	-2
318	EK	8. so liegt das an meiner beruflichen Position	+2	+1	-1	-2
319	EK	9. so liegt das an meinem Freund/ Freundin, Partner, Ehefrau/Ehemann	+2	+1	-1	-2
320	-	10. so liegt das daran, daß ...	+2	+1	-1	-2

____

____

L Ursache von menschlichem Leid (Neuentwicklung)

			stimmt genau	stimmt in etwa	eher unzutreffend	ist völlig falsch
321	IK	1. Das Leiden in der Welt rührt daher, daß die Menschen nicht dem Willen Gottes folgen	+2	+1	-1	-2
322	IK	2. In der Regel sind die Menschen selbst der Grund für ihr eigenes Leiden	+2	+1	-1	-2
323	EK	3. Ein Großteil des Leidens wird durch unglückliche Kindheitserfahrungen verursacht	+2	+1	-1	-2
324	IK	4. Das Leiden resultiert daraus, daß Menschen nicht im Einklang mit dem Universum stehen	+2	+1	-1	-2
325	EK	5. Der größte Teil des Leidens wird durch ungerechte soziale Verhältnisse verursacht	+2	+1	-1	-2
326	IK	6. Das Leiden resultiert daraus, daß Menschen keine Verbindung zu sich selbst haben	+2	+1	-1	-2
327	EK	7. Ein Großteil des Leidens resultiert daraus, daß die Menschen miteinander nicht zurechtkommen	+2	+1	-1	-2
328	-	8. Das Leiden resultiert daraus, daß ...	+2	+1	-1	-2

____

____

5. Nicht verwendete Meßinstrumente (mehr als 50 % der Items n<25)

Kommentar:
*Die Meßinstrumente **"Gebiete des Selbsterlebens"**, **"Bedeutsame Werte"**, **"Lebensbereiche"** und **"Zeitperspektive"** gingen in die statistischen Analysen nicht ein, da mindestens 50 % der Items zu viele fehlende Werte (n<25) aufwiesen.*

M Gebiete des Selbsterlebens (Neuentwicklung)

Bitte lesen Sie die folgenden Ausssagen sorgfältig durch und bringen Sie sie in eine Reihenfolge. Beginnen Sie bitte mit dem Punkt, der für Sie persönlich am bedeutsamsten ist und schließen Sie mit der Aussage, die für Sie persönlich am unwichtigsten ist. Sie können selbstverständlich noch weitere für Sie bedeutsame Aussagen hinzufügen.

Ich fühle mich am meisten "ich selbst", wenn:

401 A. ich mit meiner Familie zusammen bin 1 ____________

402 B. ich mit meinem Freund/meiner Freundin zusammen bin 2 ____________

403 C. ich mit meinen Kindern zusammen bin 3 ____________

404 D. ich bei meiner Arbeit Erfolg habe 4 ____________

405 E. ich mit meinen Freunden zusammen bin 5 ____________

406 F. ich in der Natur bin 6 ____________

407 G. ich in der Kirche bin 7 ____________

408 H. ich in meiner Freizeit das tun kann, was mir Spaß macht 8 ____________

409 I. ich mit Gleichgesinnten zusammen bin 9 ____________

210 J. ich ...... 10 ____________

N Bedeutsame Werte (Neuentwicklung)

Sie würden uns sehr helfen, wenn Sie diese Aussagen auch in eine Reihenfolge bringen würden. Suchen Sie bitte zunächst die für Sie und Ihr Leben wichtigste Aussage heraus; nehmen Sie sodann die zweitwichtigste und schließen Sie mit der Aussage, die für Sie persönlich am unwichtigsten ist. Sie können selbstverständlich noch weitere für Sie bedeutsame Aussagen hinzufügen.

Für wie bedeutsam halten Sie die folgenden Aussagen?

411	A. Sich anstrengen und gut sein	1	__________
412	B. Im Einklang mit dem Universum stehen	2	__________
413	C. Im Einklang mit der Natur stehen	3	__________
414	D. Mit meinen Freunden zusammen sein	4	__________
415	E. Mit meiner Familie zusammen sein	5	__________
416	F. Erfolg bei der Arbeit	6	__________
417	G. Mein soziales Ansehen aufrechterhalten	7	__________
418	H. Gottes Willen erfüllen	8	__________
419	I. Verbindung zu mir selbst haben	9	__________
420	J. Mit anderen Menschen zusammen sein	10	__________
421	K.	11	__________

O Lebensbereiche (Neuentwicklung)

Es ist ja oft schwer, seinem wahren Selbst in allen Lebensbereichen zur Geltung zu verhelfen. Wie ist das bei Ihnen? In welchen der vier Lebensbereiche gelingt es Ihnen am besten, so zu sein, wie Sie wirklich sind, und in welchem Bereich gelingt es Ihnen am wenigsten?

422	423	424	425
Arbeit	Freizeit	Familie	gute Freunde

Welche Vermutungen haben Sie eigentlich für sich in bezug auf Ihr weiteres Leben? Glauben Sie, daß es Ihnen persönlich in Zukunft besser gelingen wird, so zu sein, wie Sie in Wirklichkeit sind?

Was müßte sich in Ihrem Leben oder bei Ihnen persönlich ändern, daß Sie so leben können, wie Sie in Wirklichkeit sind?

S Zeitperspektive (Neuentwicklung)

			stimmt genau	stimmt in etwa	eher unzutreffend	ist völlig falsch
601	1.	Am liebsten möchte ich an das Älterwerden gar nicht denken	+2	+1	-1	-2
602	2.	An das Alter denkt man doch erst viel später	+2	+1	-1	-2
603	3.	Ich muß mich darauf einstellen, daß ein Großteil meines Lebens schon vorbei ist	+2	+1	-1	-2
604	4.	Ich bin so völlig mit der Gegenwart befaßt, daß ich zu Gedanken an das Älterwerden keinerlei Veranlassung habe	+2	+1	-1	-2
605	5.	Wir leben in einer Gesellschaft, die die Jugend vergöttert	+2	+1	-1	-2
606	6.	Wird man in unserer Gesellschaft alt, so ist man weniger wert	+2	+1	-1	-2
607	7.	Wenn man einen einzigen Beruf 40 Jahre lang ausübt, führt das zur persönlichen Stagnation	+2	+1	-1	-2
608	8.	Im Grunde ist die Berufserfahrung, die ein Mensch erworben hat, durch nichts zu ersetzen	+2	+1	-1	-2
609	9.	Der Beruf ist die wesentliche Quelle für Zufriedenheit im Leben	+2	+1	-1	-2
610	10.	Ich habe in meinem Leben erfahren, daß vieles, was ich für wahr und richtig gehalten habe, sich als falsch erwiesen hat. Für mich gibt es keine endgültigen Einsichten und Wahrheiten	+2	+1	-1	-2
611	11.	Auch wenn man eine gewisse Lebenserfahrung hat und etliche Male enttäuscht wurde, so gibt es doch Grundsätze und Überzeugungen, die ich nach wie vor für richtig halte	+2	+1	-1	-2
612	12.	Man kann durch andere Menschen keinen Lebenssinn erlangen. Letztlich ist man immer allein	+2	+1	-1	-2

			stimmt genau	stimmt in etwa	eher unzutreffend	ist völlig falsch
613	13.	Auch in schwierigen Zeiten sollte man sich nicht anpassen und nur das tun, was man von sich aus wirklich machen möchte	+2	+1	-1	-2
614	14.	Schwere Erkrankungen sind wie der Tod von Angehörigen und Freunden ein Warnsignal dafür, daß wir mehr aus unserem Leben machen sollen	+2	+1	-1	-2
615	15.	Ich stehe an der Schwelle des mittleren Lebensalters	+2	+1	-1	-2
616	16.	Manchmal denke ich: Meine Lebenszeit läuft ab. Kann ich denn noch all das erreichen, was ich mir vorgenommen habe, bevor es zu spät ist	+2	+1	-1	-2
617	17.	Manchmal denke ich: Ach du lieber Gott, mein Leben geht dahin, und ich habe noch viel zu wenig das gemacht, was ich mir für mich vorgenommen habe	+2	+1	-1	-2
618	18.	Manchmal denke ich: Vielleicht ist es schon zu spät, um etwas Neues zu beginnen	+2	+1	-1	-2
619	19.	Ich fühle mich leicht als Versager, wenn ich vom beruflichen Erfolg eines guten Bekannten höre	+2	+1	-1	-2

Anhang D:
Codieranweisung
Kritische Lebensereignisse

Dissertation IDEA

Max-Planck-Institut für Bildungsforschung

Anweisung zum Erstellen der Liste "Kritischer Lebensereignisse"

Dezember 1987

Kritische Lebensereignisse sollen definiert werden als zeitlich lokalisierbare, wichtige Vorfälle im Leben einer Person, die von der Person im Interview erwähnt werden und die sich in der Zeit zwischen dem 21. Lebensjahr und dem Zeitpunkt des Interviews abgespielt haben.

Die Wichtigkeit (Bedeutung) von Ereignissen sollen anhand zweier Kriterien definiert werden:

(1) Kritische Lebensereignisse sind alle Ereignisse, die in der "Liste kritischer Lebensereignisse" (s. unten) aufgeführt sind.

1. Wohnung
2. Tagesablauf und Lebensweise
3. Freundeskreis
4. Soziale Aktivitäten
5. Ausbildung
6. Beruf
7. Arbeitslosigkeit
8. Berentung/Pensionierung
9. Finanzen
10. Eigene Lebensgemeinschaft
11. Lösung aus Lebensgemeinschaft
12. Verwandtschaft
13. Geburt eines Kindes
14. Tod einer nahestehenden Person
15. Eigene Krankheit
16. Militär oder Zivildienst
17. Gesetzeskonflikte
18. Opfer eines Verbrechens
19. Urlaub und Feste
20. Religion
21. Politische Ereignisse, Naturkatastrophen

(2) Kritische Lebensereignisse sind daneben auch solche Ereignisse, die von der Person als sehr bedeutsam bewertet werden (Beispiel: "Mein erstes Referat im Studium war ein einschneidendes Erlebnis für mich, weil ich dort meine Fähigkeit entdeckte, anderen Personen Wissen zu vermitteln").

Die Ereignisse werden von der Person explizit geschildert oder sind eindeutig erschließbar. Die Ereignisse werden von der Person mit einer Zeitangabe geschildert. Wird keine Zeitangabe geschildert, so muß es zumindest prinzipiell möglich sein, das Ereignis zeitlich zu bestimmen (Zeitpunkt des Beginns und des Endes des kritischen Ereignisses).

Die kritischen Lebensereignisse werden mit der Angabe der Seite, auf der sie im Interview geschildert werden, in das Formblatt eingetragen.

Liste kritischer Lebensereignisse

1. Wohnung: Wohnungswechsel, Ortswechsel, Wohnungsrenovierung, Kauf oder Bau eines Hauses.

2. Tagesablauf und Lebensweise: Änderung des Tagesablaufs (insbesondere zeitliche Gliederung, Schlafgewohnheiten), Änderung der Lebensweise (Essen, persönliche Gewohnheiten).

3. Freundeskreis: Änderung des Freundes- und/oder Bekanntenkreises (Verlust bzw. Anknüpfen neuer Kontakte).

4. Soziale Aktivitäten: Beziehungen zu Personen am Arbeitsplatz, Ausbildung anderer Personen, Mitarbeit in Vereinen, Änderung in Freizeitaktivitäten.

5. Ausbildung: Beginn oder Ende einer Ausbildung, Schulwechsel, Sitzenbleiben in der Schule.

6. Beruf: Berufliche Neuanpassung, Berufswechsel, Änderung beruflicher Aufgaben oder Veränderung beruflicher Zuständigkeiten, Änderung in Arbeitszeit und/oder Arbeitsbedingungen, Ärger mit Vorgesetzten.

7. Arbeitslosigkeit

8. Berentung/Pensionierung

9. <u>Finanzen</u>: Verbesserung oder Verschlechterung der finanziellen Verhältnisse, Hypothek oder Schulden (höher als 10.000 DM), Erbschaft (in Höhe von 10.000 DM).

10. <u>Eigene Lebensgemeinschaft</u>: Eingehen einer Bindung (Verlobung, Heirat, Zusammenleben), Änderung in der Zahl von Ehestreitigkeiten, eheliche Versöhnung nach größerem Streit.

11. <u>Lösung aus Lebensgemeinschaft</u>: Scheidung, zeitweilige Trennung in der Ehe, Trennung von den Eltern, Sohn oder Tochter verlassen Elternhaus.

12. <u>Verwandtschaft</u>: Auseinandersetzung mit angeheirateten Verwandten, Änderung in der Zahl von Familientreffen.

13. <u>Geburt eines Kindes</u>: Geburt eines Kindes, Adoption eines Säuglings/ Kleinkinds.

14. <u>Tod einer nahestehenden Person</u>: Tod des Ehepartners, Tod eines Elternteils, Tod eines nahen Familienmitglieds, Tod eines nahen Freundes.

15. <u>Eigene Krankheit</u>: Operation, persönlicher Unfall, Mitteilung über Krebserkrankung, Entlassung aus dem Krankenhaus (nach 2 Monaten Aufenthalt).

16. <u>Militär oder Zivildienst</u>

17. <u>Gesetzeskonflikte</u>: Gefängnisstrafe, Führerscheinverlust (wegen Alkohol am Steuer), hohe Geldstrafe (über 1.000 DM).

18. <u>Opfer eines Verbrechens</u>: Opfer eines Überfalls (über 100 DM), Geiselnahme, Vergewaltigung.

19. <u>Urlaub und Feste</u>: Ferien, Weihnachten.

20. <u>Religion</u>: Änderung im kirchlichen Engagement, Konfessionswechsel, Kirchenaustritt.

21. Politische Ereignisse, Naturkatastrophen: Politische Ereignisse (Regierungswechsel), Sonntagsfahrverbot für Autos, Bau eines Atomkraftwerks (weniger als 10 km vom Wohnort entfernt), Erdbeben (bei dem Häuser des Wohnorts einstürzen), Wirbelsturm, Dammbruch, Explosion.

Anhang E:
Ratinganweisung
Identitätsprojekte und -transformationen

Dissertation IDEA
Max-Planck-Institut für Bildungsforschung
Rateranweisung zur Einschätzung von
Lebenszielen und Veränderungen von Lebenszielen
Februar 1988

Übersicht:

1. Einleitung
2. Technik des Lesens
3. Kategorienbeschreibungen

1. Einleitung

Die Studie, an der Ihr mitarbeitet, beschäftigt sich mit zwei Fragen. Zum einen geht es darum zu erfahren, welche Arten von Lebenszielen Menschen im mittleren Erwachsenenalter verfolgen, und zweitens, ob Personen dieser Altersgruppe Veränderungen in ihren Lebenszielen wahrnehmen. Mittleres Erwachsenenalter soll hier definiert werden als die Zeitspanne zwischen 30 und 45 Jahren.

Um diese beiden Fragen zu untersuchen, wurden 29 Personen interviewt. Diese Interviews wurden verschriftet und liegen als Protokolle vor. Eure Aufgabe ist es, diese Protokolle zu lesen, wichtige Äußerungen zusammenzufassen und anschließend die Protokolle hinsichtlich der darin beschriebenen Lebensziele und Veränderungen von Lebenszielen einzuschätzen.

In der Arbeitsanleitung, die Ihr jetzt lest, sollen zum einen eine Technik des Lesens sowie sechs Typen von Lebenszielen und Veränderungen von Lebenszielen beschrieben werden.

Zeitliche Gliederung der Studie: Während der Trainingsphase (1.-19. Februar) werden wir alle zusammen in meinem Zimmer arbeiten und über drei der 29 Interviews und die Kategorienbeschreibungen diskutieren. In der verbleibenden Zeit (Rest des Februars, März und evtl. April) werdet Ihr jeweils 20 Interviews durcharbeiten. Während dieser Zeit sollt Ihr Euch untereinander nicht über die Interviews austauschen. Für jede von Euch ist ein Arbeitsplatz vorgesehen (einer in meinem Zimmer, einer im Lesesaal der Dokumentation).

2. Technik des Lesens

Die Interviews dieser Studie sind recht lang (im Durchschnitt etwa 125 Seiten; das kürzeste umfaßt 57 Seiten, das längste 276 Seiten). Um die Information, die in diesen Interviews steckt, möglichst vollständig und für alle Rater in gleicher Weise auszuschöpfen, sollen vier Arbeitsgänge nacheinander durchgeführt werden:

(1) Lesen und Markieren selbstbezogener Äußerungen
(2) Zusammenfassen
(3) Markieren relevanter Zusammenfassungen
(4) Einschätzen (Rating)

2.1 Lesen und Markieren selbstbezogener Äußerungen

Die Interviews sollen gründlich gelesen werden. Alle selbstbezogenen Äußerungen sollen mit einem Leuchtstift markiert werden. Die Frage, die beim Lesen des Interviews - Satz für Satz - gestellt werden soll, lautet: "Handelt es sich hier um eine selbstbezogene Äußerung?".

Eine Äußerung soll definiert werden als ein Ausschnitt aus dem Interview, der in sich verständlich ist oder bei dem unter Bezug auf den nahen Kontext Verständnis hergestellt werden kann (z.B. die Aussage "Dafür habe ich hart gearbeitet" wird verständlich, wenn das Wort "Dafür" eindeutig auf einen kurz zuvor beschriebenen Sachverhalt verweist, wie etwa "Für die Berufsausbildung"). Eine Äußerung kann minimal aus einem Teil einer Antwort der Untersuchungsperson bestehen. Ein Äußerung kann maximal aus mehreren Fragen des Interviewers und mehreren Antworten der Untersuchungsperson bestehen, wenn die Länge (Wortzahl) der Frage/n die Länge (Wortzahl) der Antwort/en nicht überschreitet.

Als selbstbezogen sollen hier Äußerungen definiert werden, in denen eine Person ihre Eigenschaften, Verhaltensweisen, Handlungen, Wünsche, Ziele, Träume, Beziehungen zu ihrer Umwelt, Arbeitstätigkeit, Freizeitaktivitäten usw. beschreibt oder bewertet. In der Regel enthält eine selbstbezogene Äußerung das Satzsubjekt "Ich". Äußerungen, in denen das Satzsubjekt nicht "Ich" ist, sind dann selbstbezogen, wenn in der Äußerung eine wichtige, auf die eigene Person bezogene Information mitgeteilt wird und es eindeutig erschließbar ist, daß es sich um die eigene Person handelt. Eine Übersicht über selbstbezogene Äußerungen soll dazu dienen, sie besser zu identifizieren. Selbstbezogene Äußerungen sollen den folgenden fünf Gebieten zugeordnet werden (siehe Arbeitsheft):

- Beziehungen (Partner, eigene Familie, Kinder, Freunde)
- Arbeit (Ausbildung, Beruf, Arbeitskollegen)
- Freizeit (Freizeit, Reisen, Hobbies, politische Aktivitäten, Kirchenaktivitäten)
- Person (Eigenschaften, Gewohnheiten, Körper, allgemeine Bewertung, Sinn, Alter/Tod)
- Veränderung (wahrgenommene Veränderungen in der Vergangenheit der erwachsenen Person in den vier Bereichen Beziehungen, Arbeit, Freizeit, Person)

Der Anfang und das Ende einer relevanten Äußerung sollen genau markiert werden.

2.2 Zusammenfassen

In einem zweiten Arbeitsschritt sollen die als selbstbezogen markierten Äußerungen zusammengefaßt werden. Dazu ist ein Arbeitsheft mit den fünf Abschnitten "Beziehungen", "Arbeit", "Freizeit", "Person" und "Veränderungen" vorgesehen. Das Zusammenfassen der markierten Äußerungen dient der gründlichen Verarbeitung des Interviewmaterials (die Äußerungen müssen nicht wortwörtlich abgeschrieben werden). Die Einordnung der Zusammenfassungen in die fünf Kategorien ist nicht zentral für die vorliegende Arbeit; sie dient ausschließlich der Gliederung des umfangreichen Materials.

Bei den Zusammenfassungen soll die Seitenzahl vermerkt sein, die auf die Herkunft der jeweiligen Zusammenfassung verweist.

2.3 Markieren der relevanten Zusamenfassungen

Sind alle selbstbezogenen Äußerungen markiert und zusammengefaßt, sollen in den Zusammenfassungen und in den Interviewprotokollen alle für die Untersuchung relevanten Äußerungen markiert werden. Ist die Bedeutung einer Zusammenfassung unklar (etwa weil sie zu verkürzt ist) gilt der Text des Interviewprotokolls als ausschlaggebend; die Einschätzung der Interviews basieren auf den Protokollen und nicht auf den Zusammenfassungen.

Eine Äußerung gilt als relevant (bedeutsam) für die Untersuchung, wenn es Informationen über die Lebensziele oder über die Veränderungen von Lebenszielen in der Vergangenheit der erwachsenen Person enthält. Relevante Äußerungen sind Äußerungen, in denen Lebensziele geschildert werden oder eindeutig impliziert sind, oder Äußerungen, in denen die Veränderungen von Lebenszielen geschildert werden oder eindeutig impliziert sind. Im Arbeitsheft (neben den Zusammenfassungen) und im Interviewprotokoll (neben den Äußerungen) soll vermerkt werden, für welches Lebensziel die jeweilige Äußerung (Zusammenfassung) als Beleg dient.

Äußerungen, in denen Lebensziele geschildert werden oder eindeutig impliziert sind, gelten als Belege. Äußerungen, aus denen Lebensziele erschlossen werden können, gelten als Indizien. Markiert werden sollen nur Äußerungen (Zusammenfassungen), die als Belege herangezogen werden können.

2.4 Einschätzen (Rating)

Wenn alle relevanten Äußerungen markiert worden sind, wird das Interview hinsichtlich der Lebensziele eingeschätzt, die die Person verfolgt, sowie hinsichtlich der Veränderung der Lebensziele in der Vergangenheit der erwachsenen Person, wie sie in dem Interview beschrieben sind. (Die Typen von Lebenszielen und die Veränderungen von Lebenszielen werden im nächsten Abschnitt definiert.)

Es werden sechs Typen von Lebenszielen unterschieden. Jedes Interview soll auf einer Skala von 1 bis 7 daraufhin eingeschätzt werden, wie wichtig (zentral) die sechs Typen von Lebenszielen für die Untersuchungsperson sind. Eine "7" soll vergeben werden, wenn ein Lebensziel zentral für die Person ist (eine hohe Ausprägung aufweist); eine "1" soll vergeben werden, wenn das Lebensziel unwichtig für die Person ist oder die Person das Ziel explizit ablehnt (eine geringe Ausprägung aufweist). Zusätzlich soll für jedes Lebensziel auf einer Skala von 1 bis 7 eingeschätzt werden, ob das betreffende Ziel in der Vergangenheit der erwachsenen Person als konstant wahrgenommen wird oder ob Veränderungen in der Wichtigkeit dieses Lebensziels gesehen werden. Eine "7" soll vergeben werden, wenn sich die Zentralität eines Lebenszieles in der Vergangenheit der erwachsenen Person sehr stark verändert hat; eine "1" soll vergeben werden, wenn das Lebensziel in der Vergangenheit der erwachsenen Person konstant geblieben ist. Das Ergebnis der Einschätzung sieht so aus:

Lebensziele

(I) 1---2---3---4---5---6---7

(II) 1---2---3---4---5---6---7

(III) 1---2---3---4---5---6---7

(IV) 1---2---3---4---5---6---7

(V) 1---2---3---4---5---6---7

(VI) 1---2---3---4---5---6---7

Veränderung der Lebensziele

(I) 1---2---3---4---5---6---7

(II) 1---2---3---4---5---6---7

(III) 1---2---3---4---5---6---7

(IV) 1---2---3---4---5---6---7

(V) 1---2---3---4---5---6---7

(VI) 1---2---3---4---5---6---7

2.5 Überblick über die Arbeitsschritte

Lesen & Markieren	Zusammenfassen	Zitate markieren	Rating
	Zitat 1	!!! (Beleg)	ZIELE
			1
			2
	Zitat 2		3
			4
			5
	Zitat 3	! (Indiz)	6
			VERÄNDERUNG
			1
			2
			3
	Zitat 4	!!! (Beleg)	4
			5
			6

3. **Kategorienbeschreibungen**

3.1 Kategorienbeschreibung "Typen von Lebenszielen"

Im folgenden werden sechs Typen von Lebenszielen beschrieben. Diese sechs Typen von Lebenszielen sollen voneinander unabhängig sein und einander nicht ausschließen. Ein Interview kann also:

einen hohen und fünf niedrige Werte oder
sechs hohe Werte oder
sechs niedrige Werte oder
zwei niedrige, zwei mittlere und zwei hohe Werte oder

jede andere Kombination von Werten erhalten. Die sechs Typen von Lebenszielen sollen erschöpfend sein, das heißt alle möglichen Lebensziele sollen dieser Typologie zuordenbar sein. Es soll versucht werden, jedes in einem Interview beschriebene Lebensziel den sechs Typen zuzuordnen. Ist dies nicht möglich, so kann auf dem Blatt "Bemerkungen" das betreffende Lebensziel beschrieben werden.

Es soll eingeschätzt werden, wie zentral diese Lebensziele für die Person sind, so wie es die Person in dem Interview berichtet. Die Zentralität (Wichtigkeit) eines Lebensziels soll hier definiert werden als die Bedeutung, die dieses Ziel im Denken und Handeln der Person einnimmt (so wie es im Interview berichtet wird). Auf einer Skala, die von 1 bis 7 reicht, soll eingeschätzt werden, wie zentral (wichtig) das betreffende Lebensziel für die Person ist. Ein wichtiges Lebensziel (höchste Ausprägung: "7") bestimmt den Lebenssinn der Person. Ein unwichtiges Lebensziel (geringste Ausprägung: "1") wird entweder als für die Person bedeutungslos beurteilt oder nicht erwähnt. Erwähnt die Person ein Lebensziel häufig, so erhält dieses Lebensziel einen höheren Wert als ein Lebensziel, das die Person nur selten erwähnt.

Es sollen die Lebensziele der Person in der Gegenwart (Zeitpunkt des Interviews) eingeschätzt werden.

Es soll nur eingeschätzt werden, was die Person in dem Interview sagt (Beleg) oder was sich aus dem, was die Person sagt, eindeutig erschließen läßt (Indiz). Nicht berücksichtigt werden sollen Vermutungen über die Ausprägung von Lebenszielen.

Überblick über die sechs Typen von Lebenszielen

<table>
<tr><td></td><td></td><td colspan="4">ZEITORIENTIERUNG</td></tr>
<tr><td></td><td></td><td>Vergangenheit</td><td>Gegenwart</td><td>personale Zukunft</td><td>nicht-person. Zukunft</td></tr>
<tr><td rowspan="2">HANDLUNG</td><td>Sozialbezug</td><td colspan="2">Rollenstatus aufrechterhalten</td><td>Statusziele realisieren</td><td>sozialrelat. Generativität</td></tr>
<tr><td>Selbstbezug</td><td>Reflexive Rekonstruk.</td><td colspan="2">Selbstverwirklichung</td><td>generative Selbstaktual.</td></tr>
</table>

(1) Rollenstatus aufrechterhalten

Eine Interviewäußerung soll der Kategorie "Rollenstatus aufrechterhalten" zugeordnet werden, wenn die betreffende Äußerung die folgenden Bedingungen erfüllt:

(a) Die Person schildert, eine konkrete soziale Position (soziale Rolle oder Status) einzunehmen. Beispiele für einen Rollenstatus (eine soziale Position) sind berufliche Stellung, Familienstand, Stellung in Parteien oder Vereinen, sozial anerkannte Eigenschaften und/oder Besitz von Dingen.

(b) Die Person schildert, mit ihrer sozialen Position zufrieden zu sein und sich darum zu bemühen, sie aufrechtzuerhalten. Eine Veränderung ihres Rollenstatus ist von der Person nicht erwünscht.

(c) Die Person bezieht sich in der Verwirklichung ihres Lebensziels auf andere Menschen oder soziale Institutionen.

(d) Die Person bezieht sich in der Verwirklichung ihres Lebensziels auf die Gegenwart.

Rollenstatus aufrechterhalten: Glossar

Niedrig: Meine Bereitschaft sozusagen, zu ganz radikalen Wechseln und zu ganz radikalen, auch was man früher irgendwie als Bruch in der Biographie vielleicht bezeichnet, meine Bereitschaft, solche Dinge zu tun, die ist enorm gewachsen (25, p.41).

Mittel: Ich mache das, was nötig ist, damit ich nicht auf der Straße hängenbleibe, zum Beispiel eben diesen 10-C-Lehrgang (2, p.78).

Also beruflich ist ja alles so gelaufen, wie ich es gerne gehabt hätte. Und der Job als Lehrer macht mir Spaß (19, p.7).

Wie wichtig ist eigentlich der Beruf? Welche Bedeutung hat er in deinem Leben? Er macht mir Spaß. Und ist auch irgendwo eine regelmäßige Tätigkeit, die aber verhindert, daß ich versacke, wie man so sagt (19, p.49).

Hoch: Nun hab ich mich da eingelebt in den Job, ja, ich mache jedes Jahr eine größere oder kleinere Reise, ich hab meine Leute, mit denen ich klarkomme, ich hab zu Hause noch meine Hobbies, ein paar Schallplatten, Bücher, ich spiel ein bißchen Gitarre und kann auch so fotografieren etcetera, na im großen und ganzen bin ich ausgefüllt, ja und was ich mir wünsche, wär praktisch, die Sache auszubauen (2, p.65).

Auf die Dauer muß man doch wieder wissen, wo man hingehört, ja, und man muß sein Zuhause haben und wo man, daß man irgendwo hinkommt und sagt, das ist meins (2, p.87).

(2) Statusziele realisieren

Eine Interviewäußerung soll der Kategorie "Statusziele realisieren" zugeordnet werden, wenn die betreffende Äußerung die folgenden Bedingungen erfüllt:

(a) Die Person schildert, in der Zukunft eine konkrete soziale Position (Rolle oder Status) erreichen zu wollen. Beispiele für einen Rollenstatus (eine soziale Position) sind berufliche Stellung, Familienstand, Stellung in Parteien oder Vereinen, sozial anerkannte Eigenschaften und/oder Besitz von Dingen.

(b) Die Person schildert, daß sie versucht, die angestrebte soziale Position zu erreichen.

(c) Die Person bezieht sich in der Verwirklichung ihres Lebensziels auf andere Menschen oder soziale Institutionen.

(d) Die Person bezieht sich in der Verwirklichung ihres Lebensziels auf die eigene Zukunft (personale Zukunft).

Statusziele realisieren: Glossar

Niedrig: Ich glaub, ich hab ... schon gesagt, daß ich also beruflich keinen allzugroßen Bock mehr habe, noch weiterzukommen (2, p.2).

Je älter man wird und je öfter man das sieht, um so mehr sagt man sich, ich heirate sowieso nicht mehr, das bringt absolut nichts mehr, nicht (2, p.15).

Ich meine, Ambitionen, Schuldirektor zu werden oder so, habe ich absolut nicht (19, p.13).

(Ich bin) kein Mensch, der Wert legt, irrsinnig Karriere zu machen und dergleichen (19, p.38).

Mittel: Es gibt ein paar Sachen, die mich noch interessieren würden, nicht, also reisemäßig, ... ich möchte mal gerne auf die Kergelen-Inseln (2, p.13).

Es spielt doch schon eine Rolle, daß man Facharbeiter ist und daß man gute Zeugnisse hat, das spielt schon eine Rolle (2, p.59).

Gehören Sie zu den Leuten, die von einem Urlaub auf den nächsten warten? Sagen wir planen, ja man könnt's dann auch als Warten bezeichnen. Na, ich mein, ich plane jetzt schon für nächstes Jahr, nicht (2, p.87).

Hoch: Hätte gerne eine Frau oder so, Freundin. Hätte gerne Kinder. Das klingt vielleicht spießig, also Kinder (19, p.7).

Na, Pläne: heiraten, Kinder kriegen, Häuschen haben (19, p.12).

(3) Sozialrelationale Generativität

Eine Interviewäußerung soll der Kategorie "Sozialrelationale Generativität" zugeordnet werden, wenn die betreffende Äußerung die folgenden Bedingungen erfüllt:

(a) Die Person schildert, konkrete Beziehungen zu Mitgliedern jüngerer Generationen aufbauen, erhalten oder pflegen zu wollen. Dabei kann es sich um eigene Kinder handeln, um Schüler oder Auszubildende handeln oder um Jugendliche handeln, mit denen sich die Person im Freizeitbereich beschäftigt (z.B. Jugendgruppen).

(b) Die Person schildert, sich darum zu bemühen, Beziehungen zu Mitgliedern jüngerer Generationen aufzubauen, zu erhalten oder zu pflegen.

(c) Die Person bezieht sich in der Verwirklichung ihres Lebensziels auf andere Menschen oder soziale Institutionen.

(d) Die Person bezieht sich in der Verwirklichung ihres Lebensziels auf eine apersonale (nicht die eigene Person betreffende) Zukunft.

Sozialrelationale Generativität: Glossar

Niedrig: ICH WILL KEINE KINDER HABEN; ICH HABE KEIN INTERESSE AN DER JÜNGEREN GENERATION; MEINE KINDER EMPFINDE ICH ALS GROSSE BELASTUNG (Konstruierte Beispiele).

Mittel: Ich bin nach wie vor in der Jugendbewegung drin ... es macht mir Freude, mit der Jugend umzugehen (2, p.9).

Moral ist in meinen Augen, nicht nur einfach so zu leben, daß man alle Freiheiten hat, Freiheit geben kann, aber ohne sich selbst und anderen Schaden zuzufügen, das ist in meinen Augen Moral, ganz einfach ausgedrückt. Und das ist für mich der Sinn des Lebens, ja, und davon so viel wie möglich an andere weiterzuvermitteln (2, p.32).

Hoch: MEINE KINDER SIND MEIN EIN UND ALLES; WENN ICH NICHT DEN LEHRERBERUF AUSÜBEN WÜRDE, WÜRDE ICH IRGEND ETWAS ANDERES MACHEN, UM BEZIEHUNGEN ZU JUNGEN LEUTEN ZU HABEN (Konstruierte Beispiele).

(4) Reflexive Rekonstruktion des eigenen Lebens

Eine Interviewäußerung soll der Kategorie "Reflexive Rekonstruktion des eigenen Lebens" zugeordnet werden, wenn die betreffende Äußerung die folgenden Bedingungen erfüllt:

(a) Die Person schildert, sich mit ihrer eigenen Vergangenheit zu beschäftigen. Die Person überprüft ihr Leben, indem sie es sich vor Augen führt und eventuell anders bewertet. Beispiele für eine Lebensüberprüfung sind Teilnahme an Therapie- oder Selbsterfahrungsgruppen, mit dem Ziel, die eigene Vergangenheit aufzuarbeiten, oder Nachdenken über die eigene Vergangenheit.

(b) Die Person berichtet von konkreten Situationen, in denen sie über sich selbst nachgedacht hat und in denen sie eventuell die Bewertung ihres eigenen Lebens geändert hat.

(c) Die Person bezieht sich in der Verwirklichung ihres Lebensziels auf sich selbst.

(d) Die Person bezieht sich in der Verwirklichung ihres Lebensziels auf die (eigene) Vergangenheit.

Reflexive Rekonstruktion des eigenen Lebens: Glossar

Niedrig: **Sie haben ja da in dem Fragebogen, Sie entsinnen sich, angegeben, daß Sie sich also selten die Frage stellen, "wer bin ich eigentlich in Wirklichkeit?". Können Sie sich an die Seite erinnern?** Ja, das stimmt ja auch, selten (2, p.44). (Bemerkung: Bei diesem Beispiel handelt es sich strenggenommen nicht um ein Zitat, da die Zahl der Wörter in der Frage größer ist als die Zahl der Wörter in der Antwort.)

Denkst Du oft über dich selber nach? Was heißt oft? **Ja, ich frage dich.** Oft ist ja ein relativer Begriff. **Ja, eher zu viel oder eher zu wenig?** Wahrscheinlich eher zu wenig (19, p.45). (Bemerkung: Bei diesem Beispiel handelt es sich strenggenommen nicht um ein Zitat, da die Zahl der Wörter in der Frage größer ist als die Zahl der Wörter in der Antwort.)

Mittel: Da guck ich mir ein altes Fotoalbum an und dann fällt mir ein, ach das war ja die Sache und das war schon was (2, p.10).

(Mein Verhältnis zur Kirche) hab ich mir jahrelang durch den Kopf gehen lassen (2, p.51).

Was gibt deinem Leben so Sinn und Halt? Wenn ich das wüßte! Sinn und Halt, kann ich irgendwie nicht beantworten, weil ich das selbst noch überlege. Ich habe mir schon sehr früh die Frage gestellt (19, p.26).

Hoch: ICH DENKE SEHR REGELMÄSSIG ÜBER MEINE VERGANGENHEIT NACH UND JEDESMAL ENTDECKE ICH NEUES; MEINE SCHEIDUNG LIEGT JETZT SCHON EINIGE JAHRE ZURÜCK, DENNOCH DENKE ICH NOCH SEHR OFT ÜBER SIE NACH (Konstruierte Beispiele).

(5) Selbstverwirklichung

Eine Interviewäußerung soll der Kategorie "Selbstverwirklichung" zugeordnet werden, wenn die betreffende Äußerung die folgenden Bedingungen erfüllt:

(a) Die Person schildert, daß sie versucht, die eigenen Fähigkeiten und Bedürfnisse zu erkennen und auszudrücken. Die Person ist daran interessiert, sich weiterzuentwickeln, sich selbst kennenzulernen und die eigenen Talente um ihrer selbst willen zu verwirklichen. Dabei geht es der Person nicht in erster Linie darum, eine soziale Position zu erreichen (etwa indem sie sich im Leistungsvergleich von Fähigkeiten als Beste qualifiziert), sondern darum, das "eigene Potential" zu realisieren. Beispiele für Selbstverwirklichung sind Teilnahme an Selbsterfahrungsgruppen (mit dem Ziel, das eigene Selbst kennenzulernen) sowie die ausschließliche Bedeutung des eigenen Erlebens und Fühlens in verschiedenen Lebensbereichen (Arbeit, Freizeit, Beziehungen).

(b) Die Person schildert, daß sie sich darum bemüht, ihre Fähigkeiten, Talente oder Bedürfnisse zu erkennen und auszudrücken, und versucht, danach zu leben.

(c) Die Person bezieht sich in der Verwirklichung ihres Lebensziels auf sich selbst.

(d) Die Person bezieht sich in der Verwirklichung ihres Lebensziels auf Gegenwart und Zukunft.

Selbstverwirklichung: Glossar

Niedrig: ICH HALTE LEUTE, DIE NUR SICH SELBST VERWIRKLICHEN, FÜR EGOISTEN. MIT SELBSTVERWIRKLICHUNG WILL ICH GAR NICHTS ZU TUN HABEN; ICH HALTE NICHTS VON DER AUSSAGE, DASS ARBEIT SPASS MACHEN SOLL: ARBEIT IST PFLICHT (Konstruierte Beispiele).

Mittel: Ich will zumindest versuchen, mein Leben in größtmöglicher Freiheit zu genießen, ja, also mich möglichst wenig einengen lassen (2, p.20).

Wie wichtig ist denn für Sie in Ihrem Leben persönliche Entfaltung? Oh, sehr wichtig, das hat ja was mit persönlicher Freiheit zu tun (2, p.46).

Was sind denn die Herausforderungen, denen du im Leben augenblicklich so begegnen mußt? Die Herausforderung ist im Grunde genommen ich selber und das reicht, glaube ich. **Wie meinst du das?** Daß ich selber irgendwie mit mir ins Klare komme oder so (19, p.15).

Hoch: Ich spiel (Gitarre) nicht für andere, ich spiel im Grunde für mich selbst (2, p.54).

Hier diese Geschichte so im Rahmen meiner Sannyasin-Zeit waren eigentlich alles Dinge, wo ich jeden einzelnen Moment eigentlich entschied, ich mach es nur für mich selber, ja. Ich brauch, ich mach das nicht irgendwie für Bhagwan oder für sonst irgend jemand anders, sondern ich mache, alles, was ich tue, jetzt und hier, mach ich für mich selber, ja (25, p.25).

Ich lebe eigentlich immer so, daß ich jeden Tag wieder von neuem entscheide und sage, was tu ich mir eigentlich heute an, wie sieht heute mein Kosten-Nutzen-Verhältnis in bezug auf diese Szene aus (25, p.41).

Ich bin insgesamt, also ich habe meinem ganzen Leben gegenüber eigentlich so mehr so das Gefühl einer Experimentalhaltung (25, p.44).

Dieses Referendariat (ist) wirklich 'ne bezahlte Primärtherapie (25, p.48).

(6) Generative Selbstaktualisierung

Eine Interviewäußerung soll der Kategorie "Generative Selbstaktualisierung" zugeordnet werden, wenn die betreffende Äußerung die folgenden Bedingungen erfüllt:

(a) Die Person schildert, ihre Fähigkeiten, Talente oder Bedürfnisse auszudrücken, um damit nachfolgenden Generationen im allgemeinen nützlich zu sein. Dabei geht es der Person nicht darum, Beziehungen zu konkreten Mitgliedern nachfolgender Generationen aufzubauen, sondern in der Realisierung eigenen Potentials (etwa durch die Beschäftigung mit Kunst, Wissenschaft oder Politik) später lebenden Menschen, der zukünftigen Gesellschaft oder der Menschheit im allgemeinen dienlich zu sein.

(b) Die Person schildert, daß sie sich darum bemüht, ihre Fähigkeiten, Talente und Bedürfnisse zu erkennen und auszudrücken, und versucht, danach zu leben.

(c) Die Person bezieht sich in der Verwirklichung ihres Lebensziels auf sich selbst.

(d) Die Person bezieht sich in der Verwirklichung ihres Lebensziels auf eine apersonale (nicht die eigene Person betreffende) Zukunft.

Generative Selbstaktualisierung: Glossar

Niedrig: ICH LEBE HIER UND JETZT, MIT MEINEM JOB UND MEINER FAMILIE. WAS NACH UNS KOMMT, INTERESSIERT MICH NICHT SEHR, UND TUN KANN ICH FÜR DIE ZUKÜNFTIGEN BEWOHNER DER ERDE SOWIESO NICHTS (Konstruiertes Beispiel).

Mittel: ICH DENKE MANCHMAL, DASS WIR UNSEREN NACHKOMMEN NICHT ZU VIELE UMWELTPROBLEME HINTERLASSEN SOLLTEN (Konstruiertes Beispiel).

Hoch: ICH HABE MEINEN BERUF GEWÄHLT, UM ETWAS FÜR DIE MENSCHHEIT WIRKLICH NÜTZLICHES ZU TUN; WENN WIR UNS NUR ALLE LIEBEN KÖNNTEN, DANN WÄRE DAS GLÜCK ZUKÜNFTIGER GENERATIONEN GESICHERT (Konstruierte Beispiele).

3.2 Kategorienbeschreibung "Veränderung von Lebenszielen"

Für jedes der sechs Typen von Lebenszielen soll eingeschätzt werden, ob sich die wahrgenommene (im Interview geäußerte) Zentralität von Lebenszielen in der Vergangenheit der erwachsenen Person verändert hat oder gleich geblieben ist.

Die Vergangenheit der erwachsenen Person soll hier definiert werden als der Lebensabschnitt vom 21. Geburtstag der Person (Volljährigkeit) bis zum Zeitpunkt des Interviews. Werden mehrere Veränderungen beschrieben, so handelt es sich dabei um eine Person, die stärkere Veränderungen erfahren hat, als eine Person, die nur eine Veränderung erlebt hat.

Die Zentralität (Wichtigkeit) eines Lebensziels soll hier definiert werden als die Bedeutung, die dieses Ziel im Denken und Handeln der Person einnimmt (so wie es im Interview berichtet wird). Ein wichtiges Lebensziel (höchste Ausprägung) bestimmt den Lebenssinn der Person. Ein unwichtiges Lebensziel (geringste Ausprägung) wird entweder als für die Person bedeutungslos beurteilt oder nicht erwähnt.

Auf einer Skala, die von 1 bis 7 reicht, soll eingeschätzt werden, wie stark sich die Zentralität eines Lebensziels verändert hat. Veränderung eines Lebensziels liegt dann vor (höchste Ausprägung auf der Skala), wenn sich die Zentralität dieses Lebensziels in der erwachsenen Vergangenheit der Person stark verschoben hat (unbedeutend oder zentral geworden ist). Konstanz eines Lebensziels (geringste Ausprägung auf der Skala) liegt dann vor, wenn sich die Zentralität eines Lebensziels in der erwachsenen Vergangenheit einer Person nicht verschoben hat (gleich geblieben ist).

Beispiele für eine hohe Ausprägung der Veränderung eines Lebensziels: Eine Person hat ein Lebensziel zugunsten eines anderen Lebensziels völlig aufgegeben. Das erste Lebensziel hatte zuvor eine hohe Zentralität für die Person, das zweite Lebensziel war zuvor bedeutungslos. Der Wechsel von einem Lebensziel zum anderen hat im Erwachsenenalter der Person stattgefunden.

Beispiele für eine geringe Ausprägung der Veränderung eines Lebensziels (Konstanz): Die Person schildert, daß sie ein und dasselbe Lebensziel verfolgt, seitdem sie erwachsen (21 Jahre alt) ist. Die Person beschreibt sich als konstant in Wahrnehmung und Verhalten. Die Person erwähnt in dem gesamten Interview keine Veränderung in ihren Lebenszielen.

Veränderungen von Lebenszielen: Glossar

Niedrig

Gibt es eigentlich Verhaltensweisen, die du in den letzten Jahren aufgegeben hast? Muß ich mal überlegen. An und für sich nicht. Mir fällt nichts ein. **Nichts. Hast du die Beobachtung gemacht, daß du mit den Jahren die Umwelt anders wahrnimmst als früher?** Muß ich auch überlegen. Ich meine, bestimmt werden Änderungen stattgefunden haben, aber nur peu-à-peu. Aber prinzipiell würde ich sagen, sehe ich die Welt an sich mit ähnlichen Augen wie früher auch (19, p.35). (Bemerkung: Diese Äußerung ist zwar selbstbezogen, aber keine relevante Äußerung, da sie keinem Lebensziel eindeutig zugeordnet werden kann.)

Mittel

Lebensziel "Rollenstatus aufrechterhalten"
Was war die schwerwiegendste Veränderung in Ihrem Leben? ... Ja, da würd ich sagen, daß ich nach Berlin gezogen bin zum Beispiel (2, p.94).

Lebensziel "Statusziele realisieren"
Mit (einer Frau) war ich ungefähr ein Jahr zusammen ... und eines Tages sagte die, also demnächst wird geheiratet. Sag ich, ist ja schön. Ja sagt sie, aber nicht dich ... Seitdem habe ich natürlich die Schnauze voll, vom Heiraten zumindest (2, p.35).

Lebensziel "Reflexive Rekonstruktionen des eigenen Lebens"
Wenn jemand ankam mit philosophischen Sachen, ja, mit mir reden wollte, hat mich absolut nicht interessiert ... bis ich irgendwann gemerkt habe, daß man durch solche Gespräche zu Selbsterkenntnis kommt (2, p.54).

Hoch

Lebensziel "Statusziele realisieren"

Kurz und klein, als ich dann (aus den USA) zurück war, da war ich irgendwie vollends aus der Bahn geworfen und nichts stimmte mehr. Also meine ganze Polit-Vergangenheit war irgendwie over und vorbei (25, p.7).

Lebensziel "Statusziele realisieren"

Insgesamt war ich elf Jahre (an der Universität). Und ich hätte möglicherweise das noch verlängern, irgendwie ließen sich dadurch irgendwelche Geschichten, aber ich hab das dann auch gar nicht weiter irgendwie verfolgt, selbst die Habilitation hab ich dann verfallen lassen (25, p.22).

Veränderung in den Lebenszielen: Richtung der Veränderung

Diese Zusatzanalyse betrifft die sechs Dimensionen, auf denen die Veränderung der Bedeutsamkeit von Lebenszielen eingeschätzt wurde. In dieser Zusatzanalyse soll für jede Dimension angegeben werden, in welche Richtung die Veränderung der Bedeutsamkeit eines Lebensziels stattgefunden hat. Dabei gibt es drei Möglichkeiten:

Pfeil nach oben — Das betreffende Lebensziel ist in der Vergangenheit der erwachsenen Person bedeutsamer (zentraler) geworden.

Pfeil nach unten — Das betreffende Lebensziel ist in der Vergangenheit der erwachsenen Person weniger bedeutsam (weniger zentral) geworden.

0 (Null) — Die Bedeutsamkeit (Zentralität) des betreffenden Lebensziels hat sich in der Vergangenheit der erwachsenen Person nicht verändert (ist konstant geblieben) **oder** hat sich in der Vergangenheit der erwachsenen Person mehrfach verändert. (Beispiel: Ein Lebensziel ist von Zeitpunkt 1 zu Zeitpunkt 2 wichtiger und von Zeitpunkt 2 zu Zeitpunkt 3 unwichtiger geworden.)

Die Angabe der Richtung einer Veränderung in der Bedeutsamkeit von Lebenszielen soll den Zitaten der Zusammenfassung entnommen werden, auf denen die Einschätzung der (absoluten) Veränderung beruhte. Die ursprünglichen Einschätzungen der (absoluten) Veränderung in der Bedeutsamkeit von Lebenszielen sollen in dieser Zusatzanalyse nicht geändert werden.

Anhang F:
Zusätzliche Tabellen

F1 Interkorrelationen der sechs Identitätsprojekt-Skalen pro Gruppe (Rater 1)

Facharbeiter	1	2	3	4	5	6
1. Rollenstatus aufrechterhalten	1.0	-.27	-.38	-.44	-.40	-.70*
2. Statusziele realisieren		1.0	-.51	.60	.21	-.18
3. Sozialrelationale Generativität			1.0	-.22	.3	.48
4. Reflexive Rekonstruktion				1.0	.74**	.14
5. Selbstverwirklichung					1.0	.27
6. Generative Selbstaktualisierung						1.0

Lehrer	1	2	3	4	5	6
1. Rollenstatus aufrechterhalten	1.0	-.78	-.16	-.11	-.41	.51
2. Statusziele realisieren		1.0	.16	-.21	.3	-.54
3. Sozialrelationale Generativität			1.0	.26	.32	.15
4. Reflexive Rekonstruktion				1.0	.90***	.34
5. Selbstverwirklichung					1.0	-.6
6. Generative Selbstaktualisierung						1.0

Sannyasins	1	2	3	4	5	6
1. Rollenstatus aufrechterhalten	1.0	.21	-.41	-.32	-.22	-.41
2. Statusziele realisieren		1.0	.28	.30	.0	.0
3. Sozialrelationale Generativität			1.0	.29	.18	-.13
4. Reflexive Rekonstruktion				1.0	.49	.46
5. Selbstverwirklichung					1.0	.17
6. Generative Selbstaktualisierung						1.0

* p < .05
** p < .01
*** p < .001

F2 Mittelwerte der sechs Identitätsprojekt-Skalen (Rater 2) pro Gruppe

	Facharbeiter	Lehrer	Sannyasins
1. Rollenstatus aufrechterhalten	5.36 (0.84)	5.39 (1.29)	2.27 (1.28)
2. Statusziele realisieren	4.41 (1.50)	3.94 (1.61)	2.50 (1.20)
3. Sozialrelationale Generativität	4.27 (1.75)	3.67 (1.52)	1.33 (0.71)
4. Reflexive Rekonstruktion	2.41 (1.16)	2.89 (1.41)	4.44 (1.38)
5. Selbstverwirklichung	3.23 (1.27)	4.22 (1.35)	6.39 (0.42)
6. Generative Selbstaktualisierung	2.00 (1.25)	2.00 (1.58)	1.22 (0.44)

F3 Diskriminanzanalyse des Haupteffekts "Gruppe" für die Identitätsprojekt-Skalen (Rater 2)

	F (2,26)	p	SDFK	Korrelation
1. Rollenstatus aufrechterhalten	16.96	.000	.62	.41
2. Statusziele realisieren	4.55	.05	.72	.22
3. Sozialrelationale Generativität	11.23	.000	.50	.34
4. Reflexive Rekonstruktion	6.33	.01	-.69	-.26
5. Selbstverwirklichung	20.48	.000	-.26	-.45
6. Generative Selbstaktualisierung	1.31	n.s.	1.06	.12

F4 Diskriminanzanalyse des Kontrasts "Facharbeiter und Lehrer vs. Sannyasins" für die sechs Identitätsprojekt-Skalen (Rater 2)

	F (1,26)	p	SDFK	Korrelation
1. Rollenstatus aufrechterhalten	33.84	.000	.63	.43
2. Statusziele realisieren	8.28	.01	.73	.21
3. Sozialrelationale Generativität	21.63	.000	.50	.34
4. Reflexive Rekonstruktion	11.65	.002	-.70	-.25
5. Selbstverwirklichung	35.54	.000	-.24	-.44
6. Generative Selbstaktualisierung	2.63	n.s.	1.07	.12

F5 Zweifaktorielle MANOVA (Faktoren: Gruppe und Geschlecht) für die sechs Identitätsprojekt-Skalen (Rater 1)

	F	df	Signifikanz
Gruppe	3.30	12/38	.01
Geschlecht	2.57	6/18	.10
Gruppe x Geschlecht	0.51	12/38	n.s.

F6 Zweifaktorielle MANOVA (Faktoren: Gruppe und Geschlecht) für die sechs Identitätsprojekt-Skalen (Rater 2)

	F	df	Signifikanz
Gruppe	2.90	12/38	.01
Geschlecht	1.84	6/18	n.s.
Gruppe x Geschlecht	0.57	12/38	n.s.

F7 Mittelwerte aller sechs Identitätstransformation-Skalen (Rater 1 und 2) pro Gruppe

Rater 1	Facharbeiter	Lehrer	Sannyasins
1. Veränderung Rollenstatus	6.55 (2.51)	6.33 (2.12)	4.33 (2.06)
2. Veränderung Statusziele	6.91 (3.33)	6.67 (1.32)	5.33 (3.34)
3. Veränderung Generativität	7.09 (0.94)	6.33 (2.40)	6.89 (0.78)
4. Veränderung Reflexive Rekonstruktion	7.36 (0.92)	7.33 (1.00)	7.11 (0.33)
5. Veränderung Selbstverwirklichung	7.82 (1.47)	7.56 (1.33)	10.89 (1.76)
6. Veränderung Generative Selbstaktualisierung	7.09 (0.30)	6.44 (1.51)	6.56 (1.01)

Rater 2	Facharbeiter	Lehrer	Sannyasins
1. Veränderung Rollenstatus	6.50 (2.13)	6.61 (2.03)	4.72 (2.00)
2. Veränderung Statusziele	7.18 (2.09)	7.56 (1.33)	6.00 (1.73)
3. Veränderung Generativität	7.09 (1.28)	7.11 (0.82)	7.00 (0.50)
4. Veränderung Reflexive Rekonstruktion	7.05 (0.35)	7.28 (0.57)	7.22 (0.51)
5. Veränderung Selbstverwirklichung	8.05 (1.46)	8.39 (1.24)	10.83 (1.35)
6. Veränderung Generative Selbstaktualisierung	7.09 (0.30)	7.00 (0.00)	6.39 (1.19)

F8 Diskriminanzanalyse des Haupteffekts "Gruppe" für die sechs Identitätstransformation-Skalen (Rater 1 und 2)

Rater 1	F (2,26)	p	SDFK	Korrelation
1. Veränderung Rollenstatus	2.75	.10	.53	.39
2. Veränderung Statusziele	0.81	n.s.	-.16	.22
3. Veränderung Generativität	0.64	n.s.	-.41	-.08
4. Veränderung Reflexive Rekonstruktion	0.27	n.s.	-.22	.12
5. Veränderung Selbstverwirklichung	13.58	.000	-.94	-.87
6. Veränderung Generative Selbstaktualisierung	1.16	n.s.	-.27	.05

Rater 2	F (2,26)	p	SDFK	Korrelation
1. Veränderung Rollenstatus	2.45	n.s.	.20	.37
2. Veränderung Statusziele	1.91	n.s.	.42	.31
3. Veränderung Generativität	0.04	n.s.	-.20	.04
4. Veränderung Reflexive Rekonstruktion	0.67	n.s.	.13	-.07
5. Veränderung Selbstverwirklichung	11.79	.000	-.85	-.81
6. Veränderung Generative Selbstaktualisierung	2.91	.10	.32	.40

F9 Diskriminanzanalyse des Kontrasts "Facharbeiter und Lehrer vs. Sannyasins" für die sechs Identitätstransformation-Skalen (Rater 1 und 2)

Rater 1	F (1,26)	p	SDFK	Korrelation
1. Veränderung Rollenstatus	5.38	.05	.52	.40
2. Veränderung Statusziele	1.55	n.s.	-.14	.22
3. Veränderung Generativität	0.08	n.s.	-.36	-.05
4. Veränderung Reflexive Rekonstruktion	0.52	n.s.	-.20	.12
5. Veränderung Selbstverwirklichung	27.15	.000	-.94	-.90
6. Veränderung Generative Selbstaktualisierung	0.26	n.s.	-.22	.09

Rater 2	F (1,26)	p	SDFK	Korrelation
1. Veränderung Rollenstatus	4.90	.05	.19	.37
2. Veränderung Statusziele	3.68	.10	.44	.32
3. Veränderung Generativität	0.07	n.s.	-.19	.04
4. Veränderung Reflexive Rekonstruktion	0.10	n.s.	.16	-.05
5. Veränderung Selbstverwirklichung	22.88	.000	-.84	-.80
6. Veränderung Generative Selbstaktualisierung	5.64	.05	.33	.40

F10 Zweifaktorielle ANOVA (Faktoren: Gruppe und Geschlecht) für die Gesamt-transformation-Skala (Rater 1)

	F	**df**	**Signifikanz**
Gruppe	7.39	2/23	.01
Geschlecht	0.05	1/23	n.s.
Gruppe x Geschlecht	2.85	2/23	.10

F11 Zweifaktorielle ANOVA (Faktoren: Gruppe und Geschlecht) für die Gesamttransformation-Skala (Rater 2)

	F	df	Signifikanz
Gruppe	5.01	2/23	.01
Geschlecht	0.26	1/23	n.s.
Gruppe x Geschlecht	0.71	2/23	n.s.

F12 Zweifaktorielle ANOVA (Faktoren: Gruppe und Geschlecht) für die Zahl berichteter kritischer Lebensereignisse (Rater 3)

	F	df	Signifikanz
Gruppe	2.28	2/23	.10
Geschlecht	1.63	1/23	n.s.
Gruppe x Geschlecht	1.70	2/23	n.s.

F13 Zweifaktorielle ANOVA (Faktoren: Gruppe und Geschlecht) für die Zahl berichteter kritischer Lebensereignisse (Rater 4)

	F	**df**	**Signifikanz**
Gruppe	2.27	2/23	n.s.
Geschlecht	2.29	1/23	n.s.
Gruppe x Geschlecht	1.80	2/23	n.s.

F14 Interkorrelationen der sechs Identitätsprojekt-Skalen, der Gesamttransformation-Skala, der neun aus den standardisierten Meßinstrumenten gebildeten Skalen und der 18 Items der "Terminal Value Scale".

	1	2	3	4	5	6	7	8	9	10	11	12	13	14	15	16
1. Rollenstatus aufrechterhalten	1.00	.20	.40*	-.44**	-.75***	.25	-.48**	-.10	.07	-.51**	.19	.29	-.31	-.07	.35*	-.68***
2. Statusziele realisieren		1.00	.21	-.02	-.37*	-.12	-.16	.29	-.03	-.32**	-.01	.09	-.16	.14	.21	-.40*
3. Sozialrelationale Generativität			1.00	-.26	-.52**	.37*	-.56**	.09	.01	-.56**	-.29	.29	-.26	.06	.14	-.58***
4. Reflexive Rekonstruktion				1.00	.65***	.09	.35**	-.09	-.27	.33*	.12	-.02	.09	-.28	-.14	.51**
5. Selbstverwirklichung					1.00	-.20	.60***	.06	-.04	.56**	-.16	-.13	.42*	-.01	-.41*	.75***
6. Generative Selbstaktualisierung						1.00	-.05	-.16	-.27	-.07	-.19	.37*	.10	-.30	.16	-.44*
7. Gesamttransformation							1.00	-.02	-.25	.63***	-.10	-.24	.54**	.27	-.27	.50**
8. Personal Identity								1.00	.52**	.16	-.32	.44*	.51**	.09	.28	.03
9. Social Identity									1.00	.12	.08	-.05	-.01	.07	.38*	.08
10. Selbstbezug										1.00	.18	-.17	.43	-.04	-.03	.73***
11. Sozialbezug											1.00	-.26	-.34	-.09	.29	.14
12. Social Compassion												1.00	.44*	-.38*	.33	-.30
13. Counter-Cultural Attitudes													1.00	-.03	.03	.38
14. Anomie/Alienation														1.00	-.12	-.12
15. Externale Kontrollüberzeugung															1.00	-.08
16. Internale Kontrollüberzeugung																1.00

* p < .05
** p < .01
*** p < .001

F14 Fortsetzung: **Interkorrelationen der sechs Identitätsprojekt-Skalen, der Gesamttransformation-Skala, der neun aus den standardisierten Meßinstrumenten gebildeten Skalen und der18 Items der "Terminal Value Scale".**

	1	2	3	4	5	6	7	8	9	10	11	12	13	14	15	16
17. Wohlstand	.03	.11	-.15	-.13	-.05	-.18	.05	-20	.15	-.10	.02	-.62***	-.29	-.24	-.26	-.01
18. Aufregendes Leben	.24	.20	.24	.06	-.18	.34*	-.07	-.16	-.40*	-.22	-.22	.27	.28	-.03	.01	-.30
19. Dauerhafter Beitrag	.34*	.14	.42*	-.25	-.32*	-.18	-.36*	-.12	-.07	-.31	.13	-.07	-.30	.08	-.01	-.13
20. Frieden in der Welt	-.19	-.04	.13	-.01	.01	.11	-.10	.38*	.46**	.03	-.12	.17	.01	-.14	.40*	.06
21. Schöne Dinge	-.01	-.01	.32*	-.01	.05	.04	-.11	-.15	-.16	-.25	-.18	-.10	.01	.39*	.10	- .15
22. Gleichheit	-.06	-.08	.32*	-.01	-.15	.39*	-.12	.07	-.11	-.15	-.12	.40*	.09	.06	.21	-.12
23. Sicherheit der Familie	.36*	.36*	.21	-.29	-.52**	-.17	-.35*	.03	.26	.32	.48**	-.09	.51**	-.28	.19	.43*
24. Freiheit	-.19	-.07	-.40*	.08	.35*	-.23	.39*	.08	-.02	.36*	-.09	.02	.36*	.24	.01	.38*
25. Glück	.28	.17	-.12	-.09	.32*	-.03	-.15	.08	-.03	-.07	.37*	.12	-.35*	-.29	.24	-.20
26. Innere Harmonie	-.17	-.44**	-.23	.16	.39*	-.18	.37*	-.26	.04	.51**	.15	.42*	.08	.11	-.32	.45**
27. Reife Liebe	-.36*	-.25	-.33*	.22	.47**	.05	.32*	.01	-.10	.36*	-.37*	-.05	.37*	.19	.30	.37*
28. Nationale Sicherheit	.13	.03	.19	-.18	-.16	-.21	-.21	-.07	.11	-.19	.10	-.10	-.37*	-.03	-.02	-.11
29. Vergnügen	-.04	-.05	-.18	-.12	-.06	-.10	.09	-.17	.03	.15	-.04	-.15	.25	.07	-.24	.10
30. Erlösung	-.60***	.32*	-.51**	.42*	.51**	-.12	.30	.01	-.15	.55**	.23	.05	.21	.20	-.01	.62***
31. Selbstrespekt	.18	.05	.03	.04	.02	.17	.01	.13	.03	-.16	-.13	.13	.10	-.19	-.02	-.12
32. Anerkennung	.37*	.27	.52**	-.21	-.35*	.19	-.21	-.01	.02	-.36*	-.22	.12	-.06	.07	.26	-.46**
33. Freundschaft	.35*	.25	.14	-.26	-.40*	.10	-.25	.18	.02	-.27	-.06	.33*	.17	-.18	.03	-.47**
34. Weisheit	-.43**	-.03	-.35*	.25	.39*	-.11	.25	.27	-.03	.13	-.09	.16	.23	.03	.24	.23

* p < .05
** p < .01
*** p < .001

F14 Fortsetzung: Interkorrelationen der sechs Identitätsprojekt-Skalen, der Gesamttransformation-Skala, der neun aus den standardisierten Meßinstrumenten gebildeten Skalen und der 18 Items der "Terminal Value Scale".

	17	18	19	20	21	22	23	24	25	26	27	28	29	30	31	32	33	34
17. Wohlstand	1.00	-.05	.08	-.08	.01	-.30	-.13	-.01	-.14	.07	.20	-.16	.35*	-.40*	.14	-.11	-.30	-.02
18. Aufregendes Leben		1.00	.03	-.25	.13	-.15	-.40*	-.04	-.29	-.28	.22	-.44**	.26	-.32*	.00	.24	.33*	-.21
19. Dauerhafter Beitrag			1.00	-.34*	.46*	-.29	-.27	-.16	-.06	.13	-.14	.17	-.09	-.24	-.42*	.21	-.24	-.34
20. Frieden in der Welt				1.00	-.12	.69***	.05	-.25	-.14	-.45*	-.11	.22	.02	.07	-.14	.06	-.23	.12
21. Schöne Dinge					1.00	-.22	-.01	-.17	-.37*	.16	.06	-.10	-.04	-.18	-.23	.09	-.29	-.27
22. Gleichheit						1.00	.02	-.23	.04	-.44**	-.28	.33*	-.12	.09	-.01	.12	-.10	.07
23. Sicherheit der Familie							1.00	-.44**	.51**	-.20	-.54***	.29	-.19	.13	.05	.05	.21	-.11
24. Freiheit								1.00	-.19	.37*	.07	.11	-.02	.15	.09	.09	-.17	-.20
25. Glück									1.00	-.24	-.41*	-.09	-.34*	.24	.19	-.11	.26	.25
26. Innere Harmonie										1.00	.08	.08	-.01	.15	.03	-.13	-.16	-.24
27. Reife Liebe											1.00	-.36*	.17	-.01	-.14	-.45**	-.19	.34*
28. Nationale Sicherheit												1.00	-.40*	-.21	-.01	.17	-.09	-.18
29. Vergnügen													1.00	-.03	-.19	-.15	-.13	-.16
30. Erlösung														1.00	-.13	-.33	-.21	.29
31. Selbstrespekt															1.00	-.14	.40*	-.06
32. Anerkennung																1.00	.20	-.45**
33. Freundschaft																	1.00	-.06
34. Weisheit																		1.00

* $p < .05$
** $p < .01$

Veröffentlichungen aus dem Max-Planck-Institut für Bildungsforschung (über den Buchhandel beziehbar)

I. Klett-Cotta Verlag, Stuttgart

Klaus Hüfner, Jens Naumann, Helmut Köhler und Gottfried Pfeffer
Hochkonjunktur und Flaute: Bildungspolitik in der Bundesrepublik Deutschland 1967–1980.
361 S. Erschienen 1986.

Knut Nevermann
Der Schulleiter.
Juristische und historische Aspekte zum Verhältnis von Bürokratie und Pädagogik.
314 S. Erschienen 1982.

Gerd Sattler
Englischunterricht im FEGA-Modell.
Eine empirische Untersuchung über inhaltliche und methodisches Differenzierung an Gesamtschulen.
355 S. Erschienen 1981.

Diether Hopf
Mathematikunterricht.
Eine empirische Untersuchung zur Didaktik und Unterrichtsmethode in der 7. Klasse des Gymnasiums.
251 S. Erschienen 1980.

Christel Hopf, Knut Nevermann und Ingo Richter
Schulaufsicht und Schule.
Eine empirische Analyse der administrativen Bedingungen schulischer Erziehung.
428 S. Erschienen 1980.

Max-Planck-Institut für Bildungsforschung
Projektgruppe Bildungsbericht (Hrsg.)
Bildung in der Bundesrepublik Deutschland.
Daten und Analysen.
Bd. 1: Entwicklungen seit 1950.
Bd. 2: Gegenwärtige Probleme.
1404 S. Erschienen 1980.

Helga Zeiher, Hartmut J. Zeiher und Herbert Krüger
Textschreiben als produktives und kommunikatives Handeln.
Bd. I: Beurteilung von Schülertexten.
254 S. Erschienen 1979.

Helga Zeiher, Hartmut J. Zeiher und Herbert Krüger
Textschreiben als produktives und kommunikatives Handeln.
Bd. III: Synergetischer Textunterricht.
170 S. Erschienen 1979.

Klaus Hüfner und Jens Naumann
Konjunkturen der Bildungspolitik in der Bundesrepublik Deutschland.
Bd. 1: Der Aufschwung (1960–1967).
307 S. Erschienen 1977.

Peter Damerow, Ursula Elwitz, Christine Keitel und Jürgen Zimmer
Elementarmathematik: Lernen für die Praxis?
Ein exemplarischer Versuch zur Bestimmung fachüberschreitender Curriculumziele.
182 und 47 S. Erschienen 1974.

Lothar Krappmann
Soziologische Dimensionen der Identität.
Strukturelle Bedingungen für die Teilnahme an Interaktionsprozessen.
231 S. Erschienen 1971 (Standardwerke der Psychologie, 7. Auflage 1988).

II. Campus Verlag, Frankfurt/New York

Hans-Peter Blossfeld
Kohortendifferenzierung und Karriereprozeß.
185 S. Erschienen 1989.

Michael Bochow und Hans Joas
Wissenschaft und Karriere.
Der berufliche Verbleib des akademischen Mittelbaus.
172 S. Erschienen 1987.

Hans-Peter Blossfeld, Alfred Hamerle und Karl Ulrich Mayer
Ereignisanalyse.
Statistische Theorie und Anwendung in den Wirtschafts- und Sozialwissenschaften.
290 S. Erschienen 1986.

Christel Hopf, Knut Nevermann und Ingrid Schmidt
Wie kamen die Nationalsozialisten an die Macht.
Eine empirisches Analyse von Deutungen im Unterricht.
344 S. Erschienen 1985.

Hans-Peter Blossfeld
Bildungsexpansion und Berufschancen.
Empirische Analysen zur Lage der Berufsanfänger in der Bundesrepublik.
191 S. Erschienen 1985.

III. Andere Verlage

Hans J. Nissen, Peter Damerow und Robert K. Englund
Frühe Schrift und Techniken der Wirtschaftsverwaltung im alten Vorderen Orient.
Informationsspeicherung und Verarbeitung vor 5000 Jahren.
Katalog zur gleichnamigen Ausstellung Berlin-Charlottenburg, Mai–Juli 1990.
222 S. Verlag Franzbecker, Bad Salzdetfurth 1990.

Arbeitsgruppe Bildungsbericht am Max-Planck-Institut für Bildungsforschung
Das Bildungswesen in der Bundesrepublik Deutschland.
Ein Überblick für Eltern, Lehrer und Schüler.
462 S. Rowohlt Taschenbuch Verlag, Reinbek 1990 (3. vollständig überarbeitete und erweiterte Neuausgabe).

Arbeitsgruppe am Max-Planck-Institut für Bildungsforschung
Das Bildungswesen in der Bundesrepublik Deutschland.
Ein Überblick für Eltern, Lehrer und Schüler.
Japanische Ausgabe: 348 S. Toshindo Publishing Co., Ltd., Tokyo 1989.

Kurt Kreppner and Richard M. Lerner (Eds.)
Family Systems and Life-Span Development.
416 pp. L. Erlbaum, Hillsdale, N.J. 1989.

Johannes Huinink
Mehrebenensystem-Modelle in den Sozialwissenschaften.
292 S. Deutscher Studienverlag, Wiesbaden 1989.

Erika M. Hoerning und Hans Tietgens (Hrsg.)
Erwachsenenbildung: Interaktion mit der Wirklichkeit.
200 S. Verlag Julius Klinkhardt, Bad Heilbrunn 1989.

Michael Wagner
Räumliche Mobilität im Lebensverlauf.
226 S. Ferdinand Enke Verlag, Stuttgart 1989.

Eberhard Schröder
Vom konkreten zum formalen Denken.
328 S. Verlag Hans Huber, Bern/Stuttgart/Toronto 1989.

Hans-Peter Blossfeld, Alfred Hamerle and Karl Ulrich Mayer
Event History Analysis: Statistical Theory and Application.
297 pp. L. Erlbaum, Hillsdale, N.J. 1989.

Bernhard Schmitz
Einführung in die Zeitreihenanalyse.
235 S. Verlag Hans Huber, Bern/Stuttgart/Toronto 1989.

Detlef Oesterreich
Lehrerkooperation und Lehrersozialisation.
159 S. Deutscher Studien Verlag, Weinheim/Basel 1988.

Paul B. Baltes, David L. Featherman and Richard M. Lerner (Eds.)
Life-Span Development and Behavior.
337 pp. Vol. 8. L. Erlbaum, Hillsdale, N.J. 1988.

Paul B. Baltes, David L. Featherman and Richard M. Lerner (Eds.)
Life-Span Development and Behavior.
338 pp. Vol. 9. L. Erlbaum, Hillsdale, N.J. 1988.

Bernhard Schmitz
Zeitreihenanalyse in der Psychologie.
Verfahren zur Veränderungsmessung und Prozeßdiagnostik.
304 S. Deutscher Studien Verlag, Weinheim/Basel 1987.

Hans-Uwe Hohner
Kontrollbewußtsein und berufliches Handeln.
201 S. Verlag Hans Huber, Bern/Stuttgart/Toronto 1987.

Margret M. Baltes and Paul B. Baltes (Eds.)
The Psychology of Control and Aging.
415 pp. L. Erlbaum, Hillsdale, N.J. 1986.

Paul B. Baltes, David L. Featherman and Richard M. Lerner (Eds.)
Life-Span Development and Behavior.
334 pp. Vol. 7. L. Erlbaum, Hillsdale, N.J. 1986.

Axel Funke, Dirk Hartung, Beate Krais und Reinhard Nuthmann
Karrieren außer der Reihe.
Bildungswege und Berufserfolge von Stipendiaten der gewerkschaftlichen Studienförderung.
256 S. Bund-Verlag GmbH, Köln 1986.

III. Andere Verlage (Fortsetzung)

Jürgen Staupe
Parlamentsvorbehalt und Delegationsbefugnis. Zur „Wesentlichkeitstheorie" und zur Reichweite legistativer Regelungskompetenz, insbesondere im Schulrecht.
419 S. Duncker & Humblot, Berlin 1986.

Ernst-H. Hoff
Arbeit, Freizeit und Persönlichkeit. Wissenschaftliche und alltägliche Vorstellungsmuster.
229 S. Verlag Hans Huber, Bern/Stuttgart/Toronto 1986.

Ernst-H. Hoff, Lothar Lappe und Wolfgang Lempert (Hrsg.)
Arbeitsbiographie und Persönlichkeitsentwicklung.
288 S. Verlag Hans Huber, Bern/Stuttgart/Toronto 1986.

John R. Nesselroade and Alexander von Eye (Eds.)
Individual Development and Social Change: Explanatory Analysis.
380 pp. Academic Press, New York 1985.

Michael Jenne
Music, Communication, Ideology.
185 pp. Birch Tree Group Ltd., Princeton, N.J. 1984.

Max Planck Institute for Human Development and Education
Between Elite and Mass Education. Education in the Federal Republic of Germany.
348 pp. State University of New York Press, Albany 1983.

Margit Osterloh
Handlungsspielräume und Informationsverarbeitung.
369 S. Verlag Hans Huber, Bern/Stuttgart/Toronto 1983.